Petra Frerichs/
Margareta Steinrücke (Hrsg.)
Soziale Ungleichheit und
Geschlechterverhältnisse

Schriftenreihe „Sozialstrukturanalyse"
Herausgegeben von Stefan Hradil

Band 3

Petra Frerichs/Margareta Steinrücke
(Hrsg.)

Soziale Ungleichheit und Geschlechterverhältnisse

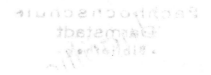

Leske + Budrich, Opladen 1993

Die Deutsche Bibliothek — CIP-Einheitsaufnahme

Schriftenreihe Sozialstrukturanalyse ; Bd. 3)
ISBN: 3-8100-1072-3

© 1993 by Leske + Budrich, Opladen

Das Werk einschließlich aller seiner Teile ist urheberrechtlich geschützt. Jede Verwertung außerhalb der engen Grenzen des Urheberrechtsgesetzes ist ohne Zustimmung des Verlags unzulässig und strafbar. Das gilt insbesondere für Vervielfältigungen, Übersetzungen, Mikroverfilmungen und die Einspeicherung und Verarbeitung in elektronischen Systemen.

Druck und Verarbeitung: Druck Partner Rübelmann, Hemsbach

Printed in Germany

Inhaltsverzeichnis

Vorwort 9

Problemgeschichte

Johann Handl
Zur Berücksichtigung von Frauen in der empirisch arbeitenden
Mobilitäts- und Schichtungsforschung 13

Theorie

Eva Cyba
Überlegungen zu einer Theorie geschlechtsspezifischer Ungleichheiten 33

Reinhard Kreckel
Doppelte Vergesellschaftung und geschlechtsspezifische
Arbeitsmarktstrukturierung 51

Brigitte Aulenbacher und *Tilla Siegel*
Industrielle Entwicklung, soziale Differenzierung, Reorganisation
des Geschlechterverhältnisses 65

Empirie Ost

Irene Dölling
Weibliche Wendeerfahrungen "oben" und "unten" 101

Andrea Lange
"Man muß eben det Beste draus machen, Kopp in 'n Sand stecken
hilft nischt" - Strategien zur Bewältigung der 'Wende'
am Beispiel von zwei brandenburger Facharbeiterinnen 117

Empirie West

Angelika Diezinger
Geschlechterverhältnis und Individualisierung: Von der
Ungleichheitsrelevanz primärer Beziehungen 145

Ulrike Martiny
Eine gesellschaftliche Großgruppe formiert sich: Verschärfung
sozialer Ungleichheit für Frauen durch Nicht-Verheiratet-Leben 159

Forschungsprobleme

Petra Frerichs und *Margareta Steinrücke*
Frauen im sozialen Raum. Offene Forschungsprobleme bei der
Bestimmung ihrer Klassenposition 191

Verzeichnis der Autorinnen und Autoren 206

Vorwort

Vorwort

Dieser Band beruht auf Beiträgen einer gemeinsamen Tagung der Sektionen "Frauenforschung" und "Soziale Ungleichheit und Sozialstrukturanalyse" in der Deutschen Gesellschaft für Soziologie, die diese in Kooperation mit dem ISO im Juni 1992 zum Thema "Soziale Ungleichheit und Geschlechterverhältnisse" in Köln durchgeführt haben.

Die zwei wesentlichen gesellschaftsstrukturierenden Ungleichheiten - die soziale und die geschlechtliche - wurden bisher relativ unverbunden nebeneinander, ohne systematischen Bezug zueinander, durch Sozialstrukturanalyse und Ungleichheitsforschung einerseits, Frauenforschung andererseits untersucht. Während in England seit den achtziger Jahren eine intensive Diskussion zwischen Schichtungsforschung und Frauenforschung, die sogenannte "Gender and Class Debate", geführt wird, gab es im deutschsprachigen Raum nur sehr vereinzelte Versuche der Integration beider Forschungsstränge. Mit der hier dokumentierten Tagung wurde nun der Versuch unternommen, eine solche Diskussion zu beginnen: durch das wechselseitige Zur-Kenntnis-Nehmen und den Austausch von Ergebnissen der Frauenforschung und der Ungleichheitsforschung, mit theoretischen Anstrengungen zur Integration der geschlechtlichen und sozialen Dimension von Ungleichheit und durch die Bezeichnung forschungspraktischer Probleme bei der empirischen Erforschung sozialer und geschlechtlicher Ungleichheit in ihrer Verschränkung.

Während *Johann Handl* die Geschichte der faktischen Berücksichtigung von Frauen in der bundesdeutschen Mobilitätsforschung seit Anfang der siebziger Jahre nachzeichnet, stellen *Eva Cyba* und *Reinhard Kreckel* theoretische Überlegungen an, wie geschlechtliche Ungleichheit einmal mit einem erweiterten Konzept sozialer Schließung, zum anderen mit einem erweiterten Konzept doppelter Vergesellschaftung (von Frauen *und* Männern) erklärt werden könnte.

Brigitte Aulenbacher und *Tilla Siegel* untersuchen die Transformationen von Geschlechterverhältnissen im Laufe der industriellen Entwicklung.

Irene Dölling und *Andrea Lange* stellen anhand der Ergebnisse biographischer Untersuchungen dar, wie Frauen aus unterschiedlichen sozialen Gruppen die Wende in der ehemaligen DDR verarbeiten. *Angelika Diezinger* und *Ulrike Martiny* zeigen am Beispiel verschiedener Gruppen von Frauen aus der alten Bundesrepublik, nämlich Frauen mit verschiedenen Beziehungskonzepten und nicht-verheirateten Frauen, auf, wie soziale Unterschiede sich innerhalb der Großgruppe Frauen differenzierend auswirken.

Im letzten Beitrag diskutieren *Petra Frerichs* und *Margareta Steinrücke* forschungspraktische Probleme, die sich bei dem Versuch ergeben, auf der Grundlage sozialstatistischer Daten Frauen im sozialen Raum zu verorten.

Ermöglicht wurden der Austausch und die Diskussion dieser verschiedenartigen und sich hoffentlich wechselseitig anregenden Überlegungen und Forschungsergebnisse durch die Unterstützung der beiden Sektionen: *Monika Wohlrab-Sahr, Karin Jurczyk, Stefan Hradil* und *Reinhard Kreckel* vermittelten Kontakte, *Ilse Dröge-Modelmog*, Sprecherin der Sektion "Frauenforschung", und *Stefan Hradil*, Sprecher der Sektion "Soziale Ungleichheit", moderierten die Diskussion. Finanzielle Unterstützung erhielten wir vom *Wissenschaftsministerium Nordrhein-Westfalen* und vom *ISO*, Köln, das auch die Organisation der Tagung und die Redaktion der Beiträge durch dessen Öffentlichkeitsreferentin *Renate Schneider* übernahm. Ihnen allen wie *Doris Schäfer* und *Bernd Kosubek*, die Satz und Layout der Beiträge erstellt haben, gilt unser Dank, und wir hoffen, daß diesem ersten Schritt zu einer Diskussion zwischen Frauenforschung und Ungleichheitsforschung weitere folgen werden.

Petra Frerichs   Margareta Steinrücke

Problemgeschichte

Zur Berücksichtigung von Frauen in der empirisch arbeitenden Mobilitäts- und Schichtungsforschung

Johann Handl

1 Einleitung

Die breite Kritik an der vermeintlichen "Geschlechtsblindheit" der Soziologie hat sich unter anderem auch an der Untersuchung von Aspekten sozialer Ungleichheit und hier vor allem dem Ansatz der traditionellen Schichtungs- und Mobilitätsforschung festgemacht. Sie hat bereits zu Beginn der siebziger Jahre mit einem Beitrag von *Joan Acker* (1973) begonnen, mündete in England zu Ende der achtziger Jahre in eine intensive Auseinandersetzung um die von *Goldthorpe* und anderen durchgeführten Mobilitätsstudien (vgl. *Goldthorpe* 1983, 1984; *Erikson* 1984; *Allen* 1982; *Dale/Gilber/Arber* 1985) und wurde - wenngleich in sehr geringem Umfang - auch in der deutschen Soziologie rezipiert (*Haller* 1981; *Hoerning* 1984; *Kreckel* 1989). Der Kernpunkt der dabei vorgebrachten Kritik war immer das Argument, daß Frauen in der Mobilitäts- und Schichtungsforschung überhaupt nicht oder nicht angemessen berücksichtigt werden würden (*Hoerning* 1984, 114).

Obwohl nun die Mobilitätsforschung sehr eng in die Schichtungsforschung eingebunden ist, ja diese den theoretischen Rahmen für Mobilitätsstudien überhaupt erst bereit stellt, so scheint es mir doch sinnvoll, klar zwischen ihnen zu differenzieren. Dies deswegen, da sich, trotz des erwähnten engen Verhältnisses zwischen Schichtungs- und Mobilitätsforschung, für beide das Problem der angemessenen Berücksichtigung von Frauen unterschiedlich stellt.

Untersucht man die Berechtigung des Vorwurfs an die Mobilitäts- und Schichtungsforschung genauer, so kann das Argument, Frauen seien aus den empirischen Analysen systematisch ausgeklammert worden, nur für den Zeitraum bis etwa zu Beginn der siebziger Jahre Gültigkeit beanspruchen. Danach sind - wie ich im folgenden noch belegen werde - Frauen in allen größeren empirischen Projekten, die sich mit Mobilitätsprozessen befassen, berücksichtigt worden und es gibt eine ganze Reihe von Publikationen, die sich explizit mit den Mobilitätsmustern von Frauen beschäftigen. Somit kann der Vorwurf sich eigentlich nur noch auf eine ungenügende bzw. theoretisch nicht angemessene Berücksichtigung beziehen.

Über die Berechtigung dieses zweiten, meiner Meinung nach zentralen Kritikpunktes, kann nicht so einfach entschieden werden, da er zumindest zwei Aspekte enthält. Er kann sich zum einen auf die Mobilitätsforschung im engeren Sinn, d.h. den technischen Aspekt des Vergleichs von Mobilitätstabellen zwischen den Geschlechtern beziehen, zum anderen jedoch auf die Frage, inwieweit Frauen in den der Untersuchung von Mobilitätsbewegungen vorausgehenden Abgrenzungen von sozialen Klassen oder Schichten angemessen eingestuft werden.

Nur dieser letztere Punkt scheint mir theoretisch umstritten zu sein. Denn während für das Problem des Vergleichs von Mobilitätsmustern mit Hilfe von absoluten oder relativen Meßziffern - wenngleich es mit vielen Mißverständnissen belastet ist - ein Konsens erreichbar scheint, so wird die Auseinandersetzung um eine theoretisch ausreichende Begründung der traditionell als strukturdominant angesehenen Variablen der Schichtungsforschung und der dazu aus feministischer Perspektive vorgebrachten Kritik wohl auch weiterhin offen bleiben.

Ich möchte in dieser Situation im folgenden zwei Punkte ansprechen und diskutieren. Zum einen werde ich einen kurzen Überblick darüber geben, ab welchem Zeitpunkt Frauen in den großen Mobilitätsstudien Berücksichtigung gefunden haben, zum zweiten werde ich das Problem des Vergleichs der Mobilitätsmuster zwischen den Geschlechtern ansprechen. Dabei möchte ich vor allem zeigen, daß - auch ohne Lösung für das Problem einer angemessenen Status- oder Klassenlagenbestimmung für Frauen - aus solchen Untersuchungen empirisch und theoretisch sinnvolle Ergebnisse gewonnen werden können.

2 Ein kurzer Überblick über die Berücksichtigung von Frauen in den großen Mobilitätsstudien der Vergangenheit

Die wohl einflußreichste Mobilitätsstudie der Nachkriegszeit in Hinblick auf die Breite ihrer internationalen Ausstrahlung war sicher die von *Blau/Duncan* 1962 initiierte und von *Featherman/Hauser* 1973 replizierte Untersuchung für die USA ("Occupational Changes in a Generation": OCG I und OCG II). Sie hat zu drei umfangreichen Monographien (*Blau/Duncan* 1967; *Hauser/-Featherman* 1977; *Featherman/Hauser* 1978) und einer großen Zahl von inhaltlich und methodisch orientierten Zeitschriftenbeiträgen geführt.

Da in der ersten Datenerhebung von 1962, die als Zusatz zum regelmäßig vom *Bureau of the Census* erhobenen *Current Population Survey* angelegt war, nur die männliche Population im Alter zwischen 20 und 64 Jahren befragt worden war, hat sich auch die Replikation nur auf Männer bezogen. Damit trifft der Vorwurf der "Geschlechtsblindheit der Mobilitätsforschung" auf die Studie von *Blau/Duncan* in der Tat zu. Man muß gleichzeitig aber auch sehen, daß dieses Defizit der ersten Erhebungswelle sensibilisierend wirkte und ab Beginn der siebziger Jahre eine Vielzahl von Studien zur beruflichen Mobilität und zur Heiratsmobilität von Frauen durchgeführt worden sind.

Schon 1971 haben *P. Dejong u.a.* einen Artikel über die beruflichen Mobilitätsmuster von Frauen publiziert, in dem sie zum Ergebnis kommen,

Frauen in der Mobilitäts- und Schichtungsforschung 15

daß diese im wesentlichen mit denen der Männer übereinstimmen. Dieser Befund ist in der Folgezeit (*Havens/Tully* 1972; *Rogoff-Ramsoy* 1973; *Tyree/Treas* 1974) sowohl unter methodischen als auch unter inhaltlichen Gesichtspunkten massiv kritisiert worden. Dabei wurde klar gestellt, daß sich die Aussage der großen Ähnlichkeit nicht auf die tatsächlich beobachtbaren Mobilitätsmuster beziehen kann, sondern nur auf - in welcher Weise auch immer gemessene - schichtspezifisch relative Chancenstrukturen.

Viele Mißverständnisse, welche die Mobilitätsforschung bis in die Gegenwart begleiten, finden sich bereits in dieser Diskussion. Dies gilt vor allem für die Frage, inwieweit sich schichtspezifisch ungleiche Chancenstrukturen zwischen den Geschlechtern - auch unabhängig von den zwischen ihnen sehr unterschiedlichen Beschäftigungsstrukturen - in inhaltlich sinnvoller Weise vergleichen lassen.

Eine zweite Projekttradition, die ich ansprechen will, sind die von *Goldthorpe u.a.* in mehreren Wellen durchgeführten Studien. In einem ersten Schritt sind dabei die Mobilitätsmuster der englischen Bevölkerung untersucht worden (*Goldthorpe* 1980), in einem zweiten Schritt wurde die Untersuchung auf den Vergleich mit Schweden und Frankreich erweitert (*Erikson/Goldthorpe/Portocarero* 1979, 1982, 1983) und in einem dritten Schritt schließlich auf eine größere Zahl von Ländern ausgedehnt (*Erikson/ Goldthorpe* 1992).

Das zentrale Ziel der Arbeiten von *Goldthorpe* selbst ist die Frage nach der Ähnlichkeit der Klassenstruktur in den verschiedenen Gesellschaften. Unter der traditionellen Voraussetzung, daß sich die Klassenlage von Familien vor allem über die Erwerbstätigkeit des meist männlichen Familienvorstandes bestimmen lasse, beziehen sich seine Analysen dann jeweils auch nur auf die männliche Population. Dieses Vorgehen bedeutet allerdings nur eine auf die gewählte Forschungsfrage bezogene Ausblendung der Frauen und keineswegs deren völlige Nicht-Berücksichtigung. In einer Vielzahl von Beiträgen, die sich an anderen Fragestellungen orientieren, werden sehr wohl geschlechtsspezifische Differenzen der Mobilitätschancen im internationalen Vergleich diskutiert (*Portocarero* 1983a, b, 1985).

Die Kritik an dem Projektvorhaben von *Goldthorpe* hat sich deshalb vor allem daran entzündet, ob Klassenstrukturen tatsächlich unter Ausblendung der weiblichen Erwerbstätigen angemessen bestimmt werden können oder nicht. Da diese Diskussion jüngst von *Kreckel* (1989) zusammengefaßt worden ist, möchte ich an dieser Stelle nicht weiter darauf eingehen und wende mich in einem dritten Schritt der Situation in der Bundesrepublik zu.

Für die Bundesrepublik stammt ein großer Teil der Beiträge zur sozialen Mobilität und Ungleichheit aus einer an den Universitäten Mannheim und Frankfurt durchgeführten Sekundäranalyse der Mikrozensus-Zusatzerhebung von 1971. Auch hier liegt zwar die größere Zahl von Beiträgen für die Männer vor. Von Anfang an sind in diesen Projekten aber die Mobilitätsprozesse von Frauen gleichberechtigt untersucht worden (*Handl* 1977b, 1988, 1991; *Lengsfeld* 1977; *Mayer* 1977). Eingebettet war diese Beschäftigung mit den Mobilitätsmustern zudem in eine intensive Analyse der langfristigen Entwicklung der Erwerbsbeteiligung von Frauen (*Müller/ Willms/Handl* 1983; *Willms* 1980; *Willms-Herget* 1985; *Handl* 1978), der Veränderung ihrer Bildungschancen und ihrer beruflichen Möglichkeiten (*Blossfeld* 1984, 1985; *Handl* 1984).

Diese kurze und bei weitem nicht vollständige Skizze der Forschungslandschaft dürfte deutlich gemacht haben, daß das Argument, Frauen seien in der Mobilitätsforschung nicht berücksichtigt worden, nur für die Nachkriegszeit bis etwa zu Beginn der siebziger Jahre zu halten ist. Danach hat sich im Rahmen der empirisch arbeitenden Ungleichheitsforschung ein Analysedesign durchgesetzt, das neben "Klasse" oder "Schicht" fast durchwegs auch "Geschlecht" und "Alter" in Form unterschiedlicher Kohortenzugehörigkeit berücksichtigt hat. Es mag allerdings sein, daß eine theoretisch befriedigende Begründung dabei zu kurz gekommen ist. Dennoch sind in dieser Entwicklung, die zunehmend auch den internationalen Vergleich ins Blickfeld genommen hat, Forderungen, die in der Gegenwart an eine theoretische Neuorientierung der Ungleichheitsforschung gestellt werden (*Kreckel* 1991), in der Forschungspraxis - wie unvollkommen auch immer - bereits vorweggenommen worden.

3 Zur Angemessenheit des traditionellen Vorgehens der Mobilitätsforschung in der Perspektive von "Chancengleichheit"

Es bleibt damit aber nach wie vor der Vorwurf, daß Frauen in der traditionellen Mobilitäts- und Schichtungsforschung theoretisch nur unangemessen Berücksichtigung gefunden haben. Dieser kann sich - wie ich einleitend schon skizziert habe - auf zwei unterschiedliche Tatbestände beziehen. Zum einen kann damit gemeint sein, daß die Bestimmung des sozialen Status von Frauen bzw. ihrer Klassenlage nur sehr unzureichend gelöst worden ist. Zum zweiten kann es aber auch darum gehen, daß der Vergleich der Mobilitätsmuster von Frauen innerhalb dieses Rahmens mit Fehlern behaftet ist.

Ich denke, daß es sinnvoll ist, zwischen diesen beiden Aspekten zu unterscheiden. Denn die mitunter geäußerte Bewertung der Mobilitätsforschung als "theorielos und irrelevant" bezieht sich vor allem darauf, daß sie das Problem der Statusbestimmung von Frauen nicht oder nur unzureichend gelöst hat, weniger aber darauf, daß die Konstruktion der verschiedenen Mobilitätsindikatoren selbst als ungenügend angesehen wird.

Wenn dies zutreffen sollte, scheinen alle Bemühungen der Mobilitätsforschung der letzten Jahrzehnte, zu angemessenen Meßmethoden für den Mobilitätsprozeß selbst zu gelangen, von vorneherein zum Scheitern verurteilt gewesen zu sein. Denn solange das Problem der Bestimmung von Klassenlagen bzw. des sozialen Status von Frauen nicht gelöst ist, kann unter der klassischen Leitidee, Mobilitätsmuster als Indikatoren des dynamischen

Aspektes von Prozessen der Klassenbildung und Ressourcenvermittlung zwischen den Generationen zu verstehen, kein geschlechtsspezifischer Vergleich vorgenommen werden. Auch technisch aufwendig gewonnene Mobilitätsindikatoren sind nur wenig aussagekräftig, solange die Zuordnung von Personen zu Klassen und Schichten nicht in inhaltlich begründeter Weise erfolgt.

Diese Einschätzung der Mobilitätsforschung scheint im theoretischen Kontext einer Klassenanalyse und von Modellen, die tatsächlich auf das Prestige oder den sozio-ökonomischen Status von Frauen abzielen, nicht korrigierbar. Und deswegen ist dann in vielen Fällen versucht worden, die Status- oder Klassenlage von Frauen als abgeleitete zu bestimmen (*Goldthorpe* 1983). Wird diese Lösung, aus welchen Gründen auch immer, nicht akzeptiert, und ist das Problem der eigenständigen Status- und Klassenlagenbestimmung von Frauen noch ungelöst (vgl. *Haug* 1972, 1973; *Nilson* 1975; *Nock/Rossi* 1978, 1979; *Powers/Holmberg* 1978), so ist die Mobilitätsforschung nur zu retten, wenn sie einen anderen theoretischen Rahmen für ihre Untersuchungen wählt. Einen solchen kann meiner Meinung nach das traditionelle Modell von "Chancengleichheit" bieten.

Auch für diesen Ansatz - so könnte man einwenden - ist die Statusbestimmung von Frauen die primäre Aufgabe, da mit Chancengleichheit ja gerade der Zugang zu ungleich bewerteten Positionen, seien dies nun Berufe oder berufliche Stellungen, thematisiert und einem geschlechtsspezifischen Vergleich unterworfen werden soll. Männliche und weibliche Erwerbstätige unterscheiden sich aber auch innerhalb von Einzelberufen und beruflichen Stellungen in Hinblick auf Einkommen, qualifikatorische Voraussetzungen und ähnliche Faktoren. Wie kann dann trotz dieser Differenzen und ohne direkte Statusbestimmung von Frauen ein solches Modell eingelöst werden?

Ich denke, daß eine mögliche Lösung des Problems darin liegt, zwischen Zugangsdiskriminierung und interner Diskriminierung zu unterscheiden (*Diekmann* 1984). Der Aspekt der Zugangsdiskriminierung erfaßt dabei das Ausmaß, in dem bestimmte Positionen für die Angehörigen beider Geschlechter überhaupt offen stehen. Interne Diskriminierung thematisiert dann, ob dies möglicherweise mit unterschiedlichen Voraussetzungen oder unterschiedlichen Belohnungen korrespondiert.

Mit dieser Festlegung ist es, noch bevor Einigung über die Status- und Klassenlagenbestimmung von Frauen erzielt ist, meiner Meinung nach möglich, Mobilitätsprozesse zwischen den Geschlechtern sinnvoll zu vergleichen.

Soweit das theoretische Argument. Im folgenden möchte ich anhand eines bewußt sehr einfach gehaltenen Beispiels zeigen, daß auf dem vorgeschlagenen Weg tatsächlich inhaltlich sinnvolle Ergebnisse zu gewinnen sind, wenngleich die in der Mobilitätsforschung übliche Berechnung der "relativen" Mobilitätschancen einen Aspekt von Ungleichheit betrachtet, der - so fürchte ich - für die Frauenforschung der vergleichsweise uninteressantere ist.

Etwas mehr an Interesse gewinnt diese Perspektive möglicherweise, wenn es mir zu zeigen gelingt, daß sie identisch ist mit einer Betrachtung der Höhe geschlechtsspezifischer Segregation, die zugleich den Tatbestand, daß Frauen - ebenso wie Männer - intern noch nach Klassen- oder Schichtzugehörigkeit differenziert sind, nicht aus den Augen verliert. Betrachten wir dazu im folgenden eine einfache Mobilitätstabelle für Frauen und Männer unter dem Aspekt der Zugangschancengleichheit zu bestimmten Berufsgruppen. Sie stellt - um die technische Argumentation einfach zu halten - eine Zusammenfassung und gleichzeitige Auswahl aus einer sehr viel differenzierteren Datenbasis für die Bundesrepublik Deutschland dar (siehe dazu *Handl* 1988), wobei die der gewählten Perspektive von Chancengleichheit angemessenen Zeilenprozente betrachtet werden.

Tabelle 1: Intergenerationale berufliche Mobilität von Frauen (Abstromprozente)

Soziale Herkunft (Berufsgruppe des Vaters)	Berufsgruppe der Töchter			
	1	2	3	
1 upper white-collar	31,8	61,4	6,8	100 %
2 lower white-collar	7,9	63,1	29,0	100 %
3 working-class	2,2	36,8	61,1	100 %
GESAMT	6,8	45,3	47,9	N=17426

Tabelle 2: Intergenerationale berufliche Mobilität von Männern (Abstromprozente)

Soziale Herkunft (Berufsgruppe des Vaters)	Berufsgruppe der Söhne			
	1	2	3	
1 upper white-collar	66,7	22,1	11,2	100 %
2 lower white-collar	28,0	38,1	34,0	100 %
3 working-class	8,8	20,3	70,9	100 %
GESAMT	18,0	23,9	58,1	N=39623

Tabelle 3: Differenzen in den beruflichen Mobilitätsmustern zwischen Frauen und Männern (Abstromprozentsatzdifferenzen)

Soziale Herkunft (Berufsgruppe des Vaters)	Berufsgruppe der Söhne/Töchter			
	1	2	3	
1 upper white-collar	-34,9	+39,3	-4,4	+1,9
2 lower white-collar	-20,0	+25,0	-5,0	+2,4
3 working-class	-6,7	+16,5	-9,8	-4,3
GESAMT	-11,2	+21,4	-10,2	

Wenn wir die in Tabelle 1 und 2 vorfindbaren Chancenstrukturen kurz charakterisieren wollen, so ist zweierlei bemerkenswert.

Zum einen entnehmen wir dem Vergleich der jeweiligen Randverteilungen dieser beiden Tabellen, daß die Berufsstruktur von Männern und Frauen sehr unterschiedlich ist. Während sich die Frauen fast ausschließlich in *working-class* und *lower white-collar* Positionen finden, haben fast 20 % der Männer Zugang zu *upper white collar* Positionen gefunden. Dieser Aspekt von Chancenungleichheit wird in der Literatur üblicherweise unter dem Schlagwort der "geschlechtsspezifischen Segregation" des Beschäftigungssystems diskutiert.

Zum zweiten sehen wir, daß die derart erfaßten, geschlechtsspezifisch unterschiedlichen Chancenstrukturen nach sozialer Herkunft von Frauen und Männern stark variieren. So finden zwar nur 2,2 % der Arbeitertöchter Zugang zu den *upper white-collar* Berufen, von den Töchtern mit Vätern in diesen Berufskreisen sind es aber schon 31,8 %. Und umgekehrt finden sich die Arbeitersöhne zu mehr als 70 % wiederum in Arbeiterpositionen, während es für die Söhne von Väter in gehobenen *white-collar* Positionen etwas über 10 % sind.

Das einfachste Verfahren zur Bestimmung der zwischen den Geschlechtern unterschiedlichen Chancen, Zugang in die einzelnen Berufsgruppen zu finden, besteht nun darin, einfach die Abstromprozente in der Mobilitätstabelle von Männern und Frauen zu vergleichen. Die dazu berechnete Tabelle 3 zeigt ein deutliches, durch die Differenzen der Randverteilungen zwischen Frauen und Männern geprägtes Muster. Gleichzeitig variieren diese geschlechtsspezifischen Chancenunterschiede in ihrer Größe, aber auch in Abhängigkeit von der jeweiligen sozialen Herkunft.

So finden zwar die Söhne aus allen sozialen Herkunftsgruppen in stärkerem Umfang als die Töchter Zugang zu den gehobenen *white-collar* Positionen. Ihr Vorsprung ist in den einzelnen Schichten allerdings sehr unterschiedlich: 35 % für die Söhne der Väter in gehobenen *white-collar* Positionen, 20 % für die Söhne mit Vätern in einfachen Angestelltenpositionen und nur 7 % für die Arbeitersöhne. Es ist damit offensichtlich, daß die

Differenzen in den Chancenstrukturen zwischen den Geschlechtern zwei unterschiedliche Wirkungsgrößen widerspiegeln. Zum einen "Geschlechtszugehörigkeit", zum anderen "Unterschiede der sozialen Herkunft". Der Einfluß dieser beiden Komponenten auf die Größe der Prozentsatzdifferenzen ist nur analytisch mit Hilfe spezifischer mathematischer Modelle zu bestimmen.

Das zentrale Interesse der Mobilitätsforschung galt - und gilt immer noch - primär nicht der "Größe möglicher geschlechtsspezifischer Schlechterstellung", sondern der "Größe der schicht- oder klassenspezifischen Differenzen". Daran ändert - was in der Diskussion meist übersehen wird - auch die zusätzliche oder nachträgliche Berücksichtigung von Frauen nicht das Geringste. Auch dann steht die Frage nach der schichtspezifischen Chancenungleichheit im Vordergrund, modifiziert allerdings in der Art und Weise, daß zusätzlich noch nach geschlechtsspezifischen Unterschieden im schichtspezifischen Muster sozialer Ungleichheit gefahndet wird.

Unabhängig davon, ob sich das Forschungsinteresse nun primär auf geschlechts- oder auf schichtspezifische Chancenungleichheiten richtet, stellt sich die Frage, wie diese gemessen werden sollen. Denn in der vorhergehenden Diskussion ist ja deutlich geworden, daß die Größe der beobachtbaren Prozentsätze bzw. der Prozentsatzdifferenzen jeweils durch beide Komponenten gemeinsam bestimmt wird. Es gilt deswegen nach einer neuen Meßziffer zu suchen, die es erlaubt, schicht- und geschlechtsspezifische Chancenungleichheit jeweils unter Kontrolle der anderen Wirkungsgröße zu bestimmen.

In der Mobilitätsforschung hat es eine Unzahl von Versuchen gegeben, eine solche Meßziffer für die Erfassung der schichtspezifischen Chancenungleichheit zu konstruieren (vgl. dazu *Müller* 1975, *Herz/Wieken-Meyser* 1979). Am bekanntesten davon ist wohl der sogenannte Assoziationsindex geworden. Dieser leistet jedoch, wie die neuere Diskussion gezeigt hat (*Duncan* 1966; *Tyree* 1974), nicht, was von ihm erwartet wird. Der Problemstellung als angemessen werden vielmehr zunehmend die *odds-ratio's* und die darauf aufbauenden log-linearen Analysemethoden angesehen (*Handl* 1988).

Die *odds-ratio's* betrachten die Chancen im Inneren einer Mobilitätstabelle jeweils unabhängig von den durch die Struktur der Randverteilungen gesetzten Bedingungen, indem sie die Zugangschancen zu bestimmten Zielpositionen jeweils zwischen den Angehörigen zweier Herkunftsgruppen vergleichen.

Für den Vergleich der Mobilitätsmuster zwischen Frauen und Männern bedeutet diese Standardisierung, daß die "relativen" (d.h. bezogen auf Personen gleicher Geschlechts-, aber unterschiedlicher Schichtzugehörigkeit) Chancen von Söhnen und Töchtern, die aus der Arbeiterschicht stammen, betrachtet werden, wobei die unterschiedliche Struktur der Beschäftigungsverhältnisse für Männer und Frauen keine Berücksichtigung findet.

Ohne auf die technischen Einzelheiten der Berechnung hier näher einzugehen (vgl. dazu *Handl* 1988; *Goodman* 1972) haben wir in den Tabellen 4 und 5 solche "relativen" Chancen für Frauen und Männer berechnet, während Tabelle 6 die halbierten Differenzen in den "relativen" Mobilitätschancen zwischen den Geschlechtern enthält. Als Basis für die Berechnung der "relativen" Chancen wird dabei keine bestimmte Herkunftsschicht herangezogen, sondern der Mittelwert der gesamten Population (Effektcodierung). Positive Werte in den Tabellen sind deswegen als positive Abweichungen, negative Werte als negative Abweichungen von diesem Populationsmittelwert zu sehen.

Wir wollen nur auf ein inhaltliches Ergebnis, das wir in diesen Tabellen finden, näher eingehen. Wie wir erwarten können, haben die Töchter und auch die Söhne von Vätern in den gehobenen *white-collar* Positionen bessere Chancen, in der Berufsgruppe des Vaters zu verbleiben, als Söhne oder Töchter mit anderer sozialer Herkunft Chancen haben, in diese Berufsgruppe Zugang zu erhalten.

Tabelle 4: Meßziffern "relativer" beruflicher Mobilität von Frauen (Lambda-Effekte)

Soziale Herkunft (Berufsgruppe des Vaters)	Berufsgruppe der Töchter		
	1	2	3
1 upper white-collar	+1,26	+0,06	-1,32
2 lower white-collar	-0,16	+0,06	+0,10
3 working-class	-1,09	-0,12	-1,21

Tabelle 5: Meßziffern "relativer" beruflicher Mobilität von Männern (Lambda-Effekte)

Soziale Herkunft (Berufsgruppe des Vaters)	Berufsgruppe der Söhne		
	1	2	3
1 upper white-collar	+1,02	-0,09	-0,93
2 lower white-collar	-0,11	+0,19	+0,08
3 working-class	-0,91	-0,09	+1,01

Tabelle 6: Differenzen in den "relativen" Mobilitätsmustern zwischen Männern und Frauen

Soziale Herkunft (Berufsgruppe des Vaters)	Berufsgruppe der Söhne/Töchter		
	1	2	3
1 upper white-collar	+0,117	+0,077	-0,194
2 lower white-collar	-0,026	-0,065	+0,091
3 working-class	-0,091	-0,012	+0,103

Überraschend ist nun aber vielleicht, daß diese "relative Privilegierung" für die Töchter größer ist als für die Söhne, obwohl sie insgesamt - im geschlechtsspezifischen Vergleich - natürlich über absolut geringere Zugangschancen in diese Berufsgruppe verfügen.

Diese Eigenschaft der in der Mobilitätsforschung verwendeten Maßzahlen, primär die mit sozialer Herkunft verknüpften Vor- und Nachteile in Rechnung zu stellen und geschlechtsspezifische Ungleichheiten dabei nur als Differenzen in dieser schichtspezifischen Ungleichheitsstruktur zu berücksichtigen, hat ihnen oftmals harsche Kritik eingetragen. Sofern man nicht vergißt, daß diese Meßziffern nur einen Teil der bestehenden Ungleichheiten in den Griff bekommen, ist dieser Vorwurf jedoch unberechtigt. Man kann nämlich zeigen, daß die Betrachtung des Umfanges geschlechtsspezifischer Segregation am Arbeitsmarkt - wenn sie nicht ihrerseits blind für schichtspezifische Ungleichheiten innerhalb der Populationen der Geschlechter ist - zu genau denselben Meßziffern führt wie die obige Betrachtung der schichtspezifischen Ungleichheiten.

Die in Tabelle 1 und 2 enthaltenen Informationen können - wenn wir uns primär für das Ausmaß an geschlechtsspezifischer Ungleichheit interessieren - in der Form der Tabelle 7 angeordnet werden. Aus dieser geht klar hervor, daß der Umfang der geschlechtsspezifischen Segregation der Beschäftigungsverhältnisse in den einzelnen Herkunftsgruppen unterschiedlich ist. Sie liegt für Arbeiterkinder unter dem Durchschnitt, für die anderen Herkunftsgruppen liegt sie über dem Durchschnitt.

Und wiederum kann man argumentieren, daß die hier betrachteten geschlechtsspezifischen Chancen und Chancendifferenzen keine "reinen" Meßziffern für den Effekt von Geschlechtszugehörigkeit sind, sondern immer auch von der Schichtzugehörigkeit abhängig sind. Auch dann, wenn also primär geschlechtsspezifische Unterschiede interessieren, benötigen wir also eine Meßziffer, die den Effekt der jeweils anderen Wirkungsvariablen zu kontrollieren erlaubt.

Tabelle 7: Berufliche Segregation von Frauen und Männern innerhalb sozialer Herkunftsgruppen (Abstromprozente)

Soziale Herkunft (Berufsgruppe des Vaters)	Berufsgruppen der Töchter/ Söhne			
	1	2	3	
1 upper white-collar				
FRAUEN	31,8	61,4	6,8	100 %
MÄNNER	66,7	22,1	11,2	100 %
	-34,9	39,3	-4,4	D=39,3
2 lower white-collar				
FRAUEN	7,9	63,1	29,0	100 %
MÄNNER	28,0	38,1	34,0	100 %
	-20,1	25,0	-5,0	D=25,0
3 working-class				
FRAUEN	2,2	36,8	61,1	100 %
MÄNNER	8,8	20,3	70,9	100 %
	-6,6	16,5	-9,8	D=16,5
GESAMT: FRAUEN	6,8	45,3	47,9	100 %
GESAMT: MÄNNER	18,0	23,9	58,1	100 %
	-11,2	21,4	-10,2	D=21,4

Dies leistet der bekannte Segregationsindex offensichtlich genauso wenig wie der Assoziationsindex. Die Lösung führt uns wiederum zu den relativen Chancen bzw. zu den *odds-ratio's* und den log-linearen Effektparametern. Die in Tabelle 6 enthaltenen Kennziffern geben nicht nur an, in welchem Umfang die schichtspezifische Chancenstruktur sich für Männer und Frauen unterschiedlich darstellt, sie informieren gleichzeitig auch darüber, in welchem Umfang die geschlechtsspezifisch differente Chancenstruktur innerhalb der einzelnen Herkunftsschichten variiert. Dies wird deutlich, wenn wir die Prozentsätze in Tabelle 7 durch die Effektparameter des log-linearen Modells ersetzen, die in gewisser Weise für die Prozentsatzdifferenzen zwischen Männern und Frauen im Zugang zu den einzelnen beruflichen Stellungen stehen.

In Tabelle 8 stehen die Werte, wie wir sie bei einer getrennten Analyse für die Angehörigen der einzelnen Herkunftsgruppen finden. In Tabelle 9 wird davon ausgegangen, daß wir die "durchschnittliche Höhe der Segregation" über die einzelnen Herkunftsschichten hin bestimmen, und in Tabelle 10 dann fragen, wie diese sich dann in den einzelnen Herkunftsschichten verändert. Diese "Segregationswerte" der Tabelle 10 stimmen mit den Werten der schichtspezifisch relativen Chancenstrukturen zwischen den Geschlechtern völlig überein.

Tabelle 8: Log-lineare Effektparameter als Meßziffern der Höhe geschlechtsspezifischer Segregation in den einzelnen Herkunftsgruppen (Lambda-Effekte)

Soziale Herkunft (Berufsgruppe des Vaters)	Berufsgruppe der Töchter/Söhne		
	1	2	3
1 upper white-collar	-0,334	+0,547	-0,212
2 lower white-collar	-0,478	+0,405	-0,073
3 working-class	-0,542	+0,457	+0,085

Tabelle 9: "Durchschnittliche Höhe der Segregation" über alle Herkunftsschichten hin (Interaktion zwischen Geschlecht und Berufsgruppe)

	Berufsgruppe der Töchter/Söhne		
	1	2	3
"durchschnittl. Höhe der Segregation"	-0,452	+0,470	-0,018

Tabelle 10: Abweichung der Höhe geschlechtsspezifischer Segregation in den einzelnen Herkunftsgruppen vom Gesamt-Mittelwert (Interaktion zwischen Geschlecht, Herkunftsschicht und Berufsgruppe)

Soziale Herkunft (Berufsgruppe des Vaters)	Berufsgruppe der Töchter/Söhne		
	1	2	3
1 upper white-collar	+0,117	+0,077	-0,194
2 lower white-collar	-0,026	-0,065	+0,091
3 working-class	-0,091	-0,012	+0,103

4 Zusammenfassung und Ausblick

Ich hoffe, daß es mir im vorhergehenden gelungen ist aufzuzeigen, daß Mobilitätsforschung und Segregationsforschung, wenn sie nicht jeweils blind dafür sind, daß Ungleichheitsstrukturen sowohl von Schicht- wie auch von Geschlechtszugehörigkeit abhängig sind, bei ihren empirischen Arbeiten zu den gleichen Meßziffern kommen. Die Differenz zwischen beiden liegt nur darin, daß die Mobilitätsforschung sich primär für den Einfluß der Schicht- oder Klassenzugehörigkeit interessiert und Geschlechtszugehörigkeit für sie nur insoweit von Interesse ist, als sie diese Einflußgröße modifiziert, während für die Segregationsforschung das Umgekehrte gilt. Für sie ist die geschlechtsspezifische Ungleichheit im Beschäftigungssystem jener Tatbestand, der primär interessiert. Von sekundärem Interesse ist für sie, daß diese Ungleichheit durch Schichtzugehörigkeit verändert wird, Frauen und Männer mithin selbst keine homogenen Gruppierungen sind.

Die Kritik der Frauenforschung an dem Vorgehen der traditionellen Mobilitätsforschung entsteht meiner Meinung nach zu einem guten Teil durch die Forderung, über den Einbezug von Frauen in die Analyse müßte die Geschlechtsvariable denselben Stellenwert wie die schicht- bzw. klassenmäßige Differenzierungslinie erhalten, während im traditionellen Ansatz der Mobilitätsforschung dies gerade unmöglich ist.

Welche Alternativen bleiben der empirischen Forschung in dieser Situation? Ich denke, daß es nicht sinnvoll ist, die Mobilitätsforschung einfach durch die Segregationsforschung zu ersetzen, da sie die vermeintlich richtige theoretische Gewichtung der Variablen vornimmt. Dies würde die "Selektivität der männlichen Perspektive" nur durch die "komplementäre Blindheit der Frauenforschung" ablösen. Mir scheint vielmehr die Ergänzung der Mobilitätsforschung durch die Segregationsforschung der richtige Weg zu sein. Denn die offensichtlichen geschlechtsspezifischen Differenzen und

Benachteiligungen in einer Vielzahl von Bereichen bedeuten nicht, daß Frauen als homogene Sozialkategorie anzusehen sind, für welche die schicht- und klassenmäßige Differenzierung der Gesellschaft keinerlei Bedeutung hat.

Literaturverzeichnis

Acker, Joan (1973): Women and Social Stratification: A Case of Intellectual Sexism, in: American Sociological Review 40, 174 - 183

Acker, Joan (1980): Women and Stratification: A Review of Recent Literature, in: Contemporary Sociology 9, 25 - 39

Allen, Sheila (1982): Gender Inequality and Class Formation, in: Anthony Giddens; Garvin Mackenzie (Hrsg.): Social Class and the Divison of Labor, Cambridge, S. 137 - 147

Blau, Peter; Otis D. Duncan (1967): The American Occupational Structure, New York

Blossfeld, Hans-Peter (1984): Bildungsexpansion und Tertiarisierungsprozeß, in: Zeitschrift für Soziologie 13, 20 - 44

Blossfeld, Hans-Peter (1985): Bildungsexpansion und Berufschancen, Frankfurt a. M.

Chase, Ivan D. (1975): A Comparison of Men's and Women's Intergenerational Mobility in the United States, in: American Sociological Review 40, 483 - 505

Dale, Angela; Nigel Gilbert; Sara Arber (1985): Integrating Women into Class Theory, in: Sociology 19, 384 - 409

Dejong, Peter Y.; Milton J. Brawer; Stanley S. Robin (1971): Patterns of Female Intergenerational Occupational Mobility: A Comparison with Male Patterns of Intergenerational Occupational Mobility, in: American Sociological Review 36, 1033 - 1042

Dejong, Peter Y.; Milton J. Brawer; Stanley S. Robin (1972): Reply to Havens and Tully, in: American Sociological Review 37, 777 - 779

Dejong, Peter Y.; Milton J. Brawer; Stanley S. Robin (1973): Patterns of Female Intergenerational Occupational Mobility: Response to Ramsoy, in: American Sociological Review 38, 807 - 809

Diekmann, Andreas (1984): Einkommensdiskriminierung von Frauen, in: Karl-Ulrich Mayer; Peter Schmidt (Hrsg.): Allgemeine Bevölkerungsumfragen der Sozialwissenschaften, Frankfurt a. M.: 315 - 351

Duncan, Otis D. (1961): A Socioeconomic Index for all Occupations, in: Albert J. Reiss jun. (ed.): Occupations and Social Status, New York, 109 - 138

Duncan, Otis D. (1966): Methodological Issues in the Analysis of Social Mobility, in: Smelser, N. J.; S. M. Lipset (eds.): Social Structure and Mobility in Economic Development, Chicago, 51 - 97

Erikson, Robert (1984): Social Class of Men, Women and Families, in: Sociology 18, 500 - 514

Erikson, Robert; John Goldthorpe (1992): The Constant Flux. A Study of Class Mobility in Industrial Societies, Oxford

Erikson, Robert; John Goldthorpe; Lucienne Portocarero (1979): Intergenerational Class Mobility in Three Western European Societies: England, France and Sweden, in: British Journal of Sociology 30, 415 - 441

Erikson, Robert; John Goldthorpe; Lucienne Portocarero (1982): Social Fluidity in Industrial Nations: England, France and Sweden, in: British Journal of Sociology 33, 1 - 34

Erikson, Robert; John Goldthorpe; Lucienne Portocarero (1983): Intergenerational Class Mobility and the Convergence Thesis: England, France and Sweden, in: British Journal of Sociology 34, 303 - 343

Erikson, Robert; Seppo Pöntinen (1985): Social Mobility in Finland and Sweden: A Comparison of Men and Women, in: Risto Alapuro, et al. (eds.): Small State in Comparative Perspective: Essays for Erik Allardt, Oslo

Featherman, David L.; Robert M. Hauser (1976): Sexual Inequalities and Socioeconomic Achievement in the U. S. 1962 - 1973, in: American Sociological Review 41, 462 - 483

Featherman, David L.; Robert M. Hauser (1978): Opportunity and Change, New York
Glenn, Norval D.; Adreain A. Ross; Judy C. Tully (1974): Patterns of Intergenerational Mobility of Females Through Marriage, in: American Sociological Review 39, 683 - 699
Glenn, Norval D.; Sandra L. Albrecht (1980): Is the Status Structure in the United States Really More Fluid for Women Than for Men? (Comment on Glenn, Ross and Tully), in: American Sociological Review 45, 340 - 343
Goldthorpe, John H. (1980): Social Mobility and Class Structure in Modern Britain, Oxford
Goldthorpe, John H. (1983): Women and Class Analysis: In Defence of the Conventional View, in: Sociology 17, 465 - 488
Goldthorpe, John H. (1984): Women and Class Analysis: A Reply to the Replies, in: Sociology 18, 491 - 499
Goldthorpe, John H.; Geoff Payne (1986): On the Class Mobility of Women: Results from Different Approaches to the Analysis of Recent British Data, in: Sociology 20, 531 - 555
Goodman, Leo A.(1972): A General Model for the Analysis of Surveys, in: American Journal of Sociology 77, 1035 - 1086
Haller, Max (1981): Marriage, Women, and Social Stratification: A Theoretical Critique, in: American Journal of Sociology 86, 766 - 795
Handl, Johann (1977a): Sozio-ökonomischer Status und der Prozeß der Statuszuweisung, in: Johann Handl; Karl Ulrich Mayer; Walter Müller: Klassenlagen und Sozialstruktur. Empirische Untersuchungen für die Bundesrepublik Deutschland, Frankfurt a. M.
Handl, Johann (1977b): Berufliche Chancen von Frauen - Untersuchungen zur weiblichen Berufsmobilität, in: Soziale Welt 28, 494 - 523
Handl, Johann (1978): Ausmaß und Determinanten der Erwerbsbeteiligung von Frauen, in: Institut für Arbeitsmarkt- und Berufsforschung (Hg.): Probleme bei der Konstruktion sozioökonomischer Modelle. IAB-Kontaktseminar 1977 an der Universität Mannheim. Beiträge zur Arbeitsmarkt- und Berufsforschung 31, Nürnberg, 189 - 256
Handl, Johann (1984): Chancengleichheit und Segregation: Ein Vorschlag zur Messung ungleicher Chancenstrukturen und ihrer zeitlichen Entwicklung, in: Zeitschrift für Soziologie 13, 328 - 345
Handl, Johann (1986): Führt die Angleichung der Bildungschancen zum Abbau geschlechtsspezifischer beruflicher Segregation?, in: Zeitschrift für Soziologie 15, 125 - 132
Handl, Johann (1988): Berufschancen und Heiratsmuster von Frauen, Frankfurt a. M.
Handl, Johann (1991): Zum Wandel der Mobilitätschancen junger Frauen und Männer zwischen 1950 und 1971: Eine Kohortenanalyse, in: Kölner Zeitschrift für Soziologie und Sozialpsychologie 43, 679 - 719
Handl, Johann; Karl Ulrich Mayer; Walter Müller (1977): Klassenlagen und Sozialstruktur. Empirische Untersuchungen für die Bundesrepublik Deutschland, Frankfurt/New York
Haug, Marie R. (1972): Social-Class Measurement: A methodological critique, in: Gerald W. Thielbar; Saul D. Feldman (eds.): Issues in Social Inequaltity, Boston, 429 - 451
Haug, Marie R. (1973): Social Class Measurement and Women's Occupational Roles, in: Social Forces 52, 86 - 98
Hauser, Robert M.; David L. Featherman (1977): The Process of Stratification: Trends and Analyses, New York
Hauser, Robert M.; David L. Featherman; Dennis P. Hogan (1977): Sex in the Structure of Occupational Mobility in the United States, 1962, in: R.M. Hauser; D.L. Featherman (eds.): The Process of Stratification: Trends and Analyses, New York, 191 - 215
Havens, Elizabeth M.; Judy C. Tully (1972): Female Intergenerational Mobility: Comparisons of Patterns?, in: American Sociological Review 37, 774 - 777
Havens, Elizabeth M. (1973): Female marital patterns in the United States, in: American Journal of Sociology 78, 975 - 981
Herz, Thomas A. (1983): Klassen, Schichten, Mobilität, Stuttgart
Herz, Thomas A. (1986): Social Mobility, Frankfurt a. M.
Herz, Thomas A.; Maria Wieken-Mayser (1979): Berufliche Mobilität in der Bundesrepublik, Frankfurt/New York

Hoerning, Erika (1984): Frauen: Eine vernachlässigte Gruppe in der Mobilitätstheorie und -forschung, in: Jahrbuch für Sozialökonomie und Gesellschaftstheorie, Opladen, 114 - 134

Kirchberg, Stefan (1975): Kritik der Schichtungs- und Mobilitätsforschung, Frankfurt/ New York

Kreckel, Reinhard (1972): Soziale Ungleichheit und "offene Gesellschaft", in: Soziale Welt 23, 17 - 40

Kreckel, Reinhard (1989): Klasse und Geschlecht: Die Geschlechtsindifferenz der soziologischen Ungleichheitsforschung und ihre theoretischen Implikationen, in: Leviathan 17, 305 - 321

Kreckel, Reinhard (1991): Geschlechtssensibilisierte Soziologie. Können askriptive Merkmale eine vernünftige Gesellschaftstheorie begründen?, in: Wolfgang Zapf (Hg.): Die Modernisierung moderner Gesellschaften, Frankfurt a. M., 370 - 382

Lengsfeld, Wolfgang (1977): Berufliche und soziale Mobilität verheirateter und geschiedener Frauen, in: Zeitschrift für Bevölkerungsforschung, Heft 2, 23 - 48

Mayer, Karl Ulrich (1977): Statushierarchie und Heiratsmarkt. Empirische Analysen zur Struktur des Schichtungssystems in der Bundesrepublik und zur Ableitung einer Statusskala, in: Johann Handl; Karl Ulrich Mayer; Walter Müller: Klassenlagen und Sozialstruktur. Empirische Untersuchungen für die Bundesrepublik Deutschland, Frankfurt a. M.

McClendon, McKee J. (1976): The Occupational Status Attainment Processes of Males and Females, in: American Sociological Review 41, 52 - 64

Müller, Walter (1975): Familie, Schule und Beruf. Soziale Mobilität und Prozesse der Statuszuweisung in der Bundesrepublik, Opladen

Müller, Walter (1983): Frauenerwerbstätigkeit im Lebenslauf, in: Walter Müller; Angelika Willms; Johann Handl: Strukturwandel der Frauenarbeit 1880 - 1980, Frankfurt a. M., 55 - 106

Müller, Walter; Angelika Willms; Johann Handl (1983): Strukturwandel der Frauenarbeit 1880 - 1980, Frankfurt a. M.

Nilson, Linda (1975): The occupational and sex related components of social standing, in: Sociology and Social Research 60, S. 328 - 336

Nock, Steven L.; Peter H. Rossi (1978): Ascription Versus Achievment in the Attribution of Family Social Status, in: American Journal of Sociology 84, S. 565 - 590

Nock, Steven L.; Peter H. Rossi (1979): Household Types and Social Standing, in: Social Forces 57, S. 1325 - 1345

Ostner, Ilona (1984): Arbeitsmarktsegmentation und Bildungschancen von Frauen, in: Zeitschrift für Pädagogik 30, S. 471 - 486

Ostner, Ilona (1991): "Weibliches Arbeitsvermögen" und soziale Differenzierung, in: Leviathan 19, S. 192 - 207

Otto, Luther B. (1975): Class and Status in Family Research, in: Journal of Marriage and the Family 37, S. 315 - 332

Pöntinen, Seppo (1980): On the Social Mobility of Women in the Scandinavian Countries, in: Commentationes Scientiarium Socialium 14, Helsinki

Portocarero, Lucienne (1983a): Social Mobility in Industrial Nations: Women in France and Sweden, in: The Sociological Review 31, S. 56 - 83

Portocarero, Lucienne (1983b): Social Fluidity in France and Sweden, in: Acta Sociologica 26, S. 127 - 139

Portocarero, Lucienne (1985): Social Mobility in France and Sweden: Women, Marriage and Work, in: Acta Sociologica 28, S. 151 - 170

Powers, Mary G.; Joan J. Holmberg (1978): Occupational Status Scores: Changes Introduced by the Inclusion of Women, in: Demography 15, S. 183 - 204

Rogoff-Ramsøy, Natalie (1966): Assortative Mating and the Structure of Cities, in: American Sociological Review 31, S. 773 - 786

Rogoff-Ramsøy, Natalie (1973): Patterns of Female Intergenerational Occupational Mobility: A Comment, in: American Sociological Review 38, S. 806 - 807

Rosenfeld, Rachel A. (1978): Women's Intergenerational Occupational Mobility, in: American Sociological Review 43, S. 36 - 46
Rossi, Peter H.; William A. Sampson; Christine E. Bose (1974): Measuring Household Social Standing, in: Social Science Research 3, S. 169 - 190
Rubin, Zick (1968): Do American Women Marry up?, in: American Sociological Review 30, S. 519 - 527
Rückert, Gerd-Rüdiger; Wolfgang Lengsfeld; Winfried Henke (1979): Partnerwahl, Boppard am Rhein
Safilios-Rothschild, Constantina (1975): Family and Stratification: Some Macrosociological Observations and Hypotheses, in: Journal of Marriage and the Family 37, S. 855 - 860
Sampson, William A.; Peter H. Rossi (1975): Race and Family Social Standing, in: American Sociological Review 40, S. 201 - 214
Suter, Larry E.; Herman P. Miller (1973): Income Differences Between Men and Career Women, in: American Journal of Sociology 78, S. 200 - 212
Treiman, Donald J; Kermit Terrell (1975): Sex and Process of Status Attainment: A Comparison of Working Women and Men, in: American Sociological Review 40, S. 174 - 200
Tyree, Andrea (1973): Mobility Ratios and Association in Mobility Tables, in: Population Studies 27, S. 577 - 588
Tyree, Andrea; Judith Treas (1974): The Occupational and Marital Mobility of Women, in: American Sociological Review 39, S. 293 - 302
van Velsor, Ellen; Leonard Beeghley (1979): The Process of Class Identification Among Employed Married Women: A Replication and Reanalysis, in: Journal of Marriage and the Family 41, S. 771 - 778
Willms, Angelika (1980): Die Entwicklung der Frauenerwerbstätigkeit im Deutschen Reich, Beiträge zur Arbeitsmarkt- und Berufsforschung 50, Nürnberg
Willms, Angelika (1983): Segregation auf Dauer? Zur Entwicklung des Verhältnisses von Frauenarbeit und Männerarbeit in Deutschland 1882 - 1980, in: Walter Müller; Angelika Willms; Johann Handl: Strukturwandel der Frauenarbeit 1880 - 1980, Frankfurt a. M., S. 107 - 181
Willms-Herget, Angelika (1985): Frauenarbeit. Zur Integration der Frauen in den Arbeitsmarkt, Frankfurt a. M.
Yasuda, Saburo (1964): A Methodological Inquiry Into Social Mobility, in: American Sociological Review 29, S. 16 - 182

Theorie

Überlegungen zu einer Theorie geschlechtsspezifischer Ungleichheiten

Eva Cyba

Der Ausgangspunkt für die folgenden Überlegungen ist der Umstand, daß es in den bisherigen Theorien sozialer Ungleichheit keine ausreichende Erklärung für die Benachteiligung von Frauen gibt. Das Muster geschlechtsspezifischer Ungleichheiten widersteht den Versuchen, es im Rahmen von Klassen- und Schichtentheorien als auch in bezug auf die zunehmende Individualisierung des Zugangs zu Lebenschancen umfassend zu erklären.

Ich gehe in drei Schritten vor: Im ersten Teil möchte ich kurz zeigen, daß der Versuch, die Benachteiligung von Frauen in den Rahmen bisheriger Theorien (in erster Linie Klassentheorien) zu integrieren, dazu geführt hat, diese Theorien zu öffnen und zu erweitern, aber diese Lösungsversuche trotzdem unbefriedigend blieben. Im zweiten Teil diskutiere ich die Diskriminierung von Frauen unter einer Perspektive, von der ich glaube, daß damit sowohl die Heterogenität der sozialen Lagen von Frauen berücksichtigt werden kann, als auch der Umstand, daß es sich dabei um ein übergreifendes Muster der Verteilung von Lebenschancen handelt. Im dritten Teil möchte ich aus dieser Perspektive noch darauf eingehen, welche Auswirkungen diese Muster für die Bildung einer sozialen Bewegung, also auf kollektive Identitäten und Einstellungen hat. Die Frage ist, ob es dabei Unterschiede zwischen Frauen und anderen benachteiligten Gruppen gibt und wie sich diese erklären lassen.

1 Frauen und Ungleichheitstheorien - eine Kritik

Ich möchte nun kurz auf einige neuere Ansätze eingehen, die versucht haben, die Muster der geschlechtsspezifischen Ungleichheiten zu identifizieren und zu erklären, um typische Lösungsversuche darzustellen und die damit verbundenen Schwierigkeiten aufzuzeigen.

Eine Richtung der Klassentheorie, die von feministischen Autorinnen vertreten wurde, hat versucht, Frauen bzw. bestimmte Gruppen von Frauen als soziale Klassen zu fassen. Die Begründung dafür wird entweder in der für alle Frauen geltende Zuständigkeit für die Reproduktionsarbeit gesucht (wie etwa *Walby* 1986) oder aber in der im Vergleich zu Männern fast immer niedrigeren beruflichen Position von Frauen (*West* 1978). Ein Problem bei dieser Form der Klassenzuordnung besteht darin, daß die Vielfalt der sozialen Lagen nicht berücksichtigt wird: Weder Hausfrauen, berufstätige Frauen geschweige denn alle Frauen weisen einen Grad sozialer Homogenität auf, der dafür spräche, sie als soziale Klasse zu bezeichnen. Auch wenn Frauen aus der Ober- und Unterschicht (um einfache Kategorien zu verwenden) alle für Haus- und Familienarbeit zuständig sind und ihre Arbeit für die Familie eine ähnliche Funktion hat, sind ihre Lebensweisen doch äußerst unterschiedlich. Dies gilt ebenso für ungelernte Arbeiterinnen und weibliche Angestellte, auch wenn beide Gruppen im Vergleich zu Männern in gleichen Positionen Benachteiligungen ausgesetzt sind.[1] Ob eine Klasse, die auf Grund rein funktionaler Kriterien definiert ist, mit Gruppen identisch ist, die sich auf Grund der Verteilung des Zugangs zu sozialen Lebenschancen herausbilden, ist im Prinzip eine offene Frage; soweit sie Frauen betrifft, muß man sie negativ beantworten.

Eine eher traditionelle Form der Klassentheorie geht von einer feststehenden Klassenstruktur aus, die sich in der beruflichen Hierarchie manifestiert. Das führt natürlich zu einer Reihe von Problemen bei der Zuordnung von Hausfrauen und verheirateten berufstätigen Frauen. Eine Antwort darauf ist die Sicht von *Goldthorpe* (1983, 1984), daß nicht Individuen, sondern Familien die Einheiten der Klassenstruktur bilden und in der überwiegenden Mehrheit die berufliche Tätigkeit der Männer für die Klassenzugehörigkeit der Familie ausschlaggebend ist. Die berufliche Tätigkeit der Frauen wird als subsidiär angesehen, sie dient dazu, die soziale Situation der Familie zu verbessern, womit einfach die Vorstellung der "Zuverdienerin" in der Theorie fortgeschrieben wird.

Dieser traditionelle Ansatz wurde vielfach kritisiert (eine Zusammenfassung findet sich bei *Kreckel* 1989; *Cyba/Balog* 1989) und die meisten seiner expliziten wie impliziten Annahmen wurden in empirischen Untersuchungen überprüft und widerlegt.[2] Ein theoretisch interessanter Punkt, der bei ihm deutlich wird, ist die Entkoppelung der Klassenanalyse und der Analyse sozialer Ungleichheiten. Denn nach *Goldthorpes* Modell gibt es eine Reihe von Ungleichheiten, die nicht auf die Wirkung der Klassenstruktur zurückgeführt werden können, da die Klassenstruktur selbst nur auf einigen - ursprünglich vier, neuerdings sieben (*Erikson/Goldthorpe* 1992) - Klassen beruht, die nach *Goldthorpe* "are believed to exert a pervasive in their lives" (1983, 467). Alle anderen Ungleichheiten bleiben damit unerfaßt und unerklärt, ein hoher Preis für die Aufrechterhaltung eines begrifflichen Rahmens, der traditionell darauf bezogen war, die relevanten sozialen "Bruchlinien" zu identifizieren, die Gesellschaftsangehörige auf Grund ihrer Lebenschancen und -formen trennen. Diese "Entkoppelung" bei *Goldthorpe* ist nicht zuletzt deswegen problematisch, weil er die Klassenanalyse in einem ersten Schritt in der Erklärung für Ungleichheiten begründet. Damit bleibt aber seine Haltung grundlegend ambivalent. Es drängt sich fast die Vermutung auf, daß die "reinen" Klassentheorien nicht durch die Frauen bzw. geschlechtsspezifische Ungleichheiten "verunreinigt" werden dürfen.

Neuere Versuche, die Klassentheorie auf die Analyse geschlechtsspezifischer Ungleichheiten zu beziehen, sind viel flexibler: Es werden

Prinzipien aufgezeigt, die gemeinsam mit der Zugehörigkeit zu den traditionellen Klassen die Verteilung von Lebenschancen bestimmen. Bei *Joan Acker* (1988) bestimmen zugleich die Struktur der Produktion (die in der beruflichen Zugehörigkeit zum Ausdruck kommt) und der Distribution (die sich auf die Verteilung des Lohns innerhalb der Familie bzw. des Einflusses staatlicher Instanzen auf die Verteilung) den Zugang zu Lebenschancen und zu sozialen Erfahrungen, die zu kollektiver Identitätsbildung führen. Neben dem Beruf sind die Machtbeziehungen im Geschlechterverhältnis als Determinanten geschlechtsspezifischer Ungleichheiten in die Theorie integriert.

Wright (1989) geht ähnlich vor, wenn er direkte und indirekte Klassenbeziehungen unterscheidet: Erstere beziehen sich auf den direkten Zugang zur Produktionssphäre, zweitere auf die Verteilung der Ressourcen, die über diesen Zugang erworben wurden. Indirekte/vermittelte Klassenbeziehungen verknüpfen die Gesellschaftsangehörigen, die nicht direkt in die Berufsarbeit integriert sind, über die Institutionen Familie und Staat mit dem Produktionsprozeß. Geschlecht vermag aus dieser Sicht den Einfluß von Klasse zu modifizieren, spielt aber in diesem Ansatz letztlich doch eine sekundäre Rolle. Dies sieht man daran, daß zwar sein Einfluß auf soziale Einstellungen und Klassenidentitäten untersucht wird, die Möglichkeit aber gar nicht in den Blick gerät, daß das Geschlecht ein ähnlich autonomer Bezugspunkt sozialer Identität sein könnte wie die Klasse.

Aber auch die Anwendung von *Webers* Begriff des "Standes" wie es z.B. *Beck* tut, wenn er von einer "ständischen Geschlechtslage" spricht (1986, 178), die zugeschrieben wird und über materielle Grenzen hinweg eine spezifische Art der Lebensführung hervorruft, kann kaum der Vielfalt der sozialen Lagen von Frauen gerecht werden. Eine andere Variante ist *Collins* (1988) Versuch, Frauen in die Klassenstruktur einzubeziehen. Während sie dem Beruf nach eher der Unterschicht zuzurechnen sind (da sie eher Befehle empfangen statt geben), sind sie in der Arbeit und der Familie aber mit der Selbstdarstellung nach außen für den (höheren) Status der Familie verantwortlich. Diese komplexe Situation erklärt nach *Collins* den Umstand, daß sich Frauen ihrer benachteiligten Situation nicht bewußt sind und sich nicht für ihre Interessen einsetzen. *Collins* verallgemeinert mit diesen - empirisch zu überprüfenden - Annahmen die Probleme bestimmter Gruppen von Frauen (u.a. Sekretärinnen), die sich sicher in dieser Form nicht für Arbeiterinnen aufrecht erhalten lassen.

Die Versuche, die traditionellen Schichtungsbegriffe Klasse und Stand für die Analyse der Benachteiligung von Frauen fruchtbar zu machen, scheitern an der Heterogenität der Lebenslagen von Frauen, die bei aller Benachteiligung keine ähnlich homogene Gruppe bilden, wie dies vom traditionellen Proletariat angenommen wurde.

Die "Individualisierungsthese" (die von der Ausdifferenzierung von Ungleichheitsbereichen bei gleichzeitiger Herauslösung aus historisch vorgegebenen Sozialbindungen ausgeht) bringt andere Probleme für die

Analyse geschlechtsspezifischer Ungleichheiten mit sich. Ausgangspunkt der Analyse von Ungleichheiten sind verschiedene Dimensionen (wie Einkommen, Bildung, Prestige, Zugang zu politischer Macht, aber auch Ausgesetztsein gegenüber sozialen Risiken), deren Relevanz daraus rührt, daß sie in einer Gesellschaft die Befriedigung "allgemein anerkannter Bedürfnisse gewähren" (*Hradil* 1987, 153). Dieser Ansatz ist für die Analyse empirisch vorfindbarer Ungleichheiten fruchtbar, und man kann zeigen, daß Gruppen von Frauen hinsichtlich verschiedener Dimensionen entscheidend benachteiligt sind.

Mein Einwand geht dahin, daß auf diese Weise zwar eine Reihe von Ungleichheiten, von denen Gruppen von Frauen unterschiedlich betroffen sind, identifiziert werden kann. Aber der allgemeine Aspekt, daß praktisch alle Frauen benachteiligt sind, gerät aus dem Blick. Es gibt keinen übergreifenden Gesichtspunkt, von dem aus alleinverdienende Mütter, Rentnerinnen oder Mädchen aus Unterschichtsfamilien ohne berufliche Ausbildung sowohl als typische Gruppen als auch gleichzeitig als Ausprägung eines übergreifenden Phänomens einer geschlechtsspezifischen Diskriminierung gesehen werden können. Frauendiskriminierung ist aber ein umfassenderes und übergreifenderes Phänomen als etwa die Benachteiligung bestimmter Gruppen von Frauen oder Altersklassen beim Zugang zu beruflichen Möglichkeiten.

2 Geschlecht als Ursache und die Theorie der sozialen Schließung

Im folgenden möchte ich einen Bezugsrahmen für die Analyse geschlechtsspezifischer Ungleichheiten diskutieren, der berücksichtigt, daß diese Ungleichheiten einerseits ein durchgängiges Muster der gesellschaftlichen Chancenverteilung darstellen (was auch im Begriff Strukturkategorie zum Ausdruck kommt: vgl. *Becker-Schmidt* 1987, *Beer* 1990) und es daher nicht möglich ist, sie gegenüber der durch die Berufsstruktur bedingten Chancenverteilung als sekundär oder abgeleitet anzusehen. Andererseits aber zieht diese Betroffenheit nicht jene Homogenität der sozialen Lagen (des Zugangs zu Lebenschancen) nach sich, wie es für die traditionellen Schichten und Klassen zutraf.[3]

Aus all diesen Gründen erscheint es angemessen, *Geschlecht als Ursache* sozialer Ungleichheit zu fassen. Ursachen bestimmen darüber, welche Position eine Person hinsichtlich einzelner Dimensionen der Ungleichheit einnimmt. Unter Dimensionen der Ungleichheit verstehe ich soziale Güter, zu denen die Gesellschaftsangehörigen keinen gleichen Zugang haben, d. h., deren Verteilung als soziale Ungleichheit zum Ausdruck kommt. Einige wichtige Dimensionen sind unter anderen Einkommen, Prestige, Ausbildung und Arbeitsbedingungen. Die Unterscheidung zwischen Dimensionen und Ursachen ist nicht immer ganz eindeutig, es kommt jewils auf den Kontext der Betrachtung an. So kann die Verfügung über Ressourcen die Ursache dafür sein, daß eine Person vom Zugang zu bestimmten Gütern ausgeschlossen wird (etwa aufgrund ihres geringen Einkommens). Die Unterscheidung zwischen Dimension und Ursache ist jedoch wichtig, will man den Stellenwert von Geschlecht für den Zugang zu Lebenschancen zu erfassen.

Die Rolle des Geschlechts kann *nur* auf der Ebene der Ursachen sichtbar gemacht werden. *Theodor Geigers* Begriff der "Schichtdeterminante" (1962) kommt dieser Ebene der Ursachen am nächsten. Geschlecht läßt sich jedoch nicht nur als Schichtdeterminante ansehen, weil es den Zugang zu Lebenschancen auch über den Rahmen der Schicht- oder Klassenzugehörigkeit hinaus bestimmt. Damit will ich nicht sagen, daß die Frage nach Ursachen des Zugangs zu Lebenschancen in der Soziologie nicht beachtet worden wäre: Sie wurde im Rahmen spezifischer Themenstellungen und als Gegenstand bestimmter Studien als besonderes Problem (etwa in der Mobilitätsforschung) untersucht, war für die Begriffs- und Theorienbildung jedoch nicht zentral.

Mann- oder Frausein ist, so meine *zentrale These*, eine autonome, d.h. nicht auf andere Ursachen reduzierbare *Ursache* für den Zugang zu ungleich verteilten Lebenschancen. Dies kann man daraus ersehen, daß, selbst wenn eine Reihe von Ursachen berücksichtigt wird (soziale und regionale Herkunft, Bildung, Beruf), bestimmte Aspekte der Schlechterstellung, denen Frauen ausgesetzt sind, nicht adäquat erfaßt werden. Auf der Ebene einer Ursache von Ungleichheit, die nicht in andere Ursachen aufgelöst werden kann, ist die Schlechterstellung von Frauen ein *allgemeines*, für alle Frauen wirksames Phänomen. Wie sie konkret realisiert wird, ist jedoch kontextabhängig und veränderlich. Auch können sich die Dimensionen ändern, innerhalb derer Frauen benachteiligt sind. Die Formen der Benachteiligung sind vielfältig und durch politische Eingriffe veränderbar. So sind etwa spezifische - insbesondere auch rechtlich abgesicherte - Aspekte der Ungleichheit zwischen den Geschlechtern im 20. Jahrhundert abgeschafft worden (vgl. u.a. *Gerhardt* 1978).

Um Geschlecht als eine *Ursache* für den ungleichen Zugang zu Lebenschancen zu bestimmen, sind drei Bedingungen vorausgesetzt: *Erstens* müssen die Unterschiede zwischen den Geschlechtern im Kontext sozialer Ungleichheiten zwischen Gesellschaftsangehörigen gesehen werden. Eine Voraussetzung dafür ist, daß die Unterschiede zwischen Frauen und Männern, soweit sie in Ungleichheiten resultieren, nicht mehr als "natürlich" oder traditionell selbstverständlich, sondern als im Prinzip veränderbar aufgefaßt werden (*Giesen* 1988). *Zweitens* muß erkannt werden, daß es sich um ein allgemeines Phänomen handelt; auch wenn die Benachteiligung der Frauen in vielen Dimensionen offensichtlich ist, muß ein Interesse daran bestehen, einen Zusammenhang über diese Dimensionen hinweg herzustellen. Es muß also die Aufmerksamkeit auf den umfassenden Tatbestand geschlechtsspezifischer Ungleichheiten gelenkt werden. *Drittens* müssen Kategorien verfügbar sein, mit deren Hilfe es plausibel gemacht werden kann, daß die festgestellten Phänomene Wirkungen einer spezifischen Ursache, nämlich des Geschlechts sind.

Die ersten beiden Bedingungen zielen auf die Wahrnehmung geschlechtsspezifischer Disparitäten, als die soziale Voraussetzung für die Einsicht, daß Geschlecht eine Ursache für Ungleichheiten ist. Die Benachteiligungen, die mit der Geschlechtszugehörigkeit verbunden sind, müssen als solche ins gesellschaftliche Bewußtsein treten. Auf dieser Ebene ist die Rolle der Frauenbewegung zentral. Der zweite Schritt, die Erkenntnis, daß Geschlecht eine Ursache für die Zuweisung von Lebenschancen ist, folgt nicht unmittelbar aus der Erkenntnis der Allgemeinheit des Problems. Dieser Schritt setzt theoretische Annahmen über Verursachungsprozesse voraus, die unabhängig vom Alltagsbewußtsein sein können. Daraus, daß die Benachteiligung von Frauen als ein allgemeines Phänomen anerkannt wurde, ist noch keine Aussage darüber getroffen, was diese Struktur der Chancenverteilung verursacht. Es besteht die Möglichkeit, sie als Wirkung anderer Faktoren zu interpretieren, etwa biologischer Unterschiede oder des Privateigentums an Produktionsmitteln. Die Ursachen, die den unterschiedlichen Zugang zu Lebenschancen bestimmen, müssen erst herausgefunden werden. Daher ist es nicht selbstverständlich, daß die geschlechtsspezifischen Ungleichheiten auf das Geschlecht selbst als letzte Ursache zurückzuführen wären. Für diesen Schritt ist im Rahmen der Soziologie die Entwicklung einer Sichtweise notwendig, die die traditionellen Klassen und Schichtungskategorien unterläuft, die ihrerseits soziale Ungleichheiten nur aus selektiver Perspektive zum Thema machen. Dadurch wird es überhaupt möglich, Ursachen für Ungleichheiten nachzuweisen, ohne sie von vornherein inhaltlich festzulegen. Eine solche Sichtweise bedarf einer theoretischen Formulierung, die imstande ist, Ungleichheiten zu erklären.

Wenn ich sage, daß Geschlecht eine letzte Ursache für Unterschiede der Chancenzuweisung bildet, auch wenn diese Wirkung von den Gesellschaftsangehörigen nicht erkannt wird, so beziehe ich mich *nicht* auf vorsoziale und überhistorische Phänomene, wie etwa das "Wesen" von Frau und Mann. Ich gehe vielmehr davon aus, daß es unabhängig vom sozialen Kontext keine Merkmale von Personen gibt, die deren Zugang zu Lebenschancen (mit)determinieren würden. In unterschiedlichen sozialen Zusammenhängen können unterschiedliche Merkmale dazu verwendet werden, den Zugang zu Lebenschancen für bestimmte Personen einzuschränken bzw. ihnen die Erreichung bestimmter sozialer Güter unmöglich zu machen. Nicht der Umstand, daß Frauen Kinder bekommen, ist demnach diskriminierend, wie das noch *Lenski* (1977) betont, sondern die damit verbundenen sozialen Erwartungen, die an Frauen gestellt werden.

Um Ursachen zu identifizieren, ist eine Theorie notwendig, die darauf gerichtet ist, die relevanten Merkmale als Ursachen von Ungleichheiten auszusondern. Eine Theorie, mit deren Hilfe die chancendeterminierende Wirksamkeit von Geschlecht aufgezeigt werden kann, ist die Theorie sozialer Schließung, wie sie im Anschluß an *Weber* von *Parkin* (1978) formuliert wurde. Diese Theorie entstand zwar im Rahmen der Klassen- bzw. Schichtungstheorie, sie ist jedoch prinzipiell unabhängig von diesem Rahmen anwendbar. Sie hat den Vorteil, Ursachen von Ungleichheiten in einer Vielzahl sozialer Kontexte aufzeigen zu können, ohne an *spezifische* Kategorien (wie Schichten, Klassen, Lagen) gebunden zu sein. Sie besagt, daß alle möglichen Merkmale von Personen und Gruppen dazu dienen können, sie vom Zugang zu relevanten Gütern auszuschließen. In diesem Zusammenhang heißt das, daß Frauen als eine Gruppe, die mit geringeren sozialen Ressourcen ausgestattet ist, einen benachteiligten Status für den Erwerb sozialer Lebenschancen und privilegierter sozialer Positionen besitzen. Da soziale Güter und begehrte Positionen nur begrenzt zur Verfügung stehen und/oder nur als begrenzt verfügbar von den Gesellschaftsangehörigen wahrgenommen werden (was meines Erachtens auf die Anwendung gleicher Strategien hinausläuft), so werden jene, die einen begünstigten Zugang zu ihnen haben, jene Gruppen abwehren, die von vornherein einen benachteiligten Status haben. Soziale Schließung betont in erster Linie den Aspekt eines "Klassenkampfes von oben": Der benachteiligte Zugang zu sozialen Gütern ist selbstverstärkend, da er bereits bevorzugten Gruppen Vorteile in der Abwehr benachteiligter Gruppen einräumt. Anders gesagt: Benachteiligte Gruppen müssen sich diesen Zugang erkämpfen oder sie müssen in spezifischer Weise gefördert werden, um ihren benachteiligten Status zu überwinden. Wenn eine solche Förderung unterbleibt, kann dies unter Umständen auch als Indiz für Schließungsprozesse aufgefaßt werden. Diese Formulierung der Schließungstheorie übersetzt den statischen Zustand der allgemeinen Benachteiligung der Frauen in einen *Prozeß*.

Die Schließungstheorie bietet eine Erklärung dafür, daß Frauen auf Grund der bestehenden Verteilung von Lebenschancen benachteiligt sind, sie erklärt aber nicht, warum ein solches System der asymmetrischen Verteilung nach Geschlecht entstanden ist. Sie erklärt vielmehr, warum Geschlecht innerhalb der bestehenden Gesellschaft, die bereits durch die Asymmetrie der Geschlechter geprägt ist, nach wie vor für die Zuweisung von Lebenschancen eine zentrale Rolle spielt. In diesem Sinn stellt die Schließungstheorie auch eine, wie ich denke, notwendige Konkretisierung von "Partriarchat" bzw. "Patriarchalismus" (*Gerhard* 1991) für die moderne Gesellschaft dar.

Die hier aufgestellte These, wonach Geschlecht als eine "letzte" Ursache imstande ist, Aspekte von Ungleichheiten zu erklären, die durch den Verweis auf andere mögliche Ursachen nicht erklärt werden können, muß sich empirisch bewähren. Die in der Soziologie aufgezeigten Dimensionen der Ungleichheit können in diesem Zusammenhang für die Erklärung konkreter Benachteiligungen fruchtbar gemacht werden: So könnte nachgewiesen werden, daß z.B. traditionell sozial-defensive Verhaltensweisen von Frauen (als Aspekt des "sozialen Kapitals") dazu ausgenützt werden, sie von begünstigten Positionen fernzuhalten, die ihnen formal zustehen würden.

Eine Erklärung, die sich auf soziale Schließung aufgrund des Merkmals "Frau" stützt, ist daher nicht notwendigerweise zirkulär: Benachteiligung wird zwar durch Benachteiligung erklärt, die Benachteiligung, die zur Erklärung herangezogen wird, berücksichtigt jedoch andere Aspekte als jene, auf deren Erklärung sie abzielt.

Soziale Schließung, die sich gegen Frauen richtet, kann auf vielen Ebenen ansetzen: Am ehesten ist sie erkennbar, wenn sie in expliziter Weise gegen Frauen angewendet wird. Ein Beispiel dafür ist, wenn für die Besetzung bestimmter Stellen ausschließlich Männer in Betracht gezogen werden, obwohl auch Frauen als Bewerberinnen in Frage kämen. Ein eindrucksvolles Beispiel für solche Prozesse findet sich bei *Cockburn* (1983): Die Verdrängung der Frauen aus dem Druckereigewerbe war ein längerfristiger Prozeß, der weitgehend durch bewußte Strategien von Männern und ihren Interessenvertretungen in Gang gebracht und durchgesetzt wurde.

Zu solchen Schließungsstrategien zählt auch die Minderbewertung von Frauenarbeiten, wie dies in benachteiligenden Einstufungen und dem Fernhalten der Frauen von "männerspezifischen" Arbeitstätigkeiten zum Ausdruck kommt. Es handelt sich um eine Vielzahl subtiler und in bestimmten Kontexten wirksamer Prozesse sozialer Schließung, die in ihrem Zusammenwirken die explizite Trennung von Frauen- und Männerarbeitsplätzen reproduzieren (dazu u.a. *Gottschall* 1990). Diese Wirkungen sind durchaus beabsichtigt: Das Interesse an der Aufrechterhaltung hierarchischer Formen der Arbeitsorganisation trifft sich mit dem Interesse an einer innerbetrieblichen "Randbelegschaft", die als Domäne geringer qualifizierter Frauen angesehen wird. Auch bei gleichen Qualifikationen von Frauen und Männern wird häufig an den unterschiedlichen Formen der Arbeitsplatzzuweisung festgehalten (*Cyba u.a.* 1987). Diese Schließungsstrategien sind nur möglich, weil Männer- und Managementinteressen sich darin treffen, Frauen nicht auf bestimmte Positionen gelangen zu lassen.

Benachteiligungen können auch traditionell und aus Gewohnheit praktiziert werden. Unter solchen Bedingungen ist Schließung ein Nebenprodukt von Handlungen, die sich an anderen Zielsetzungen orientieren. Beispiele dafür sind die traditionell angewendeten Formen der Arbeitsbewertung, die frauenspezifische Beanspruchungen und Belastungen einfach nicht erfassen, was zu einer schlechteren Einstufung von typischen Frauentätigkeiten führt (*Moser* 1987). Um Schließung im Sinn von "Nebenprodukt" zu identifizieren, ist eine komplexere Sichtweise notwendig als das Erkennen direkter und beabsichtigter Benachteiligungen.

Hier wird eine Grenze des Begriffs "soziale Schließung" deutlich. Auch wenn Schließung als Nebenprodukt hervorgebracht werden kann, so gibt es eine Voraussetzung, damit man von Schließungsprozessen sprechen kann: Diejenigen, die aktiv zur Ausschließung von einzelnen oder Gruppen beitragen, müssen ein Wissen um die benachteiligenden Wirkungen und um mögliche Änderungen zugunsten der Benachteiligten haben, gleichzeitig haben sie keine Motivation, am bestehenden Zustand etwas zu ändern. Wenn es Handlungsroutinen sind, die nicht im Kontext der Benachteiligung wahrgenommen werden und die keine Alternativen im Wissen der Handelnden zulassen, sind es traditionelle Bräuche oder auch vorteilsorientierte Verhaltensweisen in vorgegebenen Zusammenhängen, jedoch keine Schließungsprozesse. Um von Schließungsprozessen sprechen zu können, sind normative Vorstellungen über die Gleichheit des Zugangs zu Lebenschancen und über soziale Gerechtigkeit vorausgesetzt: Solange Frauen einen gesonderten sozialen Status haben, der allgemein als "natürlich" gilt, können alternative Handlungsstrategien zugunsten der Frauen gar nicht erwogen werden.

Von diesen Voraussetzungen ist die Frage zu unterscheiden, ob konkrete Schließungsprozesse als legitim oder illegitim angesehen werden. Diese Fragestellung setzt bereits das Wissen um Ungleichheiten und ihre Hervorbringung voraus und bezieht sich auf die Mittel, durch die Benachteiligung erzeugt wird. In jeder Gesellschaft gibt es als legitim geltende Vorstellungen darüber, warum Ungleichheiten akzeptiert werden können. Wenn die Verteilungsmechanismen nach anderen Kriterien vor sich gehen, kann man von illegitimen Schließungsprozessen sprechen. Eine explizite Diskriminierung wegen der Geschlechtszugehörigkeit ist in der Berufssphäre vor dem Hintergrund derzeit geltender Wertvorstellungen nicht mehr begründbar. Sie erfolgt daher auch weitgehend uneingestanden seitens der Verantwortlichen oder unter Hinweis auf andere Ziele und Werte. Beispiele dafür sind etwa Verweise auf die häufig unterbrochenen Berufsbiographien von Frauen, die ihre Beschäftigung in wichtigen Positionen nicht zuließen. So mag die Diskriminierung von Frauen bereits an normativer Legitimität verloren haben, sie kann jedoch weiter praktiziert und gerechtfertigt werden, wenn sie in einen Zusammenhang mit anderen legitimatorischen Prinzipien gebracht wird.

Für die bestehende Gesellschaft ergeben sich aus diesen Einschränkungen keine gravierenden Probleme für die Anwendbarkeit der Schließungstheorie. Die Schlechterstellung der Frauen hat durch den Umstand, daß sie in Frage gestellt wurde, weitgehend ihre "Natürlichkeit" und Selbstverständlichkeit und damit die normative "Unschuld" verloren. Auch wenn nicht immer mit dem expliziten Ziel der Schließung praktiziert, werden diskriminierende Nebenfolgen immer mehr bewußt und gelten als normativ problematisch.

Es ist das Verdienst der Frauenforschung, daß Schließungsprozesse auf allen Ebenen identifiziert werden konnten. Vom politischen Makrokontext, in dem allgemeine Rahmenbedingungen dafür festgelegt werden, was Gleichheit der Geschlechter bedeuten soll, bis zur alltäglichen Arbeits- und Aufgabenteilung in der Familie, der "Sonderstellung" der Frau im Beruf - überall gibt es Indizien dafür, daß Frauen einen benachteiligten Status zugewiesen bekommen, weil sie Frauen sind, also weil sie in bestimmten Bereichen von vornherein geringere Ressourcen haben und sich, das ist ein wichtiger Aspekt davon, bei Benachteiligungen hinsichtlich der Verteilung begehrter Güter in geringerem Maß wehren können (*Crompton* 1987, *Frerichs u.a.* 1989).

3 Fragmentierung und kollektive Identität

Was die Lebensschicksale der Frauen verbindet, ist demnach im Bereich von Ursachen wirksam, die weitgehend als Prozesse sozialer Schließung aufgefaßt werden können. Das bildet einen großen Unterschied zum Beruf und der darauf beruhenden Kategorien von Klasse und sozialer Schicht. Die Berufszugehörigkeit kann in weitere Ursachen aufgegliedert werden, bei denen das Geschlecht eine große Rolle spielt. Ein weiterer wichtiger Aspekt verweist auf die nachweisbaren Folgen des Berufs zugleich für den Zugang zu Lebenschancen und für Einstellungen und kollektive Identitäten. Man kann ohne weiteres sagen, daß dem Beruf lange Zeit hindurch die Funktion zukam, Lebensformen zu konstituieren. Dies ist ja auch der Grund, daß er das zentrale Element der Schicht- und Klassenkategorien bildet. Die "Krise" dieser Theorien hängt damit zusammen, daß diese zentrale Bedeutung schwächer geworden ist, neue Dimensionen von Ungleichheiten in den Blick geraten sind, die sich nicht mehr so direkt aus dem Beruf herleiten lassen, und auch die Bildung von "Milieus" nicht mehr so ausschließlich durch Beruf bestimmt ist (*Hradil* 1987).

Der Beruf (bzw. Schicht oder Klasse) konstituiert aber nach wie vor ein wichtiges soziales Deutungsmuster für Ungleichheiten und soziale Identitäten. (Neue) Ungleichheiten können übersehen werden, weil sie nicht in den Rahmen konventioneller Deutungsmuster fallen; *Kreckel* (1987) hat auf die Tatsache verwiesen, daß sich Deutungsmuster verselbständigen können. Ursachen von Ungleichheiten zeigen sich nicht "von selbst", sie sind interpretationsbedürftig. Den Deutungsmustern in einer Gesellschaft kommt daher ein wichtiger Stellenwert zu. Daß Berufs- und Klassenzugehörigkeit nach wie vor die Selbstdeutungen bestimmen und soziale Einstellungen prägen, hat nicht nur mit der Bildung von eigenständigen Gruppen, Subkulturen und Milieus zu tun, sondern mit grundlegenden Prinzipien des Selbstverständnisses der Gesellschaft, wobei historische und moralische sowie politische Aspekte eine Rolle spielen.

Was den *historischen* Aspekt betrifft, so ist die Entstehung der modernen Gesellschaften mit der Lohnarbeit und der Arbeitsteilung unter kapitalistischen Bedingungen verknüpft. Damit war auch die Herausbildung von Interpretationen verbunden, die in der Berufsarbeit den zentralen Aspekt der gesellschaftlichen Integration, das Verteilungsprinzip für den Zugang zu Lebenschancen und für Ungleichheiten sahen. Es war offensichtlich, daß die berufliche Stellung im Rahmen der Lohnarbeit für die Lebensbedingungen eine determinierende Rolle spielte; dieses Verteilungsprinzip war am Anfang der Industriegesellschaft noch neu, zumindest für große Massen der in den Produktionsprozeß Eintretenden, und entbehrte daher auch einer traditionellen Selbstverständlichkeit. Gleichzeitig ist mit der Arbeiterbewegung ein politisches Deutungsmuster entstanden, das die zentrale Bedeutung der Lohnarbeit für die Gesellschaft wie auch für die Lebensbedingungen der einzelnen hervorgehoben hat.

Dieses Interpretationsmuster ist nach wie vor wirksam - das ist auch nicht überraschend, wenn man bedenkt, in wie umfassender Weise die Lebensbedingungen der Gesellschaftsangehörigen nach wie vor durch die berufliche Position bestimmt sind. Problematisch ist es nur unter dem Gesichtspunkt, daß soziale Unterschiede, die sich nicht diesem Muster fügen, nur in geringerem Maß wahrgenommen und öffentlich artikuliert werden. Auch wenn diese ideologische Vorherrschaft des Berufs in Frage gestellt wird, so ist sie nach wie vor wirksam.[4] Das Geschlecht spielt dagegen nur bei der allgemeinen Einschätzung der Benachteiligung von Frauen eine Rolle. Frauen nehmen geschlechtspezifische Ungleichheiten stärker wahr als Männer und sprechen sich mehr für Maßnahmen zu deren Bekämpfung aus (*Davis/Robinson* 1991).

Dieses Ergebnis läßt sich so verstehen, daß Frauen selbst zwar ein allgemeines Bewußtsein davon haben, daß sie als Frauen benachteiligt sind. Dieses Wissen wirkt sich aber noch wenig auf ihre Einschätzung ihrer beruflichen und betrieblichen Situation aus, in der sie ebenfalls diskriminiert sind, weil sie eine Frau sind und trägt auch wenig zu ihrer gesellschaftlichen Verortung bei. Wenn man berufstätige, verheiratete Frauen nach ihrer sozialen Selbstinterpretation fragt, so ist ihre Antwort durch die eigene berufliche Tätigkeit, aber auch durch die Tätigkeit des Ehemannes geprägt. Die Ehemänner dagegen nehmen bei der gleichen Frage auf die berufliche Situation ihrer Ehefrauen praktisch keinen Bezug. Es gibt allerdings Hinweise darauf, daß die Interpretation der Frauen im Verlauf der letzten Jahre zunehmend doch durch die eigene Berufsarbeit bestimmt wird (*Davis/Robinson* 1988).

In diesem Zusammenhang ist auf die *politische* Dimension, nämlich die Bedeutung der Frauenbewegung für die Herausbildung von sozialen Einstellungen und der sozialen Selbstinterpretation, einzugehen. *Bourdieu* (1985) hat darauf verwiesen, daß das Verhältnis von sozialer Bewegung und Deutungen ein sich gegenseitig verstärkendes ist. Frauenpolitik als legitimer politischer Handlungsbereich ist verhältnismäßig neu, vor allem in Hinblick auf den integrativen Gesichtspunkt der Anerkennung, daß die Position der Frauen in unserer Gesellschaft zentral durch Ungleichheiten bestimmt ist. Dieser Gesichtspunkt der Anerkennung wurde entscheidend durch die Frauenbewegung geprägt.

Mit der *moralischen* Dimension meine ich, daß Unterschiede des Zugangs zu Lebenschancen in erster Linie durch "Leistung" gerechtfertigt werden, wobei mit Leistung vorwiegend die Berufsarbeit gemeint ist. Diese Form der Legitimation von Ungleichheiten ist in der lohnarbeitszentrierten Form der Sozialpolitik auch formal und rechtlich institutionalisiert. Es gibt empirische Belege, daß soziale Ungleichheiten dann als gerechtfertigt erscheinen, wenn sie Merkmalen von Personen zugeschrieben werden können, die erworben sind. Ungleichheiten in der Chancenverteilung auf Grund angeborener Merkmale, wie der Abstammung oder des Geschlechts, müßten demnach als illegitim angesehen werden (*Mayer/Müller* 1976). Dies müßte nun eigentlich eine starke Zurückweisung geschlechtsbedingter Diskriminierung bedeuten - in der Realität besteht jedoch die Tendenz, wichtige Aspekte der Frauendiskriminierung nicht im Kontext sozialer Ungleichheiten zu sehen, sondern im Rahmen selbstverständlicher Verpflichtungen und Zuständigkeiten (insbesondere in Hausarbeit und Familie). Die bestehenden Ungleichheiten in der Berufswelt werden dagegen in diesem Rahmen dadurch gerechtfertigt, daß Frauen sich hier angeblich weniger engagieren und ihre Lebensinteressen stärker auf die Familie konzentrieren. Dabei ist es offenkundig so, daß Arbeit im familiären Zusammenhang nicht mit vergleichbaren Belohnungen und gesellschaftlichem Ansehen verbunden ist.

Die einseitige, die Berufsarbeit besonders in den Mittelpunkt stellende Sichtweise wird gegenwärtig nicht mehr mit jener Selbstverständlichkeit vertreten wie in der Vergangenheit; zumindest gibt es auch deutliche Gegentendenzen. Möglicherweise spielt auch der Prozeß des "Wertewandels" eine Rolle, der die Betonung der Berufsarbeit als alleinige Quelle moralisch legitimer Belohnungen in Frage stellt. Auch wenn solche Einstellungen nur von Minderheiten vertreten werden und außerdem damit nicht notwendigerweise eine Abwertung der Berufsarbeit verbunden sein muß, so bekommen doch andere Lebensbereiche in dem Maß moralisches Gewicht, als auch alternative Lebensentwürfe vorstellbar und akzeptabel werden, wie sie von Frauen praktiziert werden (*Martiny* 1992).

Neben dem Bestehen des nach wie vor dominanten Deutungsmusters und der sozialen Identität, die sich auf Beruf stützen, gibt es spezifische Probleme für die Herausbildung eines sozialen Bewußtseins, das geschlechtliche Diskriminierung zum Objekt und deren Aufhebung zum Ziel hat. Für die Frage, inwieweit Geschlecht Bedingungen für die Entstehung kollektiver Lagen und Deutungen schafft, müssen in erster Linie die Situationen analysiert werden, die durch die Geschlechtszugehörigkeit bestimmt sind: Welche Lebensbedingungen sind mit Frausein verbunden, und welche relevanten Unterschiede gibt es zwischen einzelnen Gruppen von Frauen? Welchen Einfluß hat die soziale Situation der Frauen auf die Entwicklung kollektiver Identitäten, Deutungen und Interessen?

Das grundlegende Problem ist, ob und in welcher Weise durch Frau-Sein gegenwärtig eine Homogenität der sozialen Lage, also des Zugangs zu Lebenschancen, sozialen Gütern und Lebensformen konstituiert wird, an der kollektive Identitäten und Interessen anknüpfen können. Unter dem Eindruck der frühen Frauenbewegung hat *Simmel* gemeint, daß sich als Ergebnis der Industrialisierung und ihrer destruktiven Auswirkungen auf die Struktur der patriarchalischen Familie Frauen als Gruppe mit kollektiver Identität herausbilden werden - ähnlich dem Industrieproletariat. "Der Allgemeinbegriff der Frau verliert mit der Lösung der völligen Sonderokkupation durch das Haus seinen rein abstrakten Charakter und wird zum Leitbegriff einer zusammengehörigen Gruppe, die sich nun schon im Kleinen durch rein weibliche Unterstützungsvereine, Verbände zur Erreichung von Rechten der Frauen für politische und soziale Interessen offenbart" (1908, 337).

Simmel nimmt die vielfältigen Ansätze zu einer sozialen Bewegung als Indiz für die Bildung eines weiblichen Identitätsbewußtseins, das die eigene Benachteiligung erkennt und an deren Abschaffung orientiert ist. Aus dieser Sicht bilden die einzelnen Interessengruppen von Frauen Teile eines Ganzen - es gibt einen gemeinsamen Nenner, der im Prinzip alle Frauen einigt. In der Zeit der frühen Frauenbewegung kann man die übergreifende Verbindung in den rechtlichen Bestimmungen sehen, die die Teilnahme von Frauen in Bereichen des sozialen und politischen Lebens verhindert oder eingeschränkt haben (vgl. dazu *Gerhard* 1978, *Stacey/Price* 1981).

Diese offenen Formen der Diskriminierung sind weitgehend abgeschafft, aber nach wie vor sind Frauen in praktisch allen Lebensbereichen benachteiligt. Diskriminierung bekommt aber damit einen "diffusen" Charakter, und dies hat Auswirkungen auf die Möglichkeit der Entstehung einer sozialen Bewegung: sowohl in Hinblick auf das kollektive Selbstverständnis wie auch auf die Formulierung von Zielsetzungen. Was gegenwärtig Frauendiskriminierung ausmacht, ist durch den Wegfall gesetzlicher Formen der Benachteiligung ein immer weniger einheitliches Phänomen (völlig "einheitlich" war es nie), das durch eine Vielzahl von Schließungsprozessen verursacht wird, die sich in unterschiedlicher Weise auf einzelne Lebensbereiche bzw. Gruppen von Frauen auswirken.

Da Frauen recht unterschiedlichen Gruppen mit unterschiedlichen Interessenlagen angehören, sind Interessenkonflikte zwischen diesen Gruppen vorhanden, die selbst durch eine übergreifende Interpretation als diskriminierte Frauen nicht beseitigt werden könnten. Konflikte in der Arbeitswelt zwischen Teilzeit- und Vollzeitbeschäftigten, die Konfrontation zwischen berufstätigen, für Haushalt zuständigen Frauen und (überwiegend weiblichen) Handelsangestellten oder Kindergärtnerinnen wegen Öffnungszeiten mögen hier als Beispiele genügen. Aber auch die eklatanten Unterschiede in Arbeitsbelastung und Einkommen zwischen Arbeiterinnen und Angestellten, alle diese Bedingungen tragen dazu bei, daß Ungleichheiten in der Arbeitswelt weit weniger in ihrer geschlechtsspezifischen Dimension wahrgenommen werden.

Aus der Struktur der Frauendiskriminierung folgt die Fragmentierung von Frauengruppen und -interessen vor allem in der Arbeitswelt. Eine einheitliche Interessenartikulation ist in diesem Bereich erschwert. Auf der anderen Seite gibt es auch integrative Tendenzen. Diese sind in Diskriminierungen und Schließungsprozessen begründet, die sich prinzipiell gegen alle Frauen richten. Es gibt also auch Aspekte des Lebenszusammenhanges von Frauen, die allen mehr oder minder gemeinsam sind und die daher als Ansatzpunkte für die Bildung kollektiver Identitäten eine Rolle spielen können. Es handelt sich dabei um die Arbeitsteilung in Haushalt und Familie und um die direkte (staatliche) Kontrolle der körperlichen und sexuellen Selbstbestimmung der Frau, wofür vor allem, aber nicht nur die Abtreibungsdiskussion steht.

Vor allem diese letztgenannte, öffentlich in politischen Gremien verhandelte Form sozialer Diskriminierung hat ein Bewußtsein von kollektiver Betroffenheit und Identität entstehen lassen, das die Grenzen der Berufs- und Schichtzugehörigkeit überschreitet. Das Abtreibungsverbot ist eine deutliche Form sozialer Schließung, die eindeutig gegen alle Frauen gerichtet ist, die die Frauen von der Kontrolle über ihren Körper und ihr Reproduktionsverhalten "ausschließt". Ein wesentlicher Aspekt ihrer Selbstbestimmung wird ihnen auf diese Weise genommen - eine Einschränkung mit auch weitreichender symbolischer Bedeutung, die aus der Sicht der Mehrheit der Frauen keine Legitimität mehr hat.

Eine andere Form der sozialen Ungleichheit ergibt sich aus der asymmetrischen Verteilung der Haushalts- und Familienarbeiten, die ihrerseits die Ursache für eine Reihe weiterer Benachteiligungen ist. Diese Betroffenheit ist jedoch in "privaten" Kontexten wirksam und ihre Bewältigung wird durch die Verfügung über spezifische, individuell und gruppenmäßig unterschiedliche Ressourcen beeinflußt. Es geht um Regelbarkeit der Arbeitszeit, die Kooperation des Partners, den Zugang zu öffentlichen Einrichtungen, die Mitarbeit anderer Familienangehöriger etc. In solchen Situationen bilden sich spezifische Lebensformen heraus, die zwar keine Aufhebung der Ungleichheiten bewirken, aber individualisierte Formen der Bewältigung begründen (*Diezinger* 1991; *Lechner u.a.* 1991; *Eckart* 1990)

Es ist eine offene Frage, ob diese Art sozialer Schließung kollektive Identitäten und Deutungen zu begründen vermag. Es wirken hier sicher noch traditionelle Vorstellungen und Werthaltungen, die eine primäre Zuständigkeit der Frauen als selbstverständlich oder wohlbegründet erscheinen lassen. Daher bleibt diese allgemeine Form von Benachteiligung letztlich weitgehend eine Angelegenheit "privater" Regelungen und Deutungen, auch wenn sie in letzter Zeit verstärkt in eine öffentliche politische Diskussion gerät, etwa bei der Neuregelung der Pensionszeiten (*Hieden-Sommer* 1991).

Es besteht also die Situation, daß die Mehrzahl der Frauen von Benachteiligungen und Schließungen unterschiedlicher Reichweite betroffen ist, soziale Homogenität dadurch aber nur in bestimmten Lebensbereichen und für bestimmte Gruppen entsteht. Geschlecht als Ursache der sozialen Diskriminierung ist durch den Einfluß anderer Lebensbedingungen gebrochen (wie Familie, Beruf, Ausbildung, Alter). Es gehen gleichsam Risse durch die Frauen hindurch und zwar nicht nur zwischen den Gruppen, sondern auch durch die einzelne Frau selbst. Dies alles erschwert die Entstehung einer kollektiven Identität "Frau" und eines darauf gründenden "sozialen Subjekts".

Überlegungen zu einer Theorie geschlechtsspezifischer Ungleichheiten 47

4   Frauen als Klasse?

Die kritische Auseinandersetzung mit den Klassentheorien hat gezeigt, daß Definitionen der Klasse, die auf funktionaler Homogenität basieren, nicht imstande sind, der sozialen Situation der Frauen gerecht zu werden. Die Diskriminierung von Frauen läßt sich nicht auf Grund der funktionalen Position erklären: Entscheidend sind vielmehr Prozesse sozialer Schließung, die einerseits an der bestehenden Heterogenität der sozialen Lagen von Frauen anknüpfen und diese dadurch fortschreiben, andererseits soziale Schließung, die alle Frauen in mehr oder minder gleicher Weise betreffen. Diese Kombination von Heterogenität und Homogenität macht es besonders schwierig, die soziale Situation der Frauen nach einem einheitlichen Muster zu beschreiben und Ungleichheiten, von denen Frauen betroffen sind, auf Grund übergreifender Kausalfaktoren zu erklären. Ursachen und Schließungsprozesse bezeichnen ihrerseits höchst disparate Phänomene. Sie sind ein Hinweis darauf, daß Ungleichheiten - sobald sie als solche erkannt werden - aus sozialen Merkmalen und der Verfügung über soziale Ressourcen jener Gruppen erklärt werden müssen, die benachteiligt sind, und jener, die an der Aufrechterhaltung dieses Zustands beteiligt sind.

Soziale Schließung ist daher ein relationales Konzept, das sich auf das Verhältnis von Gruppen bezieht. Unter diesem Gesichtspunkt ist die mögliche Entwicklung eines kollektiven Bewußtseins von der Illegitimität von Schließungsprozessen und den Bedingungen, die zu ihrer Reproduktion beitragen, eine wichtige Ressource der Ausgeschlossenen, um ihre Situation zu ändern. Die Bewegungen gegen etablierte Schließungsprozesse, die *Parkin* (1983) als "Usurpation" bezeichnet, können einen Prozeß der Klassenformierung mit sich bringen. Die Spannbreite reicht von Äußerungen eines Protests gegen als ungerecht empfundene Zustände bis zur Bildung einer sozialen Bewegung. Es geht dabei, allgemein formuliert, um die Transformation der Ursachen, von denen man betroffen ist, in kollektive Interessen, die an der Abschaffung von Ungleichheiten orientiert sind.

Auf diese Weise ergibt sich eine Verbindung des Konzepts der sozialen Schließung mit einer Klassentheorie, die nicht auf einem funktionalen Klassenkonzept aufbaut. Die Komplexität der Situation der Frauen, die von einer Vielfalt von Schließungen betroffen sind, erschwert einerseits eine Klassenbildung, andererseits besteht aber auch eine Vielfalt von Ansätzen zur Klassenbildung in unterschiedlich entwickelter Form.

Anmerkungen

1. Diese Problematik brachte es mit sich, daß auch in der Frauenforschung Geschlecht und Klasse als zwei eigenständige Mechanismen der Diskriminierung von Frauen nebeneinander bestehen blieben, wie etwa bei *Hartmann*. *Becker-Schmidt* schreibt: "innerhalb jeder Klasse

gibt es noch einmal eine Unterschicht: die Frauen" (1987), ohne die Schlußfolgerung zu ziehen, daß Frauen eine Klasse sind.
2. Unter anderem hinsichtlich der unterbrochenen Berufskarrieren von *Stanworth* 1984; der Einstellungen und Klassenidentifikation von *Davis/Robinson* 1988 und *Abbott/Sapsford* 1987.
3. Siehe auch die Ausführungen von *Frerichs/Steinrücke* über "Frauen im sozialen Raum" in diesem Band.
4. Als Beispiel möchte ich nur auf Ergebnisse des Sozialen Survey 1986 verweisen. Die Berufszugehörigkeit bestimmt nicht nur am stärksten Einstellungen hinsichtlich Arbeit und Beruf, sondern auch allgemeine gesellschaftliche Einstellungen, etwa hinsichtlich sozialer Ungleichheiten (*Haller/Holm* 1987).

Literaturverzeichnis

Abbott, Pamela; Roger Sapsford (1987): Women und Social Class, London/New York
Acker, Joan (1988): Class, gender and the relations of distribution, in: Signs, 13, 473 - 497
Beck, Ulrich (1986): Risikogesellschaft, Frankfurt a. M.
Becker-Schmidt, Regina (1987): Frauen und Deklassierung. Geschlecht und Klasse, in Ursula Beer (Hg.): Klasse Geschlecht. Feministische Gesellschaftsanalyse und Wissenschaftskritik, Bielefeld
Beer, Ursula (1990): Geschlecht, Struktur, Geschichte. Soziale Konstituierung des Geschlechterverhältnisses, Frankfurt/New York
Bourdieu, Pierre (1985): Sozialer Raum und "Klassen". Leçon sur la leçon, Frankfurt a. M.
Cockburn, Cynthia (1983): Brothers. Male dominance and technological change, London
Collins, Randall (1988): Women and men in the class structure, in: Journal of Family Issues, 9, 27 - 50
Crompton, Rosemary (1987): Gender, status and professionalism, in: Sociology, 21, 413 - 428
Cyba, Eva; u.a. (1987): Frauenarbeit - Männerarbeit: die betriebliche Praxis der Benachteiligung von Frauen. Zwei Fallstudien, in: Bundesministerium für Arbeit und Soziales (Hg.): Arbeitsbewertung: Frauenarbeit - Männerarbeit, Forschungsberichte aus Sozial- und Arbeitsmarktpolitik Nr. 7, 2. Aufl., Wien , 51 - 95
Cyba, Eva; Andreas Balog (1989): Frauendiskriminierung und Klassenanalyse, in: Österreichische Zeitschrift für Soziologie 14, Heft 2, 4 - 18
Davis, Nancy J.; Robert V. Robinson (1988): Class identification of men and women in the 1970s and 1980s, in: American Sociological Review, 53, 103 - 112
Davis, Nancy J.; Robert V. Robinson (1991): Men's and women's consciousness of gender inequality: Austria, West Germany, Great Britain, and the United States, in: American Sociological Review, 56, 72 - 84
Diezinger, Angelika (1991): Frauen: Arbeit und Individualisierung, Opladen
Eckart, Christel (1990): Der Preis der Zeit. Eine Untersuchung der Interessen von Frauen an Teilzeitarbeit, Frankfurt a. M.
Erikson, Robert; John H. Goldthorpe (1992): The constant flux: a study of class mobility in industrial societies, Oxford
Frerichs, Petra; Martina Morschhäuser; Margareta Steinrücke (1989): Fraueninteressen im Betrieb. Arbeitssituation und Interessenvertretung im Zeichen neuer Technologien, Opladen
Geiger, Theodor (1962): Theorie der sozialen Schichtung, in: ders.: Arbeiten zur Soziologie. Neuwied und Berlin 186 - 205
Gerhardt, Ute (1978): Verhältnisse und Verhinderungen. Frauenarbeit, Familie und Rechte der Frauen im 19. Jahrhundert, Frankfurt a. M.

Gerhardt, Ute (1991): "Bewegung" im Verhältnis der Geschlechter und Klassen und der Patriarchalismus der Moderne, in: Wolfgang Zapf (Hg): Die Modernisierung moderner Gesellschaften, Frankfurt a. M., 418 - 432

Giesen, Bernhard (1987): Natürliche Ungleichheit, soziale Ungleichheit, ideale Gleichheit, in: Bernhard Giesen/Hans Haferkamp (Hg.): Soziologie der sozialen Ungleichheit. Opladen

Goldthorpe, John H. (1984): Women and class analysis: a reply to the replies, in: Sociology, 18, 492 - 499

Goldthorpe, John H. (1983): Women and social class: in defence of the conventional view, in: Sociology, 17, 1983, 465 - 488

Gottschall, Karin (1990): Frauenarbeit und Bürorationalisierung, Frankfurt/New York

Haller, Max; Kurt Holm (1987): Werthaltungen und Lebensformen in Österreich, München/Wien

Hartmann, Heidi (1981): Capitalism, Patriarchy, And Job Segregation by Sex, in: Martha Blaxel; Barbara Reagen (eds.): Women and the Workplace, Chicago/London, 137 - 169

Hieden-Sommer, Helga (1991): Das Pensionsrecht ist ein Macho. Anmerkungen zur Handhabung des Gleichheitsgrundsatzes, in: Zukunft 11, 5 - 9

Hradil, Stefan (1987): Sozialstrukturanalyse in einer fortgeschrittenen Gesellschaft, Opladen

Kreckel, Reinhard (1987): Neue Ungleichheiten und alte Deutungsmuster. Über die Kritikresistenz des vertikalen Gesellschaftsmodells in der Soziologie, in: Bernhard Giesen/Hans Haferkamp (Hg.): Soziologie der sozialen Ungleichheit. Opladen, 93 - 114

Kreckel, Reinhard (1989): Klasse und Geschlecht. Die Geschlechtsindifferenz der soziologischen Ungleichheitsforschung und ihre theoretischen Implikationen, in: Leviathan 17, 305 - 321

Lechner, Ferdinand, u.a. (1991): Vergessene Frauenarbeitsbereiche, Gießen

Lenski, Gerhard (1977): Macht und Privileg. Eine Theorie sozialer Schichtung. Frankfurt a. M.

Mayer, Karl U.; Walter Müller (1976): Soziale Ungleichheit, Prozesse der Statuszuweisung und Legitimitätsglaube, in: Karl H. Hörning (Hg.): Soziale Ungleichheit. Strukturen und Prozesse sozialer Schichtung, Darmstadt/Neuwied

Moser, Ulrike (1987): Frauenarbeit und Männerarbeit. Literaturstudie über Arbeitsbewertungen, in: Bundesministerium für Arbeit und Soziales (Hg.): Arbeitsbewertung: Frauenarbeit - Männerarbeit, Forschungsberichte aus Sozial- und Arbeitsmarktpolitik Nr. 7, Wien, 21 - 49

Parkin, Frank (1978): Strategies of social closure in class formation, in: ders. (Hg.): The social analysis of class structure, London, 1 - 18

Parkin, Frank (1979): Marxism and class theory. a bourgeois critique, New York

Simmel, Georg (1908): Soziologie, Berlin

Stacey, Margaret; Marion Price (1981): Women, power and politics, London/New York

Vobruba, Georg (1990): Lohnarbeitszentrierte Sozialpolitik in der Krise der Lohnarbeit, in: ders. (Hg.): Strukturwandel der Sozialpolitik, Frankfurt a. M.

Walby, Sylvia (1986): Gender, class and stratification. Towards a new approach, in: R. Crompton, M. Mann (eds.): Gender and stratification, Cambridge 23 - 39

West, Jackie (1978): Women, sex and class, in: A. Kuhn, A. M. Volpe (eds.): Feminism and materialism. Women and modes of production, Henley and Boston, 220 - 253

Wright, Erik O. (1989): Women in the class structure, in: Politics and Society, 17 35 - 67

Doppelte Vergesellschaftung und geschlechtsspezifische Arbeitsmarktstrukturierung

Reinhard Kreckel

Dieser kurze Beitrag ist auf eine einzige zentrale These zugeschnitten, die ich zunächst benennen werde, um sie dann anschließend in einer Reihe von Argumentationsschritten zu begründen und zur Diskussion zu stellen. Die These lautet: Mit Hilfe des Konzeptes der "doppelten Vergesellschaftung" kann eine strukturelle Erklärung des Phänomens der geschlechtsspezifischen Ungleichheit auf dem Arbeitsmarkt in fortgeschrittenen kapitalistischen Staatsgesellschaften geliefert und eine systematische Verknüpfung von klassen- und geschlechtertheoretischen Argumenten geleistet werden.

Der Schlüsselbegriff, auf den meine folgende Argumentationsskizze hinausläuft, ist also der Begriff der "doppelten Vergesellschaftung", der vor allem von *Regina Becker-Schmidt* (1987) und *Gudrun-Axeli Knapp* (1990) in die Debatte geworfen worden ist. Bevor ich mich diesem Begriff zuwenden und seinen Erklärungswert aufzeigen kann, ist es freilich in einem ersten Schritt notwendig, das Explanandum meiner These - also: die geschlechtsspezifische Ungleichheit auf dem Arbeitsmarkt - etwas genauer zu bestimmen. In einem zweiten Schritt werde ich sodann mit Hilfe einiger systematisierender historischer Thesen die Entstehungsvoraussetzungen des heute herrschenden Systems geschlechtsspezifischer Arbeitsmarktstrukturierung skizzieren. Schließlich will ich dann, in einem dritten Schritt, das von mir modifizierte Konzept der "doppelten Vergesellschaftung" als Lösungsangebot vorstellen.

1 Geschlechtsspezifische Ungleichheit auf dem Arbeitsmarkt

Um den ersten Schritt zur Bestimmung meines Explanandums - der geschlechtsspezifischen Ungleichheitsstruktur des Arbeitsmarktes - überhaupt tun zu können, bedarf es freilich noch eines vorbereitendes Schrittes. Will man nämlich nicht von der (unhaltbaren) Annahme ausgehen, daß alle Arbeitsmarktungleichheit geschlechtsbedingt sei, so empfiehlt es sich, zunächst einmal jene Ungleichheiten zu identifizieren, die allein auf der Funktionsweise bürokratisch-kapitalistischer Arbeitsmärkte beruhen. Das heißt, aus methodischen Gründen werde ich zunächst einmal von der faktisch gegebenen geschlechtsspezifischen Strukturierung abstrahieren und mich ausschließlich auf diejenigen Ungleichheiten konzentrieren, die rein arbeitsmarktbedingt sind. Ich kann das hier selbstverständlich nur andeuten[1]:

Arbeitsmarktverhältnisse sind bekanntlich Machtverhältnisse, die auf einer strukturellen Asymmetrie zwischen Arbeitgebern und Arbeitnehmern (bzw., wie ich abgekürzt auch sage, zwischen "Kapital" und "Arbeit") beruhen. Von diesem "primären Machtgefälle" des Arbeitsmarktes sind alle abhängigen (nicht über ihre Produktionsmittel verfügenden) Arbeitskräfte in gleicher Weise betroffen. Sie befinden sich, mit anderen Worten, in einer gemeinsamen "Klassenlage", die man in Anlehnung an *Max Weber* (1964, 223 ff.) auch als "negative Besitzklasse" charakterisieren könnte: In fortgeschrittenen kapitalistischen Staatsgesellschaften gehören ihr ca. 90 % der Erwerbspersonen an. Diese "negative Besitzklasse" der abhängig Beschäftigten ist nun freilich keineswegs homogen, sondern sie ist - um weiterhin mit *Max Weber* zu sprechen - in zahlreiche "Erwerbsklassen" aufgegliedert, zwischen denen ein "sekundäres Machtgefälle" besteht. Hauptgesichtspunkt bei der Erwerbsklassenbildung ist die Fähigkeit, bestimmte "Leistungsqualifikationen" zu monopolisieren und dadurch potentielle Arbeitsmarktkonkurrenten vom Wettbewerb um Erwerbschancen auszuschließen. Auf diese Weise ergibt sich eine in vielfacher Weise horizontal und vertikal segmentierte asymmetrische Arbeitsmarktstrukturierung. Im (nie erreichten) meritokratischen Idealfall kommt es dabei zu einer vollkommenen Entsprechung zwischen ungleichen Leistungsqualifikationen, ungleichen hierarchischen Positionen im Berufsleben und ungleichem Arbeitsentgelt.

Der Gesichtspunkt der Geschlechtszugehörigkeit der Arbeitsmarktsubjekte ist, wie angekündigt, bei der hier skizzierten Argumentation an keiner Stelle ins Spiel gebracht worden. Die Wirkungsweise der primären und sekundären Machtasymmetrien des Arbeitsmarktes wurde vielmehr als völlig geschlechtsindifferent dargestellt: Nicht die Geschlechtszugehörigkeit, sondern allein der Besitz oder Nichtbesitz von strategisch einsetzbaren Leistungsqualifikationen entscheidet in diesem abstrakten Arbeitsmarktmodell über die Erwerbschancen und den beruflichen Status der Individuen.

Die offensichtliche Konsequenz einer solchen geschlechtsindifferenten Betrachtungsweise ist es, daß das tatsächliche empirische Auftreten von erheblichen geschlechtsspezifischen Arbeitsmarktungleichheiten nicht auf die Funktionsweise des Arbeitsmarktes selbst zurückgeführt werden kann, sondern nur auf arbeitsmarkt*externe* Faktoren.

Ist das nun aber ein theoretisch fruchtbarer Ansatz? Um das entscheiden zu können, ist - wie angekündigt - zunächst eine etwas differenziertere empirische Zustandsbestimmung unseres Explanandums erforderlich, also: der geschlechtsspezifischen Arbeitsmarktstrukturierung. Im Hinblick auf die Arbeitsmarkt- und Berufsstruktur in Deutschland lassen sich die folgenden verallgemeinernden Aussagen treffen, die ich in Form von vier ineinander verzahnten Hypothesen darstellen darstellen möchte:

1. Während in früheren Jahrzehnten der deutlich geringere Bildungs- und Ausbildungsstand der weiblichen Erwerbstätigen eine einleuchtende Erklärung (und Rechtfertigung) für die geschlechtsspezifischen Ungleichheiten auf dem Arbeitsmarkt lieferte, ist das heute nicht mehr möglich: In Ost- ebenso wie in Westdeutschland hat sich für die jüngeren Alterskohorten beiderlei Geschlechts das formale Qualifikationsniveau nahezu ausgeglichen, sogar mit leichten weiblichen Vorteilen im Bereich der höheren Schulbildung. Dennoch treten auch für diese jüngeren Jahrgänge deutliche geschlechtsspezifische Chancenungleichheiten zum Nachteil der Frauen auf. Das bedeutet, daß die *Qualifikationsdefizit-Hypothese* nur noch eine Teilerklärung für das

Doppelte Vergesellschaftung 53

Auftreten geschlechtsspezifischer Disparitäten auf dem Arbeitsmarkt liefern kann. Diese Teilerklärung betrifft in erster Linie die älteren Jahrgangsgruppen und verliert allmählich an Gewicht.
2. Wenn aber trotz angeglichenen Qualifikationsniveaus noch immer erhebliche berufliche Chancenungleichheiten zwischen den Geschlechtern zu konstatieren sind, so scheint die Vermutung nahezuliegen, daß direkte "sexistische" Diskriminierung vorliegen müsse. Sicherlich ist es richtig, daß mehr oder weniger grobe oder subtile Zurücksetzungen und Benachteiligungen von Frauen im Beruf immer wieder auftreten. Dennoch kann auch die *Diskriminierungs-Hypothese* nur eine begrenzte Teilerklärung beitragen. Denn es gilt folgendes zu berücksichtigen: Unmittelbare Konkurrenzsituationen zwischen Männern und Frauen, bei denen es zu direkter Arbeitsmarktdiskriminierung kommen kann, sind im Erwerbsleben eher eine Ausnahme. Die Mehrzahl der Erwerbstätigen sind nämlich in sogenannten Männer- und Frauenberufen bzw. in eindeutig männlich bzw. weiblich geprägten Branchen tätig.
3. Wie *Angelika Willms-Herget* (1985, 222 ff.) für die alte BRD gezeigt hat, waren dort rund drei Viertel aller Frauen in eindeutig weiblich dominierten Beschäftigungsfeldern[2] tätig, bei den Männern ist der Anteil sogar noch höher. Das heißt, die erwerbstätigen Frauen erleben in ihrer Mehrzahl den beruflichen Alltag keineswegs aus einer Minderheitenperspektive. Obwohl Frauen in den alten Bundesländern insgesamt nur etwas mehr als ein Drittel der Erwerbspersonen ausmachen, arbeiten weitaus die meisten von ihnen in einem eindeutig weiblichen Umfeld. Wenn sie direkte Konkurrenzsituationen erleben, so meistens mit anderen Frauen, nicht mit Männern. Wir haben es, mit anderen Worten, mit einer hochgradigen geschlechtsspezifischen Arbeitsmarktsegregation zu tun. Wie *Hans-Peter Blossfeld* (1991, 19) im Rahmen einer Kohortenanalyse für die alte BRD nachgewiesen hat, hat diese Tendenz in den letzten Jahrzehnten sogar zugenommen.
Geschlechtsspezifische Arbeitsmarktsegregation bedeutet nun aber nicht einfach, daß wir es mit einer egalitären Aufgliederung des Arbeitsmarktes in eine Vielzahl von gleichgeschlechtlichen Arbeitsumfeldern zu tun hätten. Denn überproportional häufig weisen weibliche Berufsfelder zwei Merkmale auf: Sie sind entweder in der Berufshierarchie ungünstiger plaziert als männliche Berufsfelder, die vergleichbare Qualifikationsanforderungen stellen, und/oder die Spitzenpositionen in den überwiegend weiblich besetzten Berufsfeldern werden vornehmlich von Männern bekleidet. Damit liegt es nahe, eine *Segregations-Hypothese* zu formulieren, die in der geschlechtsspezifischen Arbeitsmarktsegregation den Angelpunkt für strukturelle Diskriminierungen sieht.
4. Meine bisherige Argumentation läuft also darauf hinaus, geschlechtsspezifische Arbeitsmarktungleichheit mit Hilfe einer Kombination der Qualifikationsdefizit-, der Diskriminierungs- und der Segregations-Hypothese zu erklären. Diese Lösung setzt sich freilich dem Einwand aus, daß die Arbeitsmarktlagen von Männern und Frauen nicht ohne weiteres vergleichbar seien. Denn zum einen sind ein großer Teil der erwerbstätigen Frauen (in den alten Bundesländern etwa 30 %), aber fast keine Männer teilzeitig beschäftigt. Zum anderen sind die typischen Erwerbslebensläufe von Frauen (vor allem aufgrund von "Familienphasen") diskontinuierlicher als die von Männern. Die von Frauen im Erwerbsleben verbrachte Zeit ist deshalb durchschnittlich kürzer als die von Männern, und zwar insbesondere in den Lebensaltersphasen, die für den Aufbau beruflicher Karrieren maßgebend sind. Mit anderen Worten, es kommt jetzt die *Arbeitszeit-Hypothese* hinzu, die davon ausgeht, daß bei gleicher Qualifikation jeweils die Person einen arbeitsmarktstrategischen Vorteil hat, die die vollständigere und kontinuierlichere Berufsorientierung an den Tag legt bzw. erwarten läßt. Das sind in der Regel die erwerbstätigen Männer.

Der bis jetzt zusammengetragene Katalog von vier Hypothesen mag einleuchten; aber er ist in sich höchst heterogen. Es fragt sich deshalb, ob es gelingen kann, einen *systematischen Zusammenhang* zwischen den Hypothesen herzustellen, einen Zusammenhang, der es ermöglicht, die ungleichen Arbeitsmarktlagen von Männern und Frauen unter einem gemeinsamen theoretischen Blickwinkel zu erfassen. Freilich darf diese übergreifende Perspektive keine bloße theoretische Konstruktion sein. Es gilt vielmehr, einen archimedischen Punkt zu identifizieren, von dem aus erkennbar wird, daß die heterogenen Merkmale der geschlechtsspezifischen Arbeitsmarktstrukturierung in einem gemeinsamen empirisch gegebenen Lebenszusammenhang verankert sind. Meine These ist es nun, daß dieser Zusammenhang nicht erfaßt werden kann, solange man in den institutionell vorgegebenen Grenzen des Arbeitsmarktes verharrt. Denn genau dort gehen die Angehörigen der beiden Geschlechter sich ja aufgrund der hochgradigen Arbeitsmarktsegregation weitgehend aus dem Wege. Das heißt, der soziale Zusammenhang der Geschlechter ist nicht im Beschäftigungssystem institutionalisiert, sondern anderswo: in der *privaten Haushaltsführung*. Deren Bedeutung für die geschlechtsspezifische Strukturierung des Arbeitsmarktes möchte ich nun, im nächsten Argumentationsschritt, mit einigen historischen Federstrichen nachzeichnen.

2 Historische Voraussetzungen

Das Unterfangen, einen geschichtlichen Entwicklungsprozeß auf wenige Hauptmerkmale reduzieren zu wollen, ist gewiß verwegen. Dennoch, will die Soziologie nicht völlig ahistorisch verfahren, so führt daran kein Weg vorbei. Denn die soziale Realität, mit der es die Soziologie zu tun hat, entfaltet sich stets in historisch gewachsenem Rahmen. Soziologen müssen deshalb versuchen, das von Historikern bereitgestellte Wissen zu nutzen, um die historischen Strukturvorgaben - die "historischen Bedingungen der Möglichkeit" - moderner gesellschaftlicher Realität rekonstruieren zu können. Aus der mir vorliegenden sozialhistorischen und geschichtssoziologischen Literatur habe ich die folgenden sieben Gesichtspunkte herausdestilliert, die meines Erachtens den historischen Rahmen des heute geltenden Geschlechterverhältnisses umreißen[3].

1. Solange wir die europäische Sozialgeschichte zurückverfolgen können: immer schon haben die Frauen die Hauptverantwortung für die Haushaltsführung und die Kindererziehung getragen, während die Männer für außerhäusliche Tätigkeiten, insbesondere auch für die bewaffnete Gewaltanwendung, zuständig waren. Dies ist die allgemeinste Strukturvorgabe. Es kann hier nicht darum gehen, sie zu erklären. Vielmehr muß sie als historische Voraussetzung hingenommen werden.
2. Die soziale Trennung von Familien- und Erwerbsleben ist dagegen eine historisch neue Tatsache, die sich erst im Zuge der Entwicklung der modernen marktwirtschaftlichen Gesellschaftsform durchgesetzt hat. Sie ist nicht eine zufällige, sondern eine systematische Begleiterscheinung des modernen Kapitalismus. Denn dieser leidet

unter einer strukturellen Schwachstelle: Er ist nicht in der Lage, aus eigener Kraft die für seinen Fortbestand erforderlichen Arbeitskräfte zu reproduzieren. Denn einerseits sind zwar alle kapitalistischen Unternehmen an einem stetigen "Nachschub" von einsatzfähigen Arbeitskräften interessiert. Andererseits ist aber die Herstellung dieses Nachschubs unprofitabel. Sie ist deshalb für den einzelnen kapitalistischen Unternehmer uninteressant. Damit bleibt aber das für die kapitalistische Marktwirtschaft zentrale Problem der materiellen und biologischen Reproduktion von menschlicher Arbeitskraft ungelöst. Die Lösung kann nur markt*extern* erfolgen[4].

3. Für eine solche "marktexterne" Lösung des Reproduktionsproblems standen nun, als historische Strukturvorgabe, die privaten Familienhaushalte zur Verfügung, und dort insbesondere die Frauen, die immer schon auf Reproduktionsaufgaben spezialisiert gewesen waren. Damit ergab sich folgende Lage: Sofern es gelang, (a.) die *Frauen* weiterhin auf die traditionell weiblichen Reproduktionsaufgaben festzulegen und (b.) durchzusetzen, daß diese Aufgaben im Rahmen der Familiensolidarität, also: *ohne Bezahlung*, verrichtet wurden, so war der Rücken frei für die Errichtung des bürokratisch-kapitalistischen Beschäftigungssystems. Erst unter dieser Voraussetzung wurde es möglich, das Modell des lebenslangen "Berufsmenschentums" (*Max Weber*) durchzusetzen, das den Arbeitsmarkt fortgeschrittener Staatsgesellschaften bis auf den heutigen Tag charakterisiert. Zur idealen Arbeitskraft der kapitalistischen und bürokratischen Welt ist bekanntlich die "Nur-Arbeitskraft" geworden, die durch einen nicht-erwerbstätigen Partner, die "Nur-Hausfrau", von den Reproduktionsarbeiten entlastet wird[5].

4. Nun wäre es sicherlich zu einfach, würde man sagen, daß im Kapitalismus die Männer generell die Erwerbsarbeit, die Frauen nur die Hausarbeit übernommen hätten. Denn von Anfang an hat es immer auch erwerbstätige Frauen in beträchtlicher Zahl gegeben, vor allem in der Arbeiter- und Dienstbotenschaft. Richtig ist aber zweierlei: Von jedem "echten" Mann und Familienvater wurde die Ausübung einer vollen Erwerbstätigkeit erwartet. Die Frauen waren dagegen nach wie vor allein für die Verrichtung von Hausarbeits- und Mutterpflichten zuständig. Daraus ergaben sich nun wieder zwei typische Möglichkeiten: (a.) War das Einkommen des Mannes ausreichend, um den Lebensunterhalt seiner Familie zu bestreiten, so wurde seine Frau zur Hausfrau. Je nach finanziellen Verhältnissen stand sie entweder einem Heer von Dienstboten vor, oder sie verrichtete die Hausarbeit selbst. Das ist das *"bürgerliche Modell"* in seinen groß- und kleinbürgerlichen Varianten. Im Laufe des 19. Jahrhunderts ist es zunehmend auch von besser verdienenden Facharbeitern übernommen worden. (b.) War hingegen das Einkommen des Mannes nicht ausreichend oder war überhaupt kein Mann vorhanden, so bot sich nur noch das *"proletarische Modell"* an, also: Erwerbstätigkeit *und* Hausfrauentätigkeit in einem. Das ist der historische Ursprung der sogenannten weiblichen "Doppelrollenproblematik", die bis heute fortwirkt. In jedem Falle kam es auf diese Weise also zu einer "Polarisierung der Geschlechtsrollen in der bürgerlichen Gesellschaft" (*Eckert* 1979, 241). Dabei wurde zwar an alteuropäische Traditionen angeknüpft, aber sie wurden doch deutlich verändert. Das heißt, die heutzutage verrichtete weibliche Hausarbeit ist nicht einfach ein übriggebliebenes "Stück Mittelalter" in der Moderne, wie *Ulrich Beck* (1986, 194) es darstellt. Die Hausarbeit ist vielmehr ebenso ein Kind des modernen Kapitalismus wie ihr Gegenstück, die betriebsmäßig organisierte Berufsarbeit.

5. Im Verlauf des 19. Jahrhunderts haben sich nun zwei gesellschaftliche Faustregeln durchgesetzt, die - wenn auch in abgeschwächter Form - bis auf den heutigen Tag ihre praktische Gültigkeit behalten haben. (a.) Innerhalb des familialen Mikrokosmos gilt: Der männliche "Haushaltsvorstand" soll seine Familie ernähren können. Zumindest soll er eine höhere berufliche Stellung innehaben und ein besseres Einkommen erzielen

als seine Lebenspartnerin. Sie ist für die Hausarbeit zuständig. Kehren sich die Verhältnisse um, so "hängt der Haussegen schief". Diese Sachlage ist in Gestalt des gängigen Partnerschaftsleitbildes habitualisiert, in dem die Paare bereits äußerlich sichtbar, nach Körpergröße und Lebensalter sortiert, als "asymmetrische Tandems" auftreten. - (b.) Innerhalb der Makrostruktur des Arbeitsmarktes gilt: Frauen sollen nicht mit Männern konkurrieren, und vor allem sollen sie nicht Vorgesetzte von Männern sein. Kehren sich hier die Verhältnisse um, so werden sie als "Weiberwirtschaft" verlacht. Auch hier gibt es habitualisierte Tandemsituationen, die die Asymmetrie des Geschlechterverhältnisses sichtbar machen und bekräftigen. Man denke nur an Tandemberufe wie Arzt und Arzthelferin, Chef und Sekretärin.

6. Im Rahmen dieses kurzen Beitrages kann ich die Genese und Funktionsweise dieses normativ abgestützten Systems geschlechtsspezifischer Asymmetrien nicht genauer ausführen, das ich mit *Ursula Beer* (1990) als "sekundärpatriarchale" Ordnung bezeichnen möchte[6]. Aber auch so dürfte seine soziale Wirkung deutlich geworden sein: die Unterordnung des weiblichen Geschlechts in Familien- und Berufsleben. Deutlich dürfte aber auch geworden sein, wo die Hauptgefahrenquelle für dieses System der sozialen Geschlechterasymmetrie liegt, nämlich: in der direkten Arbeitsmarktkonkurrenz zwischen den Geschlechtern. Das ganze 19. Jahrhundert hindurch wurde diese "Gefahr" jedoch durch ein sehr wirksames Verfahren begrenzt, durch den weitgehenden Ausschluß des weiblichen Bevölkerungsteiles von schulischer und vor allem beruflicher Bildung. Der Zugang zu der für das neu entstehende meritokratische System entscheidenden Ressource "Wissen" wurde zu einem männlichen Monopol. Es kann deshalb nicht verwundern, daß die männliche Seite unter diesen Umständen nicht allzu sehr um ihr berufliches Primat zu bangen brauchte. Im "offenen" meritokratischen Leistungsvergleich fielen den Männern fast selbstverständlich die gehobenen hierarchischen Positionen und die besten Einkommen zu. Solchermaßen gestärkt konnten sie dann auch im Privatleben den König spielen. Das asymmetrische Geschlechterverhältnis in Haushalt *und* Beruf wurde auf diese Weise immer wieder neu stabilisiert.

7. Allerdings sind *heute* zwei zentrale Voraussetzungen dieses ungleichheitserhaltenden Systems entfallen, das geschlechtsspezifische Qualifikationsmonopol und die exklusive Familienorientierung der Frauen: Frauen können ebenso wie Männer alle gehobenen Qualifikationen erwerben. Und lebenslange Berufstätigkeit ist nicht mehr nur ökonomische Notwendigkeit für sozial Benachteiligte, sie ist zu einem legitimen Bestandteil des Anspruches auf ein Stück "eigenes Leben" (*Beck-Gernsheim* 1983) für alle Männer *und* Frauen geworden. Dennoch gibt es aber noch immer "Nur-Hausfrauen", es gibt teilzeitbeschäftigte Frauen und es gibt vor allem eine ausgeprägte geschlechtsspezifische Arbeitsmarktsegregation, die die direkt wahrnehmbare Konkurrenz der Geschlechter zur Ausnahme macht. Nach wie vor wählen die meisten jungen Frauen typisch "weibliche" Berufsausbildungen, die ihnen vergleichsweise ungünstige Karrierechancen vermitteln. Und nach wie vor sind es fast ausschließlich Mütter und nicht Väter, die berufliche Wettbewerbsnachteile in Kauf nehmen, indem sie ihre Erwerbstätigkeit unterbrechen oder eine Teilzeitbeschäftigung übernehmen. Nach wie vor sind es auch die Frauen, die in der familieninternen Arbeitsteilung die Hauptlast für Kinderbetreuung, Alten- und Krankenpflege, Einkaufen, Kochen, Putzen und Waschen tragen.

3   Doppelte Vergesellschaftung

Warum ist das heute noch der Fall? Warum verhalten sich, trotz weitgehend erreichter Chancengleichheit im Bildungs- und Ausbildungswesen, soviele Frauen in ihrer Lebensplanung noch immer so, daß sie nur periphere Positionen innerhalb des gesamtgesellschaftlichen Ungleichheitssystems erreichen können?

Die Versuchung ist groß, an dieser Stelle nun sofort zu sozialpsychologischen und sozialisationstheoretischen Argumenten zu greifen. Konzepte wie "weibliche Erfolgsvermeidung", "weiblicher Gegenstandsbezug", "weibliches Arbeitsvermögen" oder "weibliche Moral" sind hier die Stichworte. Ich möchte deren empirische Triftigkeit hier nicht in Zweifel ziehen. Ich werde sie aber bei Seite lassen und nicht weiter diskutieren. Denn, ob sie nun angemessen sind oder nicht, in jedem Falle müssen sie meines Erachtens einer strukturellen Argumentation untergeordnet werden. Diese zielt darauf ab, zuerst einmal die "harten" sozialen Bedingungen zu identifizieren, die für alle von ihnen Betroffenen gelten - gleichgültig, ob sie nun "typische" Männer oder "typische" Frauen sind oder keines von beiden. Das heißt, mir geht es hier um die Identifikation von strukturellen Bedingungen, die für alle davon Betroffenen ein Verhalten nahelegen, das im Resultat zur Produktion und Reproduktion von geschlechtsspezifischen Arbeitsmarktungleichheiten führt. Anders gesagt, ich interessiere mich primär für soziale Strukturtatsachen im *Durkheim*'schen Sinne, nicht für geschlechtsspezifische Persönlichkeitsunterschiede. Bei diesem Vorgehen bestärken mich freilich auch die von *Carol Hagemann-White* (1984) zusammengetragenen Befunde, die darauf hinauslaufen, daß sich die geschlechtsspezifischen Sozialisationsinhalte heute soweit angenähert haben, daß die Angehörigen beider Geschlechter über weitgehend deckungsgleiche Verhaltensrepertoires verfügen. Die "stereotype Vereigenschaftlichung" von Geschlechtsmerkmalen (*Knapp* 1990, 24) ist deshalb auch im sozialisationstheoretischen Gewande problematisch. Zu Verhaltensunterschieden zwischen Männern und Frauen kommt es nach dieser strukturtheoretischen Auffassung vor allem dann, wenn unterschiedliche strukturelle Bedingungen angetroffen werden und verarbeitet werden müssen. Um sie geht es mir jetzt. Den Umstand, daß langfristig wirkende Strukturen auch Sozialisationsprozesse und Charaktere prägen, will ich damit selbstverständlich nicht leugnen, sondern lediglich hintanstellen.

Die historische Strukturtatsache, bei der ich ansetze, ist die für die moderne Gesellschaft fundamentale Trennung von Reproduktions- und Produktionssphäre: Das Alltagsleben der Menschen spielt sich in der Polarität zwischen privater Haushaltsführung und kapitalistisch oder bürokratisch organisierter Erwerbstätigkeit ab. Das heißt, die normativ vorgegebene Standardbiographie moderner Menschen ist stets auf zwei separate Brennpunkte ausgerichtet - auf das Familienleben und das Berufsleben. Dementsprechend sind die Sozialisationsprozesse in starkem Maße auf die Integration der Menschen in Familie und Beruf ausgerichtet; weitgehend finden sie auch dort statt. In diesem Sinne wird in der neueren Sozialisationsforschung auch der Begriff der "doppelten Sozialisation" (*Hoff* 1990) gebraucht, der daran erinnert, daß es angesichts der strukturellen Zweiteilung der sozialen Lebenswelt in Haushalte und Betriebe zur sozialisatorischen Grundausstattung jedes Gesellschaftsmitgliedes gehört, sich in beiden Sphären kompetent bewegen zu können.

Da es mir hier aber, wie schon gesagt, gerade nicht um Sozialisationsinhalte geht, sondern um deren strukturellen Rahmen, möchte ich lieber an den ursprünglich von *Regina Becker-Schmidt* (1987) vorgeschlagenen und inzwischen vielfach aufgegriffenen Begriff der "doppelten Vergesellschaftung" anknüpfen - allerdings mit einer gewissen Modifikation: Für *Becker-Schmidt* bezieht sich das Konzept der "doppelten Vergesellschaftung" auf die doppelte Vergesellschaftung von *Arbeitskraft*, und es betrifft unmittelbar nur den *weiblichen* Teil der Bevölkerung moderner kapitalistischer Staatsgesellschaften. Ich hingegen möchte den Begriff der "doppelten Vergesellschaftung" zur Bezeichnung einer allgemeinen, alle Gesellschaftsmitglieder betreffenden Strukturtatsache verwenden.

Regina Becker-Schmidt geht von einer grundlegenden Ambivalenz der gesellschaftlichen Lage von Frauen in kapitalistischen Gesellschaften aus: Einerseits seien sie über ihre Familienorientierung, andererseits über ihre Berufsorientierung in die Gesellschaft eingebunden. In beiden Bereichen seien sie von fremdbestimmter Herrschaft betroffen. Für Männer gelte diese doppelte *Vergesellschaftung nicht* in gleicher Weise, da sie sehr viel eindeutiger vom Primat des Erwerbslebens geprägt würden. Sie schreibt:

"Diese Doppelsozialisation bzw. Doppelorientierung konfrontiert Frauen mit einer Vielzahl von Zerreißproben, denen Männer nicht in vergleichbarer Weise ausgesetzt sind. *Frauen haben ein komplexes Arbeitsvermögen erworben, das sie für zwei "Arbeitsplätze" qualifiziert*: den häuslichen und den außerhäuslichen. Wollen sie Erfahrungen in beiden Praxisfeldern machen, drohen ihnen die qualitativen und quantitativen Probleme der Doppelbelastung. (...) Beide Formen der Herrschaft verschärfen die Problemlagen: das Fortleben patriarchalischer Strukturen in der Familie ... erschwert die Partizipation von Frauen in der außerhäuslichen Arbeitswelt und an anderen Formen der Öffentlichkeit. Und die Wertehierarchie des Berufssystems, das Menschen nach ökonomischen Kostengesichtspunkten und nicht nach Lebensbedürfnissen kalkuliert, nimmt von der Existenz eines familialen Arbeitsplatzes ... keine Notiz" (*Becker-Schmidt* 1987, 23 f.).

Diese Diagnose ist gewiß zutreffend. Insbesondere vermeidet es *Becker-Schmidt*, das Arbeitsvermögen von Frauen auf seine "hausarbeitsbezogene" Komponente zu reduzieren. Dennoch möchte ich für eine noch weitergehende "Geschlechtsneutralisierung" der Begrifflichkeit plädieren: *Die "doppelte Vergesellschaftung" gilt in der bürokratisch-kapitalistischen Gesellschaft für beide Geschlechter*[7]. Beide sind von der Trennung zwischen privater Familiensphäre und öffentlicher Berufssphäre betroffen. Beide sind deswegen in ihrem Leben typischerweise mit zwei "Logiken" konfrontiert, die einander widersprechende Verhaltensanforderungen stellen - mit der *Logik des "Produktions-Handelns"* im Beruf und mit der *Logik des "Reproduktions-*

Doppelte Vergesellschaftung 59

Handelns" in der Familie. Grundsätzlich ist also davon auszugehen, daß *alle* Gesellschaftsmitglieder in der einen oder anderen Weise in dieses grundlegende Spannungsverhältnis der kapitalistischen Gesellschaft einbezogen sind. Die empirisch interessante Frage ist deshalb die, *wie* sie damit umgehen[8]. Dabei zeigt sich dann in der Tat, daß es der männlichen Seite weitgehend gelungen ist, sich von der Ambivalenz zwischen produktiver und reproduktiver Existenz zu entlasten, indem sie ihr Privatleben den beruflichen Anforderungen unterordnen. Die Frauen hingegen sind nicht nur typischerweise den widersprüchlichen Anforderungen aus beiden Bereichen voll ausgesetzt, sie haben auch die Folgen des patriarchalen Erbes voll zu tragen. Denn die von ihren männlichen Lebenspartnern praktizierte Unterordnung und Verdrängung der Erfordernisse privater Reproduktion setzt gleichzeitig die Unterordnung und Verdrängung ihrer eigenen Hausarbeit voraus.

Angesichts meines bisher betriebenen Argumentationsaufwandes wird dieser Ertrag vermutlich eher bescheiden anmuten. Läuft er doch scheinbar nur auf den Vorschlag hinaus, den Widersprüchlichkeiten der "doppelten Vergesellschaftung" nicht nur auf der weiblichen, sondern ebenso auch auf der männlichen Seite der Gesellschaft nachzuspüren. Ich meine jedoch, daß mit dieser expliziten "Geschlechtsneutralisierung" des Konzeptes zugleich eine wichtige theoretische Weichenstellung vollzogen wird, die sich folgendermaßen charakterisieren läßt:

Will man die auf dem Arbeitsmarkt fortgeschrittener kapitalistischer Staatsgesellschaften auftretenden Ungleichheiten strukturtheoretisch erfassen, so wird es damit möglich, nicht mehr nur von einem, sondern von zwei konstitutiven Strukturkonflikten auszugehen. Denn es ist deutlich geworden, daß die Bezugnahme auf den strukturellen Grundkonflikt zwischen Arbeitgeber- und Arbeitnehmerseite, also: auf das "abstrakte Klassenverhältnis von Kapital und Arbeit" (*Giddens* 1973), nicht ausreicht, um geschlechtsspezifische Arbeitsmarktungleichheiten angemessen zu analysieren. In der "konventionellen Klassenanalyse" (*Goldthorpe* 1983) konnten sie deshalb nur als arbeitsmarktextern bedingt oder allenfalls als "Nebenwiderspruch" thematisiert werden. Da dies unbefriedigend bleibt, gehe ich davon aus, daß neben dem "abstrakten Klassenverhältnis" noch ein zweiter grundlegender Strukturkonflikt mit im Spiele ist, der bei der Tatsache der "doppelten Vergesellschaftung" ansetzt - das "abstrakte Geschlechterverhältnis". Es gelten somit die folgenden theoretischen Annahmen:

1. Ebenso wie das abstrakte Klassenverhältnis sich in der kapitalistischen Gesellschaft als struktureller Gegensatz von Kapital und Arbeit darstellt, so nimmt das abstrakte Geschlechterverhältnis dort die Form eines strukturellen Gegensatzes von Produktion und Reproduktion an.
2. Genausowenig wie sich aus dem abstrakten Klassenverhältnis die empirische Existenz von zwei (oder mehreren) sozialen Klassen als "realen" gesellschaftlichen Großgruppen zwingend ableiten läßt, genausowenig läßt sich aus dem abstrakten Geschlechterverhältnis die eindeutige empirische Zuordnung von Männern oder Frauen zu einer bestimmten Arbeitsform, also: zu Beruf oder Hausarbeit, herleiten. In beiden Fällen kann nur die empirische Erfahrung lehren, auf welche Weise sich die

Menschen im konkreten gesellschaftlichen Leben mit den sie betreffenden strukturellen Gegensätzen arrangieren.

In der sozialwissenschaftlichen Diskussion über das Verhältnis von Klasse und Geschlecht vertrete ich also eine *"dualistische Position"* [9]. Das heißt, ich behandle das abstrakte Klassenverhältnis und das abstrakte Geschlechterverhältnis als *analytisch unabhängig* voneinander. Das hat freilich nur methodische Gründe. Denn in der Tat ist mir ja durchaus bewußt, daß beide in der konkreten historischen Entwicklung stets eng miteinander verwoben gewesen sind. Es handelt sich dabei also nicht um zwei getrennte "Systeme", wie etwa *Heidi Hartmann* (1979; 1983) annimmt, sondern um zwei aufeinander bezogene strukturelle Gegensätze.

Die sich in diesen Formulierungen andeutende Symmetrie zwischen Klassen- und Geschlechterverhältnis ist somit nur eine begriffliche, keine empirische. Denn obgleich beide auf historische Grundlagen zurückgehen, die sehr viel älter sind als der Kapitalismus, so hat doch dieser ihnen gemeinsam seinen Stempel aufgedrückt - und zwar in einer asymmetrischen Weise: *Das Geschlechterverhältnis ist in der kapitalistischen Gesellschaft in Abhängigkeit vom Klassenverhältnis geraten.* Die Produktionssphäre hat das Übergewicht über die Reproduktionssphäre gewonnen. Dort, in der Produktionssphäre, ist die primäre Machtasymmetrie zwischen Kapital und Arbeit angesiedelt, ebenso die darauf aufbauenden sekundären Machtasymmetrien des bürokratisch-kapitalistischen Arbeitsmarktes. Dort wird Einkommen geschaffen und (ungleich) verteilt, und dort ist auch die *offizielle Hierarchie* der gesellschaftlichen Positionen verankert. Die zweite, *inoffizielle Hierarchie*, die sich vor allem zum Nachteil von Frauen auswirkt, hat ihre Grundlage in der Scheidung von bezahlter Produktions- und unbezahlter Reproduktionsarbeit. Denn in der Geldwirtschaft gilt die doppelte Faustregel: Arbeit, die nicht bezahlt wird, zählt nicht; Arbeit, die nicht zählt, wird nicht bezahlt.

Welche Denkmöglichkeiten ergeben sich nun aus der von mir vertretenen begrifflichen Parallelisierung und inhaltlichen Verzahnung von Klassenverhältnis und Geschlechterverhältnis?

Der *theoretische* Vorzug dieses Ansatzes ist es meines Erachtens, daß er die begriffliche Voraussetzung dafür schafft, Klassen- und Geschlechterverhältnisse konsequent zusammenzudenken. Der drohenden intellektuellen (und sozialen) Isolierung der sozialwissenschaftlichen Frauen- und Geschlechterforschung kann auf diese Weise vielleicht ebenso abgeholfen werden wie der theoretischen Selbstgenügsamkeit der konventionellen Ungleichheitsforschung.

Was die *praktischen* Konsequenzen dieses Ansatzes anbetrifft, so können eindeutige Folgerungen selbstverständlich nicht angeboten werden: Ist man milde und reformfreudig gestimmt, so stützt er wohl die Erwartung, daß mit dem allmählichen Verschwinden des weiblichen Bildungsdefizits nunmehr die sachlichen Voraussetzungen dafür gegeben seien, daß es jetzt, nach der erfolgreichen Institutionalisierung des Klassenkonfliktes auch zu einer entsprechenden Institutionalisierung des Geschlechterkonfliktes kommen könne. Ebenso wie durch die Einbeziehung der Arbeiterschaft in die gesamtgesellschaftlichen Aushandlungsprozesses die sozialen Auswüchse des strukturellen Gegensatzes von Kapital und Arbeit abgefedert wurden, so könnte es jetzt, mit der Erlangung der vollen sozialen Partizipationsrechte für die Frauen, auch zu einer institutionellen Korrektur des Geschlechterkonfliktes kommen, indem die Zuständigkeiten für die Reproduktionsarbeit neu geregelt würden. - Ist man hingegen eher skeptisch oder pessimistisch gestimmt, so wird man wohl damit rechnen, daß der weibliche Bevölkerungsteil noch für längere Zeit die Hauptlast der "doppelten Vergesellschaftung" zu tragen haben wird, da weder auf der Männer- noch auf der Frauenseite nachhaltige Initiativen erkennbar sind, die weibliche Primärzuständigkeit für die Reproduktionsarbeit, insbesondere für die Kinderbetreuung, aufzuheben. Weil man aber davon ausgehen muß, daß das strukturell bedingte Machtgefälle zwischen Produktions- und Reproduktionssphäre solange fortbesteht, wie marktwirtschaftliche Verhältnisse herrschen, wird man als Pessimist wohl auch erwarten müssen, daß die sozialen Folgekosten der "doppelten Vergesellschaftung" weiterhin in erster Linie die Frauen treffen werden. Was aber tatsächlich geschehen wird, das kann nur die Praxis erweisen.

Anmerkungen

1. Ausführlicher dazu: *Kreckel* (1992), wo die gesamte hier skizzierte Argumentation entfaltet und genauer belegt wird.
2. Als "weiblich dominiert" werden dabei alle Beschäftigungsfelder mit einem Frauenanteil von mindestens 60% eingestuft.
3. Vgl. dazu etwa: *Ostner* (1978), *Rosenbaum* (1982), *U. Knapp* (1984), *Segalen* (1986), *Sieder* (1987), *Beer* (1990), *Rerrich* (1990).
4. Das ist selbstverständlich auch der Grund für die dauernde Versuchung, *ausländische* Arbeitskräfte anzuwerben, deren Arbeitskraft für den Unternehmer kostenlos bereitgestellt wird.
5. Vgl. dazu den vielsagenden Titel der Studie von *Elisabeth Beck-Gernsheim*: "Das halbierte Leben. Männerwelt Beruf, Frauenwelt Familie" (1980).
6. *Michael Mann* (1986) verwendet in ganz ähnlichem Sinn den Begriff "neo-patriarchy".
7. Ansatzweise findet sich diese Betrachtungsweise auch bei *Müller/Schmidt-Waldherr* (1989, 4).
8. Ähnlich argumentieren auch *Frerichs/Steinrücke* (1991, S. 4 ff.) in einem Projektentwurf zur empirischen Erforschung des Verhältnisses von Klasse und Geschlecht im vereinigten Deutschland.
9. Siehe dazu den sehr informativen kritischen Überblick bei *Walby* (1986, Kap. 2). Vgl. auch *Connell* (1987, 41 ff.) und *Pateman* (1988, 37 f.).

Literaturverzeichnis

Beck, Ulrich (1986): Risikogesellschaft. Auf dem Weg in eine andere Moderne, Frankfurt a. M.
Beck-Gernsheim, Elisabeth (1980): Das halbierte Leben. Männerwelt Beruf, Frauenwelt Familie, Frankfurt a. M.
Beck-Gernsheim, Elisabeth (1983): Vom "Dasein für andere" zum Anspruch auf ein Stück "eigenes Leben". Individualisierungsprozesse im weiblichen Lebenszusammenhang, in: Soziale Welt 34, 307 - 340
Becker-Schmidt, Regina (1987): Die doppelte Vergesellschaftung - die doppelte Unterdrückung: Besonderheiten der Frauenforschung in den Sozialwissenschaften, in: L. Unterkircher; I. Wagner (Hrsg.): Die andere Hälfte der Gesellschaft, Wien, 10 - 25
Beer, Ursula (Hrsg.) (1987): Klasse Geschlecht. Feministische Gesellschaftsanalyse und Kritik, Bielefeld
Beer, Ursula (1990): Geschlecht, Struktur, Geschichte. Soziale Konstituierung des Geschlechterverhältnisses, Frankfurt/New York
Blossfeld, Hans-Peter (1991): Der Wandel von Ausbildung und Berufseinstieg bei Frauen, in: Karl Ulrich Mayer; Jutta Allmendinger; Johannes Huinink (Hg.): Vom Regen in die Traufe, Frankfurt/New York, 1 - 22
Chafetz, Janet Saltzman (1984): Sex and advantage. A comparative, macro-structural theory of sex stratification, Totowa
Connell, Robert W. (1987): Gender and Power, Oxford
Cyba, Eva; Andreas Balog (1989): Frauendiskriminierung und Klassenanalyse. Zur Weiterführung einer Diskussion, in: Österreichische Zeitschrift für Soziologie 14(2), 4 - 18
Eckert, Roland (Hrsg.) (1979): Geschlechtsrollen und Arbeitsteilung. Mann und Frau in soziologischer Sicht, München
Frerichs, Petra; Margareta Steinrücke (1991): Klasse und Geschlecht, in: ISO-Informationen 2 (Januar 1991), 4 - 6
Giddens, Anthony (1973): The class structure of advanced societies, London
Goldthorpe, John H. (1983): Women and class analysis: in defense of the conventional view, in: Sociology 17, 465 - 488
Hagemann-White, Carol (1984): Sozialisation: Weiblich - männlich?, Opladen
Hartmann, Heidi (1979): Capitalism, patriarchy, and job segregation by sex, in: Z.R. Eisenstein (Hrsg.): Capitalist patriarchy and the case for socialist feminism, New York, 206 - 247
Hartmann, Heidi (1983): Marxismus und Feminismus: Eine unglückliche Ehe, in: L. Sargent (Hrsg.): Frauen und Revolution, Berlin, 29 - 78
Haug, Frigga; Cornelia Hauser (1984): Geschlechterverhältnisse. Zur internationalen Diskussion um Marxismus-Feminismus, in: Argument-Sonderband 110, 9 - 102
Hausen, Karin (1976): Die Polarisierung der "Geschlechtscharaktere". Eine Spiegelung der Dissoziation von Erwerbs- und Familienleben, in: W. Conze (Hrsg.): Sozialgeschichte der Familie in der Neuzeit Europas, Stuttgart, 367 - 393
Hoff, Ernst-H. (Hrsg.) (1990): Die doppelte Sozialisation Erwachsener, Weinheim-München
Knapp, Gudrun-Axeli (1987): Arbeitsteilung und Sozialisation: Konstellationen von Arbeitsvermögen und Arbeitskraft im Lebenszusammenhang von Frauen, in: Beer (1987), 236 - 273
Knapp, Gudrun-Axeli (1990): Zur widersprüchlichen Vergesellschaftung von Frauen, in: Hoff (1990), 17 - 52
Knapp, Ulla (1984): Frauenarbeit in Deutschland. Hausarbeit und geschlechtsspezifischer Arbeitsmarkt im deutschen Industrialisierungsprozeß, 2 Bde., München
Kreckel, Reinhard (1989): Klasse und Geschlecht. Die Geschlechtsindifferenz der soziologischen Ungleichheitsforschung und ihre theoretischen Implikationen, in: Leviathan 17, 305 - 321.
Kreckel, Reinhard (1991): Geschlechtssensibilisierte Soziologie. Können askriptive Merkmale eine vernünftige Gesellschaftstheorie begründen?, in: W. Zapf (Hrsg.): Die Modernisierung moderner Gesellschaften, Frankfurt/New York, 370 - 382

Kreckel, Reinhard (1992): Politische Soziologie der sozialen Ungleichheit. Frankfurt/ New York
Mann, Michael (1986): A crisis in stratification theory?, in: R. Crompton;M. Mann (Hrsg.): Gender and stratification, Oxford, 40 - 56
Ostner, Ilona (1978): Beruf und Hausarbeit. Die Arbeit der Frau in unserer Gesellschaft. Frankfurt/New York
Pateman, Carole (1988): The sexual contract, Oxford
Rerrich, Maria S. (1990): Balanceakt Familie. Zwischen alten Leitbildern und neuen Lebensformen, 2. Aufl., Freiburg
Rosenbaum, Heidi (1982): Formen der Familie. Untersuchungen zum Zusammenhang von Familienverhältnissen, Sozialstruktur und sozialem Wandel in der deutschen Gesellschaft des 19. Jahrhunderts. Frankfurt a. M.
Segalen, Martine (1986): Historical anthropology of the family, Cambridge
Sieder, Reinhard (1987): Sozialgeschichte der Familie, Frankfurt a. M.
Walby, Sylvia (1986): Patriarchy at work, Oxford
Weber, Max (1964): Wirtschaft und Gesellschaft. Grundriß der verstehenden Soziologie. Studienausgabe, Köln/Berlin [zuerst 1922]
Willms-Herget, Angelika (1985): Frauenarbeit. Zur Integration der Frauen in den Arbeitsmarkt, Frankfurt/New York

Industrielle Entwicklung, soziale Differenzierung, Reorganisation des Geschlechterverhältnisses

Brigitte Aulenbacher und Tilla Siegel

Vorbemerkung

Der stichwortartige Titel dieses Beitrags markiert Diskussionen in der Industriesoziologie, der Sozialstrukturanalyse und der Frauenforschung, die einen gemeinsamen empirischen Kern haben: Entwicklungen von den siebziger bis zu den neunziger Jahren. Dabei besteht zwischen den Disziplinen ein weitgehender Konsens dahingehend, daß sich ein grundlegender gesellschaftlicher Umbruch abzeichnet. "Post"alische Begriffe wie "Post-Taylorismus" oder "Post-Fordismus" signalisieren, daß dieser Umbruch auch zentral mit Rationalisierung zu tun hat.

Im Kontext industrieller Entwicklung von der Reorganisation des Geschlechterverhältnisses zu sprechen, beinhaltet bereits ein theoretisches Verständnis des Zusammenhangs von Kapital- und Geschlechterverhältnis, das in der aktuellen deutschen Debatte zwischen marxistischer und feministischer Forschung und Sozialstrukturanalyse teilweise umstritten ist. Diese im wesentlichen um die Konzeption von Geschlecht als "Strukturkategorie" und Individualisierung als Vergesellschaftungsprozeß geführte Diskussion werden wir im ersten Teil, soweit sie für unsere Analyseperspektive und Fragestellung bedeutsam ist, aufgreifen.

Daran anschließend plädieren wir für eine historisch-theoretisch erweiterte Perspektive in der Rationalisierungsforschung: In der aktuellen Diskussion wird oftmals die zeitliche Verortung des "Taylorismus" beziehungsweise "Fordismus" in Westeuropa und Deutschland für die Zeit nach dem Zweiten Weltkrieg bis Ende der siebziger Jahre unterstellt und lediglich auf den ökonomischen, gelegentlich auch auf den politischen Bereich bezogen. Wir beziehen uns dagegen auf die "Epoche der Rationalisierung" seit den ersten Jahrzehnten unseres Jahrhunderts, als die mit den Namen *Taylor* und *Ford* verbundenen Methoden auch in Deutschland zum Leitbild industrieller Rationalisierung geworden waren. Diese Epoche ist davon geprägt, daß die "industrielle" mit einer auf die Menschen und ihre Lebenszusammenhänge gerichteten "sozialen" Rationalisierung verbunden war. Als eine die Grenzen des "Betriebs" überschreitende gesellschaftliche Norm "richtigen" Handelns restrukturierte der Rationalisierungsgedanke auch die anderen gesellschaftlichen Bereiche sowie das Verhältnis zwischen ihnen und mithin zwischen den Geschlechtern.

In den ersten beiden Teilen fragen wir also theoretisch-historisch nach dem Zusammenhang von Kapital- und Geschlechterverhältnis und von Rationalisierung und Geschlechterverhältnis. Vor diesem Hintergrund greifen wir dann im dritten Teil Befunde zur aktuellen Entwicklung auf, um abschließend zur Debatte stellen zu können, ob wir es mit dem "Ende des Fordismus" als dem Beginn neuer Geschlechterarrangements zu tun haben. Einschränkend sei angemerkt, daß wir uns hierbei auf den Fordismus in Deutschland beziehen.

1 Industrielle Entwicklung als Reorganisation des Geschlechterverhältnisses

Der Zusammenhang von Kapital- und Geschlechterverhältnis beziehungsweise Produktion und Reproduktion wird zwischen marxistischer und feministischer Forschung und Sozialstrukturanalyse in einigen Punkten konsensuell diskutiert. Bezogen auf den Zusammenhang von Kapital- und Geschlechterverhältnis erschöpft sich dieser Konsens jedoch bereits in der Feststellung, daß das Geschlechterverhältnis als das historisch primäre soziale Verhältnis zu begreifen ist. Über dessen Bedeutung für kapitalistische Gesellschaften sowie über den Stellenwert des Geschlechterverhältnisses gegenüber dem Kapitalverhältnis gehen die Positionen auseinander. Weiter trägt der Konsens zum Zusammenhang von Produktion und Reproduktion, der sich folgendermaßen kurz skizzieren läßt: Produktion und Reproduktion als getrennte und komplementäre Bereiche bilden das Fundament von Industriegesellschaften. Diese Trennung von marktvermittelter und nicht-marktvermittelter, "privat" organisierter Arbeit markiert historisch und aktuell auch eine Dimension geschlechtsspezifischer Arbeitsteilung. Erwerbs- und Hausarbeit bilden in ihrer Komplementarität die Grundlage der Existenzsicherung. Hausarbeit steht in struktureller Abhängigkeit von Erwerbsarbeit, da letztere angesichts der Angewiesenheit auf wie auch immer vermitteltes Erwerbseinkommen (zumindest für den größten Teil der Bevölkerung) zentral ist. Ferner hat vor allem die "Hausarbeitsdebatte" verdeutlicht, daß Erwerbsarbeit, in der Arbeitskraft gegen nur die Reproduktionskosten verkauft wird, erst durch die unentgeltliche Bestreitung des Reproduktionsaufwandes möglich ist.[1]

Die erste für unsere Bestimmung des Zusammenhangs von Kapital- und Geschlechterverhältnis und die Analyse der aktuellen Situation wesentliche Diskussion dreht sich um die Frage, ob Geschlecht als Strukturierungsprinzip kapitalistischer Gesellschaften zu begreifen ist[2]. Wir knüpfen hierbei an die von *Hildegard Heise* und *Ursula Beer* geführte Kontroverse zwischen marxistischer und feministischer Forschung an.

Hildegard Heise fragt in ihrer Konzeption marxistischer Subjekttheorie nach den Ursachen der Geschlechterungleichheit im Kapitalismus und wählt den Ausgangspunkt ihrer Analyse in den Spezifika dieser Produktionsweise.

Als deren zentrale Bestimmung begreift sie die "Versachlichung der gesellschaftlichen Verhältnisse", in der die "Sachen- und Warenwelt" und zentral die "allgemeine Ware Geld" zwischen die "Bezugnahme der Personen" aufeinander tritt und aus der die *Loslösung der Menschen von den Produktionsbedingungen*" folge. Die "*Loslösung der Menschen von den Produktionsbedingungen*" bedeute auch ihre Loslösung voneinander und die "Vereinzelung der Subjekte" als "die soziale Zellenform der spezifisch kapitalistischen Gesellschaft". Als Vereinzelte seien die Subjekte beiderlei Geschlechts gleichermaßen auf das "System der gesellschaftlichen Arbeit" verwiesen, wobei die "gesellschaftliche Produktion zur Existenzsicherung der Personen" zugleich und übergeordnet der Kapitalverwertung diene und hierdurch in bezug auf die Existenzsicherung unbeherrschbar sei. Die hier angelegte "intrasubjektive Widersprüchlichkeit" ist für die Autorin die "Qualität", aus der die Gleich- und Ungleichstellung der Geschlechter im entwickelten Kapitalismus folge. Die kapitalistische Produktionsweise sei und erscheine geschlechtsneutral, da die Personen im dominanten "System der gesellschaftlichen Arbeit" gleichgestellt seien. Diese Gleichstellung beinhalte als Kehrseite die Ungleichstellung der Geschlechter, da die biologisch begründete und historisch überformte stärkere "Bezogenheit auf die Nachkommen" als "Besonderheit von Frauen" hier keinen Raum habe und suche.[3] In diesem Sinne sei der Kapitalismus in seiner Geschlechtsneutralität patriarchalisch, da die Spezifik von Frauen im "System der gesellschaftlichen Arbeit" nicht berücksichtigt werde. Sie wiederum seien deshalb und aufgrund der Vereinzelung der Subjekte stärker in die Widersprüchlichkeit der Existenzsicherung involviert, was zu geschlechtsspezifischen Reaktionen wie der Suche nach Scheinlösungen und der stärkeren Bindungsorientierung in der "familialen Lebenssphäre" führe. Die "intrasubjektive Widersprüchlichkeit" konstituiere die Geschlechterbeziehung (und -ungleichheit) als interpersonalen Gegensatz.[4]

Ähnlich wie *Hildegard Heise* fragt *Ursula Beer* nach dem "*inneren Band*" warenproduzierender Gesellschaften, aus dem heraus die Geschlechterungleichheit erklärt werden müsse, und kommt in ihrer Konzeption feministischer Strukturtheorie zu dem Ergebnis, daß Individuen geschlechtsspezifisch vergesellschaftet werden und das Geschlechterverhältnis als gesellschaftliches Strukturierungsprinzip zu begreifen ist. Sie reformuliert den Begriff der Produktionsweise als "*Wirtschafts- und Bevölkerungsweise*". Einem erweiterten Verständnis von "*Ökonomie*" folgend, das die "Markt-" und "Versorgungsökonomie" umfaßt, werden hier die Produktion von Waren und der "generative gesellschaftliche Bestandserhalt" gewährleistet. In diesem Sinne sei von einer Doppelung in der Vergesellschaftung von Menschen durch Arbeit und Fortpflanzung auszugehen.[5] Im Anschluß an *Maurice Godeliers* Analyse eines doppelten Widerspruchs in der Entwicklung der kapitalistischen Produktionsweise, des "strukturinternen Widerspruchs" zwischen Kapital und Lohnarbeit und des Grundwiderspruchs zwischen Produktionsverhältnissen und Produktivkräften, verortet *Ursula Beer* das

Geschlechterverhältnis analog zum Kapitalverhältnis in der Struktur der Produktionsverhältnisse und die "Menschen als Geschlechtsindividuen" in der Struktur der Produktivkräfte[6]. Die theoretische Konzeption ist in der empirischen Konkretion folgendermaßen aufgelöst: Im "Funktionszusammenhang" von "Sozialorganisation" (in der kapitalistischen Gesellschaft: Trennung von Wirtschaftsunternehmen, Familie, sozialen Sicherungssystemen) und "Normierung" (durch die formal unverbundenen Rechtsbereiche Familien-, Arbeits-, Sozial- und Steuerrecht) als sichtbarem Ausdruck der "verborgenen Struktur" erfolge im Zuge der Transformation der ständischen Gesellschaft zur kapitalistischen die Zuweisung unentgeltlicher Reproduktionsarbeit an Frauen verbunden mit verminderten Erwerbschancen aufgrund von Schließungsprozessen[7]. Als "Sekundärpatriarchalismus" werden von ihr hierbei die nicht mehr nur an Eigentum gekoppelten Kontroll- und Verfügungsrechte von Männern gekennzeichnet. Zusammenhangstiftendes Prinzip zwischen Kapitalismus und "Sekundärpatriarchalismus" sowie Markt- und Versorgungsökonomie sei - bezogen auf die Kapitalverwertung und -akkumulation und ihr "gegenläufiges Moment", die Existenzsicherung - die geschlechtsspezifische Vergesellschaftung von Lohnarbeitskraft. Da die "fiktive Ware" Arbeitskraft nur als geschlechtliche existiere, gehe im Falle der Ungleichheit die Geschlechterhierarchie in Vergesellschaftungsprozesse mit ein und werde auf diesem Wege Bestandteil der Marktökonomie.[8]

Der inhaltliche Kern der hier in ihrer Begrifflichkeit skizzierten Kontroverse, nämlich die Frage nach geschlechtsneutraler versus geschlechtsspezifischer Vergesellschaftung, ist bereits anderenorts behandelt worden[9]. Für unsere Analyseperspektive sind zwei Argumentationsgänge der Autorinnen aufschlußreich, die letztlich ein Forschungsdefizit in der Frage nach den Ursachen und der Veränderung von Geschlechterungleichheit offenlegen. Eine Annäherung von *Ursula Beers* Argumentation an *Hildegard Heises* Ausgangspunkt ist insofern zu verzeichnen, als sie das Geschlechterverhältnis auch aus dem Kapitalverhältnis beziehungsweise der Marktökonomie heraus für erklärungsbedürftig hält - wenngleich nicht mit der von *Hildegard Heise* pointierten Ausschließlichkeit[10]. Von dieser Gemeinsamkeit her betrachtet sind die angebotenen Erklärungen interessant: Für *Hildegard Heise* entsteht die spezifisch-kapitalistische Geschlechterungleichheit aus der "Nicht-Differenzierung innerhalb einer unbeherrschbaren Existenzsicherung"[11], auf die die vereinzelten Subjekte geschlechtsspezifisch reagieren und damit die Geschlechterungleichheit konstituieren. Da sie die Begründung der "Nicht-Differenzierung" im "System der gesellschaftlichen Arbeit" mit der Gleichheit der Arbeitskräfte in ihrer Warenförmigkeit verknüpft und diese nicht als das, was sie ist, nämlich eine lediglich formale Gleichheit, begreift, muß sie die Gründe für die Differenzierung von Personengruppen im Kapitalismus und die Erhaltung der Wertgesetzlichkeit als gesellschaftliches Strukturierungsprinzip letztlich im Handeln der Personen suchen. Im "System der gesellschaftlichen Arbeit" sei nämlich dieses im Zuge der Existenzsicherung zugleich mit der Reproduktion des Verwertungszusammenhangs verbunden. Auf der anderen Seite reagierten die Subjekte geschlechtsspezifisch unterschiedlich auf die widersprüchliche Produktionsweise und entzögen sich ihr im Falle der Frauen mittels der "familialen Lebenssphäre". Damit sei aber auch ein Verzicht auf Verhandlung der Positionierung im "System der gesellschaftlichen Arbeit" verbunden.[12] *Hildegard Heises* doppelter Begründungszusammenhang markiert letztlich ein Erklärungsdefizit an dem von ihr selbst gewählten Ausgangspunkt, nämlich die Erklärung der sozialen und geschlechtshierarchischen Differenzierung aus dem Verwertungszusammenhang heraus. Ihr zufolge ist dieser den Individuen als versachlichter bereits vorausgesetzt und wird von der Autorin in seiner differenzierenden Nutzung der Arbeitskraft nicht hinterfragt.

In der Feststellung von Forschungsbedarf gilt ähnliches, im Begründungszusammenhang jedoch anderes für die Diskussion von *Ursula Beers* Konzeption in unserem Kontext. Die Verortung des Geschlechterverhältnisses in der Struktur der Produktionsverhältnisse und der Geschlechtsindividuen in der Struktur der Produktivkräfte denkt den Zusammenhang von Struktur und Subjekt wie auch die Dynamik gesellschaftlicher Entwicklung mit. Ferner bildet die Geschlechtlichkeit der "fiktiven Ware" Arbeitskraft die Vermittlung zwischen Markt- und Versorgungsökonomie ab und ist zugleich Scharnier in der Erklärung von Klasse und Geschlecht als strukturbildenden Elementen in beiden "Ökonomien". Diese Zusammenhänge sind auch im Komplement des Strukturbegriffs, dem "Funktionszusammenhang", enthalten. Hier ließe sich die Argumentation im Hinblick auf die von der Autorin durchgeführte Sekundäranalyse und die von ihr formulierten Forschungsperspektiven folgendermaßen zuspitzen: Die für die tägliche und generative Reproduktion notwendige Arbeit wird als unentgeltliche Frauen zugewiesen. Dies stiftet zusammen mit verminderten Erwerbschancen die sozioökonomische Geschlechterungleichheit, die der Herausbildung und Entwicklung kapitalistischer Gesellschaften vorausgesetzt ist und in diesen durch die geschlechtsspezifische Vergesellschaftung von Lohnarbeitskraft reproduziert wird. Letzteres könnte nach zwei Seiten aufgeschlüsselt werden: der Seite der Existenzsicherung durch unentgeltliche Arbeit, die den Individuen geschlechtshierarchisch differenziert anhaftet und bei Verkauf der Arbeitskraft in die "Marktökonomie" eingeht, sowie der Seite der Verwertung im Zugriff auf diese geschlechtsspezifisch differenzierte Arbeitskraft und ihre Nutzung.[13] Kapitalismus und Wertgesetzlichkeit werden von der Autorin daraufhin diskutiert, daß sie den "Sekundärpatriarchalismus" verdecken, somit die Vormachtstellung von Männern in beiden "Ökonomien" hinter der vermeintlichen Geschlechtsneutralität der kapitalistischen Produktionsweise verschwindet[14]. Die Geschlechtsspezifik der Verwertung beziehungsweise ihrer Logik selbst bleibt jedoch außer in dieser Negation und der in der "fiktiven Ware" Arbeitskraft konzipierten Vermittlung zwischen Markt- und Versorgungsökonomie vergleichsweise vage.

Grundsätzlich gehen wir mit *Ursula Beer* davon aus, daß Geschlechterungleichheit für die Herausbildung kapitalistischer Gesellschaften konstitutiv ist und ferner im Zuge der gesellschaftlichen Entwicklung transformiert wird. Im Gegensatz zu der dargestellten Kontroverse zentrieren wir unsere Fragestellung und Argumentation auf industrielle Entwicklung selbst und diskutieren sie aus der Logik der Rationalisierung heraus in ihrer Bedeutung für die Reorganisation des Geschlechterverhältnisses. Der Begriff "Reorganisation" enthält hierbei die Dimension der Reproduktion und Modifizierung von Geschlechterungleichheit und nimmt zugleich die der gesellschaftlichen Dynamik innewohnende Potentialität zur Veränderung der Verhältnisse auf.

Mit dieser Perspektive ist zugleich Kritik an der neueren Industriesoziologie verbunden, die konventionellerweise für das Thema Rationalisierung zuständig ist. Mit dem Begriff "Blaukittelforschung" wird dort gelegentlich angemerkt, daß sich die Forschung bislang auf Prozesse des technischorganisatorischen Wandels im Bereich der (metall)industriellen Produktion konzentriert hat. Aus dieser Selbstkritik wird neuerdings die Konsequenz gezogen, auch einmal andere Branchen oder den Angestelltenbereich zu untersuchen. Im Grunde bleiben aber zwei Selbstbeschränkungen wirksam, die insofern bedenkliche Folgen für die Analyse von Rationalisierungsprozessen haben, als sie sowohl die Forschungsperspektive im eigenen Feld verzerren als auch einer Vermittlung zur allgemeineren gesellschaftswissenschaftlichen Debatte im Wege stehen.

Die eine Selbstbeschränkung besteht darin, daß die Forschung im industriesoziologischen "mainstream" Rationalisierung so behandelt, als habe sie es mit dem geschlechtsneutralen "ideellen Gesamtarbeiter" zu tun. Bei näherem Hinsehen erweist sie sich jedoch als "Männerforschung", in der dann noch, je nach historischem und interpretatorischem Standpunkt, der "ideelle Gesamtarbeiter" auf *den* Massenarbeiter oder *den* all-roundqualifizierten flexiblen Facharbeiter reduziert wird. So verschwindet aus dem Blickfeld, daß Rationalisierungsprozesse immer auch Prozesse sozialer Differenzierung und Hierarchisierung waren und sind. In der Debatte dominiert folglich eine Begrifflichkeit, die mit Interpretationsmustern wie "entweder - oder", "früher - heute" oder "unter besonderer Berücksichtigung von ..." in der Rationalisierung gleichzeitig enthaltene Elemente auseinanderdividiert, anstatt sie zu verknüpfen. Auch Hinweise auf geschlechtsspezifische Hierarchisierungen der Belegschaften werden allenfalls als Aufforderung wahrgenommen, auch einmal Frauen zum Forschungsthema zu machen.

Eine weitere Selbstbeschränkung der Industriesoziologie besteht darin, ihr eigenes Untersuchungsfeld, nämlich "den Betrieb", kaum mehr als Raum *in* der Gesellschaft zu sehen. Während mit der Rezeption der Regulationsschule sowie der politologisch beeinflußten Debatte über Arbeitspolitik immerhin noch die Trennung von "Ökonomie" und "Politik" als diskussionswürdiges Problem gilt, wird die Trennung von Produktion und Reproduktion als konstitutives Element der kapitalistischen Gesellschaft so gut wie gar nicht thematisiert.

So wird die Chance vertan, die gerade in der Analyse von Rationalisierungsprozessen gegeben ist, industriesoziologische Themen auf die allgemeinere gesellschaftswissenschaftliche Debatte zu beziehen. Denn Rationalisierung ist nicht allein ein ökonomisch-technisch-organisatorisches Phänomen. Vielmehr mußte sie kulturell und mental durch eine auf die Menschen und ihre Lebenszusammenhänge und damit auch die Beziehungen zwischen den Geschlechtern gerichtete "soziale Rationalisierung" vorbereitet werden. Wenn dieser Aspekt von Rationalisierung heute vernachlässigt wird, so vielleicht deshalb, weil der Prozeß der sozialen Rationalisierung recht erfolgreich war. Er wird aber mit neuen gesellschaftlichen Bedingungen für und neuen Mustern von Rationalisierung wieder zur Debatte stehen.

Die Betonung der Rationalisierungsperspektive bedeutet, daß uns hier andere Orte der Geschlechterhierarchisierung nur in dieser Weise fokussiert in den Blick geraten. In diesem Sinn ist der Beitrag als Ergänzung der Diskussion und sicherlich begrenzter Versuch eines integrierenden Blicks auf Industriesoziologie, Frauenforschung und Sozialstrukturanalyse zu verstehen, der andere Blickwinkel wie z. B. die Entwicklung eigenständiger Reproduktionstheorien keineswegs ersetzt.[15]

Aus der Rationalisierungsperspektive ist eine zweite in der Sozialstrukturanalyse und Frauenforschung geführte Diskussion relevant, die die von *Hildegard Heise* und *Ursula Beer* vertretenen Konzeptionen der Geschlechterbeziehungen relativiert. Mit dem (in der Begründung problematischen) Konstrukt des vereinzelten Subjekts spitzt *Hildegard Heise* die Geschlechterdifferenz auf dem empirischen Hintergrund sozialer Differenzierung und der Erosion traditioneller Lebensformen letztlich auf die biologische Zweigeschlechtlichkeit und hier vor allem das Gebärvermögen zu[16]. *Ursula Beer* untersucht Geschlechterbeziehungen als weitgehend ehelich-familiale, da deren Erosion begleitet von Tendenzen der Gleichstellung in der rechtlichen Normierung für die von ihr untersuchte historische Phase nicht zur Diskussion steht. Dies ist in der Frauenforschung vor allem unter der Frage nach neuen Lebensformen und hier auch neuen Formen von Elternschaft sowie unter der Frage nach Veränderungen in Einstellung und Verhalten von Männern thematisiert und zumindest in der oben genannten Ausschließlichkeit relativiert worden. In der Sozialstrukturanalyse greift *Ulrich Beck* diese Diskussion im Rahmen seiner Individualisierungsthese auf. Bekanntermaßen versteht der Autor unter Individualisierung einen arbeitsmarktinduzierten Prozeß der "Enttraditionalisierung", "Heterogenisierung" und zugleich "Homogenisierung von Lebenslagen".[17] Seine Kritik- und Analyseperspektive zielt zunächst auf die Reflexion von Klassenungleichheit: Er hält an der Analyse strukturierter sozialer Ungleichheit und der Klassenungleichheit fest, verweist jedoch auf Defizite traditioneller Klassentheorien, die die durch Niveauverschiebungen in den Lebensbedingungen (bei weitgehend konstanten Verteilungsrelationen) hervorgerufenen Differenzierungsprozesse nicht mehr hinreichend erfassen[18]. Nun ist dies so neu nicht. Auch in den sechziger Jahren gab es bereits prominente Versuche, soziale Differenzierungsprozesse theoretisch "neu" zu fassen. Ebenso war die Diskussion der siebziger Jahre keineswegs nur durch ein Wiederaufleben der Klassentheorien gekennzeichnet, sondern auch durch die Theoretisierung neuer sozialer Differenzierungen einschließlich selbstkritischer Reflexionen zur defizitären Berücksichtigung von Frauen in der Sozialstrukturanalyse bis dato.[19]

Gegenüber diesen früheren Theoretisierungen neuer sozialer Ungleichheiten hat *Ulrich Becks* Konzeption in unserem Kontext den Vorzug - und dies ist zugleich sein zweiter Kritik- und Analyseschwerpunkt -, die Beziehungen und die Ungleichheit zwischen den Geschlechtern im Anschluß an Arbeiten der Frauenforschung zum eigenständigen Gegenstand der Reflexion zu machen, wobei die Verbindung von Klasse und Geschlecht allerdings weitgehend unerhellt bleibt. Dies ist unseres Erachtens einer (ahistorischen) Vereinfachung geschuldet, die auch für *Ulrich Becks* Beurteilung aktueller Entwicklungen der Geschlechterungleichheit bedeutsam ist.[20] In der historischen Dimension benennt er die konstitutive Bedeutung von Hausarbeit für die heutige Form von Erwerbsarbeit und für die Herausbildung von Industriegesellschaften. In diesem Zusammenhang spricht er von der "*halbierten* Vermarktung menschlichen Arbeitsvermögens" als Fundament von Industriegesellschaften, die heute an Grenzen stoße. "Vollindustrialisierung, Vollvermarktung *und* Familien in den traditionalen Formen und Zuweisungen schließen sich aus." Mit der Gleichstellung der Geschlechter als einem der "Prinzipien der Moderne" würden die Grundlagen der Industriegesellschaft im Verlaufe ihrer Durchsetzung selbst in Frage gestellt. Die Zuweisung von Hausarbeit nach Geschlecht ("qua Geburt") veranlaßt *Ulrich Beck* zur Analogiebildung, in der er die soziale Lage der Geschlechter/Frauen mit Ständen vergleicht, die die "Gegenmoderne" verkörpern und die "Moderne" ergänzen und bedingen, ihr aber auch widersprechen.[21]

Hier verbirgt sich unseres Erachtens eine analytische Verkürzung. Es ist ein erheblicher Unterschied, ob die Trennung von Erwerbs- und Hausarbeit als vormodernes Fundament von oder ob das Geschlechterverhältnis als konstitutiv für Industriegesellschaften begriffen wird. Ein erheblicher Unterschied ist auch, ob Hausarbeit Frauen zugewiesen wurde/wird oder ob - wie bei *Ulrich Beck* - die Frauen ausschließlich der Hausarbeit zugeschlagen werden. In seiner Verkürzung fällt ein Teil der Bedeutung des Geschlechterverhältnisses für die Herausbildung und Entwicklung kapitalistischer Gesellschaften, nämlich die Frauenerwerbstätigkeit in ihrer kapitalseitig, aber auch verbands- und gewerkschaftspolitisch getragenen Minderbewertung und vor allem -entlohnung, unter den Tisch.[22] Die geschlechterunterschiedliche Vergesellschaftung erwies und erweist sich für Männer - und hier ist *Ulrich Beck* zuzustimmen - als Erwerbstätige und (zumindest idealtypisch) Familienernährer als vergleichsweise widerspruchsfreie

Komplementarität von Arbeit und Leben. Deren Kehrseite - so läßt sich mit *Regina Becker-Schmidt* und *Gudrun-Axeli Knapp* einwenden - war und ist jedoch die "doppelte" und "widersprüchliche Vergesellschaftung" von Frauen und dies nicht erst als neuere Entwicklung.[23] Ferner verdeckt der latente Dualismus bei *Ulrich Beck* (Frauen in der Hausarbeit/Männer in der Erwerbsarbeit), daß mit dem Siegeszug der Rationalisierung polar gedachte geschlechtsspezifische Zuweisungen in eine neue - eben nicht ständische - Geschlechterhierarchie umgeformt wurden.

2 Rationalisierung, soziale Differenzierung und Geschlechterverhältnis

Von den zwanziger Jahren bis heute lassen sich so gut wie alle Lexikondefinitionen von Rationalisierung auf den Grundsatz zusammenfassen, durch planmäßiges, zweckgerichtetes, rechenhaftes, "wissenschaftliches" Vorgehen Vergeudung von Kraft, Material und Zeit zu minimieren und so den Ertrag zu optimieren. Dieser dem Rationalisierungsgedanken enthaltene Komparativ - mit weniger mehr - ist abstrakt und scheint sich nicht um Geschlechtergleichheit oder -ungleichheit zu scheren. Und dennoch ist Rationalisierung aufs engste mit dem Geschlechterverhältnis verbunden.[24]

Ohne den Anspruch auf eine historisch-philosophische Analyse erheben zu wollen, sei hier daran erinnert, daß erst mit der für die kapitalistische Gesellschaft konstitutiven Trennung der Produktion von der Reproduktion, in *Max Webers* Worten: des "Betriebs" vom "Haushalt", ein Bereich, nämlich das kapitalistische Unternehmen, geschaffen wurde, in dem der Rationalisierungsgedanke sich zur dominanten Norm des Handelns der Menschen entwickeln konnte. Im gesellschaftlichen Bewußtsein des 19. Jahrhunderts war diese Norm den Männern zugeordnet, denn das Geschlechterverhältnis wurde nicht nur in den Zuständigkeiten als polares und komplementäres gedacht - den Frauen die Reproduktion, das Häuslich-Private und den Männern die Produktion, das Öffentliche und Politische -, sondern auch in den Orientierungen des Handelns - "emotional" die Frauen und "rational" die Männer.

Diese polaren Zuordnungen von Zuständigkeiten und Orientierungen des Handelns sind nicht gleichbedeutend damit, daß im "Betrieb" nur nach der formalen Rationalität gehandelt würde, in der Reproduktion nur Frauen und in der Produktion nur Männer tätig wären, Frauen nur emotional und Männer nur rational handelten. Indem, unter Ausschließung anderer Ziele, die Kapitalverwertung zum obersten Betriebszweck gemacht wird, konnte sich zwar die formale Rationalität wirtschaftlichen Handelns zur dominanten Norm "im Betrieb" herausbilden. Doch könnte er, der ja auch Sozialverband ist, nicht funktionieren, wenn nicht auch andere Orientierungen des Handelns, beispielsweise das Bedürfnis nach Kommunikation, wirksam wären. Ferner wurden auch Frauen als Ware Arbeitskraft in den Prozeß der

Kapitalverwertung einbezogen und mußten sich deren Rationalität unterwerfen. Und schließlich handeln die Menschen, selbst wenn sie Männer sind, nicht ausschließlich "rational" im Sinne der formalen Rationalität oder, allgemeiner, der instrumentellen Vernunft. Die polaren Zuordnungen sind also nicht als reale Trennung von "Männersphäre" und "Frauensphäre", von männlichem Verhalten und weiblichem Verhalten zu verstehen. Vielmehr bezeichnen sie ein Denkmuster, das Prozesse sozialer Differenzierung, der Reorganisation des Geschlechterverhältnisses und in ihr auch geschlechtsspezifischer Verhaltensmuster prägt.

Das Denken in Polaritäten, im 19. Jahrhundert umgedeutet zum "Naturverhältnis", ging im gesellschaftlichen Bewußtsein des 20. Jahrhunderts zwar nicht verloren, doch wurde es vom Rationalisierungsgedanken überlagert. Denn zwar hatte er sich unter dem Ziel der Kapitalverwertung im Betrieb zur dominanten Norm entwickeln können, doch abstrahiert sein Grundsatz, die Effizienz, von Methoden und Zielen. Mit anderen Worten: Die in ihm verkörperte instrumentelle Vernunft ist, wie *Max Horkheimer* und *Theodor W. Adorno* in der Dialektik der Aufklärung schrieben, gegen Ziele neutral. Die etablierte bürgerliche Ordnung habe "Vernunft vollends funktionalisiert. Sie ist zur zwecklosen Zweckmäßigkeit geworden, die sich eben deshalb in alle Zwecke spannen läßt."[25] Mit dem Siegeszug des Rationalisierungsgedankens in unserem Jahrhundert beanspruchte sie Geltung nicht nur im ökonomischen oder öffentlichen Bereich schlechthin, sondern auch im privaten.

Unter der Devise höchster Effizienz in allen Lebensbereichen und der, daß allein das Berechenbare vernünftig sei und das Unvernünftige berechenbar gemacht werden müsse, hob der Rationalisierungsgedanke die Vorstellung "natürlicher" Differenzen zwischen Männern und Frauen insofern auf, als er nicht unterschiedliches, sondern im Kern gleiches Verhalten von den unterschiedlichen gesellschaftlichen Akteuren und Akteurinnen, und zwar in allen gesellschaftlichen Bereichen, forderte. An die Stelle der Unterwerfung unter eine für die jeweils zugewiesene soziale Rolle spezifische Verhaltensnorm trat der Anspruch, unterschiedliche Interessen auch in ungleichen Beziehungen könnten rational so miteinander kombiniert werden, daß allen Beteiligten gedient sei, *wenn* sie sich alle nach dem Rationalisierungsgedanken richteten. Denn zum einen behauptet dieser, das den jeweiligen Lebensbereichen zugeordnete Ziel, beispielsweise die betriebliche Produktion oder die physische und psychische Reproduktion in der Ehe, könne effektiver verwirklicht werden. Zum anderen versprach er, Herrschaftsverhältnisse für beide Seiten berechenbar zu machen, an die Stelle von "irrationaler" Herrschaft "rationale" Beziehungen zu setzen.

In diesem doppelten Sinne von "sich rechnen" und von "berechenbar machen" hat Rationalisierung als positiv besetztes Konzept gesellschaftliche Diskurse über Fortschritt und Emanzipation in unserem Jahrhundert geprägt. Was *Frederick W. Taylor* den modernen Managern empfahl, nämlich die Arbeitsprozesse wissenschaftlich zu analysieren und durch planmäßiges

Vorgehen die Vergeudung von Kraft, Zeit und Material zielstrebig zu vermeiden, versuchten zahlreiche Reformbewegungen und Ratgeber beispielsweise auch den Frauen im Haushalt, den Eheleuten in der "Vergattung", den Eltern bei der Familienplanung beizubringen.

Wenngleich der Slogan "wie rationalisiere ich mich selbst" Gleichheit in rationalen Beziehungen suggerierte, wurden soziale Kategorien wie Klasse und Geschlecht durch die industrielle wie soziale Rationalisierung nicht obsolet[26]. Nicht nur fand und findet Rationalisierung in einer Herrschaftsgesellschaft statt, sondern im Rationalisierungsgedanken selber ist Ungleichheit auf doppelte Weise angelegt, nämlich indem Wissen und indem Zwecke hierarchisiert werden und so soziale Differenzierung reproduziert und verändert wird.

Denn so wie *Frederick W. Taylor* den Arbeitenden im Betrieb die Fähigkeit absprach, die Arbeit rationell zu planen, so wurde auch in anderen Bereichen menschlichen Handelns Expertenwissen über Erfahrungswissen gestellt. Ohne wissenschaftliche Anleitung seien, so beispielsweise der berühmte Sexualreformer *Theodor Van de Velde*, die Menschen nicht in der Lage, richtig zu essen, zu stehen, zu gehen, zu sprechen, zu atmen und eben die "Liebestechnik" richtig auszuführen[27]. Expertenwissen gilt dem Erfahrungswissen insbesondere deshalb als überlegen, weil dieses nicht in erster Linie daran orientiert ist, die Zwecke des Handelns zu separieren. Genau das aber ist eine Grundvoraussetzung von Rationalisierung, denn nur wenn der Zweck des Handelns eindeutig bestimmt ist, lassen sich Vergeudung und Störung als solche definieren, berechenbar machen oder ausschließen.

Das Prinzip von Rationalisierung ist es, Handeln, das zu einem vorgegebenen Ziel führen soll, zu analysieren, in einzelne Teile mit jeweils nur einem Zweck zu zerlegen, Überflüssiges in der Verfolgung dieses Zweckes zu eliminieren und dann die einzelnen, verbleibenden und effektivierten Teile wieder rationalisierend zusammenzufügen. Im historischen Rückblick erweist sich Rationalisierung dabei aus vielerlei Gründen als ein ständiger Prozeß der Erfahrung und Veränderung.

Allein schon der Grundsatz, Vergeudung zu vermeiden, ist ohne Ende; in jedem Aufwand kann immer wieder Vergeudung entdeckt werden. Ferner kann das, was zunächst als unberechenbar und störend wegrationalisiert wurde, sich dann doch als notwendig für effizientes Handeln erweisen und wird folglich in rationalisierter Form wieder hinzugefügt. Die Entwicklung der tayloristischen Rationalisierung ist ein Beispiel dafür. Wurde den Arbeitenden die Identifikation mit der Arbeit, das Denken, die Kommunikation mit den KollegInnen zunächst als Zeitverschwendung und die Effizienz störend abgenommen, so mußten sie Zug um Zug durch Methoden der Betriebspsychologie, der Humanisierung der Arbeit, der "Unternehmenskultur" wieder rationalisierend in den Betrieb hineingeholt werden.

Wenngleich des weiteren der Blick der Rationalisierung insofern beschränkt ist, als für das in ihr vorausgesetzte Einzweckdenken nur die Vergeudung und Störungen in dem zu rationalisierenden Bereich zählen, sind die Wirkungen von Rationalisierung nie auf nur einen Bereich beschränkt. Was als Zeitverschwendung in dem einen Betrieb wegrationalisiert wird, taucht als Aufwand in anderen Bereichen wieder auf. Und mehr noch: Weil die Ursachen für Vergeudung und Störungen nicht nur in dem einen Bereich, sondern auch außer ihm gegeben sein können, muß Rationalisierung über die Grenzen zwischen einzelnen Bereichen hinausgehen. So zählt zwar die unentgeltliche Arbeit von Frauen in der Reproduktion aus der Sicht der betrieblichen Rationalisierung nicht als "Aufwand", obwohl sie für die Produktion notwendig ist. Doch als Lieferant von Arbeitskraft und als Ort, an dem in der Arbeitskraft liegende Störungen entstehen können, gerät der Haushalt durchaus in das Blickfeld betrieblicher Rationalisierung, werden Frauen angehalten, die Reproduktionsarbeit zu rationalisieren, damit beispielsweise ihre Männer und auch sie, soweit sie erwerbstätig sind, gesund, pünktlich, ausgeruht et cetera zur Arbeit kommen.

Aufgrund der Erfahrungen, die im Verlauf der Epoche der Rationalisierung gesammelt wurden, kann das Zerlegen von Prozessen in einzelne Teile und Zwecke und ihr erneutes - synthetisches - Zusammensetzen in der heutigen Rationalisierung ein Stück weit analytisch vorausgedacht werden. Vorausgesetzt ist aber früher wie heute jedesmal die Entscheidung darüber, welches Ziel dominant sein soll und welcher Zweck vorrangig, welche Zwecke nachrangig und welche Zwecke gar nicht verfolgt werden sollen. (Letztere werden in der Regel nicht als "Zwecke", sondern als Störung oder Unberechenbares oder Irrationales begriffen.) Die Entscheidungen, die getroffen werden müssen, sind nicht, wie der Rationalisierungsgedanke suggeriert, rein sachliche. Vielmehr beruhen sie auf gesellschaftlichen Normen, Werten und Arrangements und greifen in diese verändernd ein.[28] Mit anderen Worten: der Prozeß der Rationalisierung ist ein ständiger Prozeß der Differenzierung und Hierarchisierung von Zielen, Zwecken, Bereichen des Handelns und damit von gesellschaftlichen Gruppen und Individuen. Und der Rationalisierungsgedanke beinhaltet notwendig die, wie es heute heißt, systemische Perspektive.

Bezogen auf die industrielle Rationalisierung hätte *Henry Ford* sich nicht wenig gewundert, hätte er die folgende, aus dem Jahr 1986 stammende Beschreibung seines, des "alten" Rationalisierungsmusters nachlesen können.

"Rationalisierung richtete sich bislang vorrangig auf Bearbeitungsvorgänge selbst; Rationalisierungseffekte wurden primär bei den durch die Bearbeitung verursachten Kosten und damit vor allem auch bei den Personalkosten angestrebt ... Auch dort, wo Rationalisierung auf die Steigerung der technischen Verfügbarkeit bzw. des Nutzungsgrades der Bearbeitungsanlagen gerichtet war, wurden Störungen und Einschränkungen, die sich aus den anderen Prozessen (z. B. Lagerung, Transport, Auftragsorganisation) ergaben, nur begrenzt zum Gegenstand von Rationalisierung."[29]

Rationalisierung hieß für *Henry Ford* nicht nur, daß er das Fließband einführte, sondern auch, daß von der Gewinnung des Rohstoffs über die Fertigung bis hin zum Vertrieb alles in einem Fluß zeitökonomisch verbunden wurde. Bezogen auf die Arbeitskräfte richtete er die "soziologische Abteilung" ein, die "Fabrikinspektoren" in die Häuser seiner Beschäftigten schickte, um zu prüfen, ob sie sich einer nach seinen Vorstellungen rationalisierungsgerechten Lebensweise befleißigten, nämlich monogam in der Kleinfamilie, nüchtern, sparsam, sauber, gesund.[30]

Nicht minder erstaunt über das oben angeführte Zitat wäre *Carl Friedrich von Siemens* gewesen. Sein Unternehmen war Trendsetter in der durchaus "systemisch" denkenden deutschen Rationalisierungsbewegung, und er selber hatte Anfang der zwanziger Jahre das Reichskuratorium für Wirtschaftlichkeit (RKW) mitbegründet, damit "die kleineren Konkurrenten von den Großen lernten, wie man es machen müsse", und, wie sein Nachfolger im Vorsitz des RKW, *Carl Köttgen*, es formulierte, damit "der Geist der Wirtschaftlichkeit in die Allgemeinheit getragen wird".[31] Im "Hause Siemens" war man sich also bereits damals dessen bewußt, daß Rationalisierung in einem Bereich ohne den rationalisierenden Zugriff auf andere Bereiche nicht erfolgreich sein kann. Das zeigte sich auch in seiner betrieblichen Sozialpolitik, die in den zwanziger Jahren systematisiert und weiterentwickelt wurde und zudem auf eine Restrukturierung der Familien der Beschäftigten ausgerichtet war.[32]

Ford und Siemens sind hier illustrierend als Repräsentanten für den "ganzheitlichen" Blick auf die technisch-organisatorischen, ökonomisch-politischen und sozialen Aspekte von Rationalisierung angeführt, durch den die industrielle Entwicklung bereits in den ersten Jahrzehnten unseres Jahrhunderts in den USA wie in Deutschland geprägt war[33]. Beide hätten sicherlich auch angemerkt, daß der Einsatz der Arbeitskraft in ihrem Rationalisierungsmuster nicht ganz so einfach gestrickt war, wie es die heutige Industriesoziologie beispielsweise in der folgenden Beschreibung darstellt:

"Bisher beruhten alle Formen kapitalistischer Rationalisierung auf einem Grundkonzept, das lebendige Arbeit als Schranke der Produktion faßte, die es durch möglichst weitgehende technische Autonomisierung des Produktionsprozesses zu überwinden galt. In dem Residuum lebendiger Arbeit sah es vor allem den potentiellen Störfaktor, der durch restriktive Arbeitsgestaltung möglichst weitgehend zu kanalisieren und zu kontrollieren war."[34]

In der Tat zielte die Taylorisierung von Arbeitsprozessen in der fordistischen Massenproduktion auf eine Dequalifikation der und strikte Kontrolle über die Arbeitenden sowie letztendlich auf den Ersatz von Arbeitskräften durch Automatisierung. Doch mußten komplementär dazu auch das Flexibilitätspotential qualifizierter Arbeitskräfte und die Bereitschaft zur freiwilligen Leistungshergabe genutzt und gefördert werden. So sind die Anlernwerkstätten und die Lehrlingsschulen der Fordwerke, von denen Siemens-Ingenieure bei einem Besuch im April 1938 ausgesprochen beeindruckt waren, keineswegs Relikte aus alten vorfordistischen Zeiten gewesen. Vielmehr waren sie, wie einer dieser Ingenieure schrieb, einer "der Grundpfeiler dieses harmonischen Arbeitsriesen".[35]

In den Fordwerken und noch mehr bei dem Unternehmen Siemens, das aufgrund spezifischer Marktbedingungen in besonderem Maße um die Flexibilität auch in der Massenproduktion bemüht sein mußte, beruhte diese "Harmonie" auf einer sehr unterschiedlichen Behandlung von Arbeitskräften. In einem Bericht von 1933 über die Auslese und das Anlernen von Arbeitskräften in einem der Siemens-Betriebe hieß es, man sei bei der Tauglichkeitsprüfung von Lehrlingen bemüht, die "Gesamtpersönlichkeit" besser zu erfassen. Als Erfolg wurde vermerkt: "Die planmäßige Ausbildung in der Werkstatt, verbunden mit sorgfältigem Unterricht in der Werkschule, die Pflege mannigfaltiger Leibesübung und die Jugendpflege erziehen die Lehrlinge zu brauchbaren Qualitätsarbeitern, zu gesunden und kräftigen Menschen, zu pflichtbewußten Staatsbürgern und zu aufrechten, lebensfrohen Menschen. Mit ihrer tiefen geistigen Schulung und ihren hochentwickelten Charaktereigenschaften bilden sie für das Werk einen wertvollen Nachwuchs von Facharbeitern, Kontrolleuren, Meistern und Betriebsbeamten." In der Tauglichkeitsprüfung von Glasbläserinnen (Arbeiterinnen ohne Lehre) interessierten nicht die "Gesamtpersönlichkeit", sondern lediglich die "persönlichen Eigenschaften bezüglich der Arbeit". Als Auswirkung der verbesserten Auslese- und Anlernverfahren vermerkte man hier nur unmittelbare ökonomische Erfolge.[36] Wie mit diesem Bericht illustriert und wie an anderen Stellen am Beispiel der Entwicklung betrieblicher Entlohnungssysteme und der "Menschenführung" dargestellt[37], richtete und richtet sich Rationalisierung in der Tat auf "den Gesamtarbeiter". Nur wird damit nicht ein eindimensionaler "ideeller Gesamtarbeiter" hergestellt. Vielmehr werden die Belegschaften als in den Rationalisierungsprozeß einzubeziehende Gesamtheit nach Qualifikation, Geschlecht, Alter und - wie insbesondere unter dem Nationalsozialismus - nach "Rasse"[38] differenziert und hierarchisiert.

Auf "den Gesamtarbeiter" in einem weiteren, nämlich die Reproduktion teilweise mit einbeziehenden Sinne gerichtet und gleichfalls differenzierend und hierarchisierend wirkte auch die mit der industriellen Rationalisierung verbundene soziale Rationalisierung. Bei Siemens beispielsweise kamen vor allem die "betriebswichtigen" männlichen Beschäftigten und ihre Familien in den Genuß der Sozialleistungen, durch die die "ideale Siemens-Familie" hergestellt werden sollte - nämlich eine Familie bestehend aus dem erwerbstätigen Ehemann, der nicht erwerbstätigen Hausfrau und zwei Kindern. Die zahlreichen bei Siemens beschäftigten Arbeiterinnen durften und sollten diesem Ideal nacheifern, ohne selber größere Unterstützung betrieblicherseits zu erhalten. Sie bekamen die wenigen werkseigenen Wohnungen, die nach damals modernsten Grundsätzen einer rationalen Haushaltsführung und funktionalen innerfamilialen Arbeitsteilung gebaut waren, allenfalls dann von innen zu sehen, wenn sie im Zuge ihrer Berufsbiographie als Zugehfrau bei den Familien der betriebswichtigen Beschäftigten putzten.[39]

Reorganisation des Geschlechterverhältnisses 79

Wenn hier teils durch Aufschlüsselung des der Rationalisierung zugrundeliegenden Denkmusters, teils durch illustrierende Beispiele Rationalisierung als ein inneres Scharnier zwischen den Prozessen der industriellen Entwicklung, der sozialen Differenzierung und der Reorganisation des Geschlechterverhältnisses dargestellt wurde, so ist hervorzuheben, daß in dieser Kürze nur grobe Konturen eines Forschungsfeldes gezeichnet werden können, das die Wirkung der Rationalisierung auf das Geschlechterverhältnis zum Gegenstand hat[40]. Dabei sei festgehalten, daß diese Wirkung durchaus widersprüchlich ist. Die im Rationalisierungsgedanken verkörperte instrumentelle Vernunft ist gleichsam leidenschaftslos. Ihr "Ziel" - die Berechenbarkeit, die Machbarkeit, die Effizienz - abstrahiert grundsätzlich von konkreten Zielen und konkreten Methoden. Darin liegt eine notwendige Voraussetzung dafür, daß der Rationalisierungsgedanke zu einer dominanten Norm für "richtiges" Handeln auch jenseits des Bereichs der Ökonomie und für Menschen gleich welchen Geschlechts werden konnte. Andererseits aber wird Rationalisierung von Menschen gemacht, und zwar von Menschen mit ungleicher Definitionsmacht über den jeweiligen Zweck rationellen Handelns. Hinzu kommt, daß in dem Einzweckdenken der Rationalisierung nur die Kosten und Störungen "zählen", die in der Verwirklichung des jeweils vorausgesetzten Ziels anfallen. So sind, wie zuvor beispielhaft illustriert, im Prozeß der industriellen Rationalisierung bestehende gesellschaftliche Arrangements zwischen den Geschlechtern und Zuschreibungen geschlechtsspezifischer Zuständigkeiten als "kostengünstig" reproduziert und reorganisiert worden. Es war (und ist) ein Prozeß ständiger Veränderung, denn Rationalisierung ist an dem abstrakten Komparativ, mit weniger mehr, orientiert und nicht an spezifische Formen gebunden. Frauen waren in diesem Prozeß im doppelten Nachteil. Zum einen, weil Rationalisierung, indem sie Zwecke und damit Menschen hierarchisiert, bestehende Ungleichheiten nutzt. Zum anderen, weil der Rationalisierungsgedanke zwar abstrakt, aber nicht geschlechtsunspezifisch ist. Seine "Rationalität" ist den Männern zugeschrieben, und diese werden auf sie hin trainiert. Frauen ist das schwierige Geschäft zugewiesen, sich auch dieser Rationalität zu unterwerfen, aber gleichzeitig komplementäre, "emotionale" Verhaltensmuster zu pflegen, ohne die sie selber, die Männer, die Rationalisierung und die Gesellschaft nicht überleben könnten.

Abschließend sei betont, daß in dem zuvor präsentierten Blick zurück insbesondere zwei Aspekte des historisch-gesellschaftlichen Prozesses ausgespart bleiben, die für die Formulierung von Fragen hinsichtlich aktueller und zukünftiger Entwicklungen von großer Bedeutung sind.

Erstens haben sich in der Epoche der Rationalisierung, die ja auch ein Lernprozeß war, die Methoden der Rationalisierung mit erheblichen Folgen für die Formen sozialer Differenzierung und der Reorganisation des Geschlechterverhältnisses weiterentwickelt. Zu erwähnen ist hier beispielsweise, daß vieles von dem, was ursprünglich als betriebliche Sozialleistung eingeführt wurde, verändernd in die Systeme der staatlichen Sozialversicherung übernommen wurde. Seit der Psychologie eines *Hugo Münsterberg*, die sich auf die Auslese und das - technische - Anlernen von Arbeitskräften konzentrierte, wurde ferner über die Human-Relations-Bewegung bis hin zu Konzepten der "Unternehmenskultur" die Bedeutung sozial-psychologischer Faktoren erkannt und rationalisierend aufgegriffen. Auch haben sich die Möglichkeiten, das Handeln berechenbar zu machen, erheblich verbessert. Insbesondere aber haben heutige Rationalisierungsexperten aus der vergangenen Erfahrung insofern gelernt, als sie von der alten Vorstellung, man müsse alles, aber auch alles "in den Griff kriegen", abrücken und nunmehr zum einen starre Verkettungen auflösen und zum anderen Unberechenbares als solches und seine Produktivität nutzend in ihre Rationalisierungskonzepte einzuschließen versuchen.

Zweitens suggeriert eine Darstellung vergangener Entwicklung aus der Rationalisierungsperspektive eine Zwangsläufigkeit des Ergebnisses, so als hätte es nicht anders kommen können. Nun hat, wie versucht wurde zu zeigen, Rationalisierung in ihrem Komparativ, mit weniger mehr, und in ihrer "zwecklosen Zweckmäßigkeit" eine gewisse Grenzenlosigkeit und Zwangsläufigkeit. Auch wurde soziale Rationalisierung im Selbstlauf von gesellschaftlichen Institutionen und Bewegungen und Individuen getragen, ohne daß jedesmal ein strategisch handelnder Manager dahinterstehen mußte. Aber die der Rationalisierung innewohnende Dynamik ist nicht identisch mit der gesellschaftlichen Entwicklung. Die Epoche der Rationalisierung ist eine von Krisen und Kriegen geschüttelte, in der Rationalisierung als gesellschaftlicher Prozeß von Herrschaft und Widerstand, utopischen Hoffnungen und gewaltsamer Ausschließung anderer Entwicklungsmöglichkeiten geprägt war. Dies gilt es zu berücksichtigen, wenn die Frage nach dem Ende des Fordismus gestellt wird. Denn die Antwort läßt sich nicht allein aus ökonomisch-technisch-organisatorischen Veränderungen "herleiten", noch muß sie, falls sie bejahend ausfällt, gleichbedeutend damit sein, daß auch von einem Ende der Epoche der Rationalisierung gesprochen werden kann.

3   Ende des Fordismus - Neue Geschlechterarrangements?

Ein quer durch alle Debatten verlaufender Konsens besteht darin, daß heute ein weitreichender Umbruch industrieller Entwicklung zu verzeichnen sei. Die Bandbreite der Prognosen schwankt von *Horst Kerns* und *Michael Schumanns* vielkritisierter Studie zum "Ende der Arbeitsteilung" über *Peter Brödners* relativierende Diagnose. *Peter Brödner* weist darauf hin, daß tayloristische Rationalisierungsmuster ebenso wie die neuen Rationalisierungsmuster Leitbilder für Managementstrategien darstellen und in der konkreten Rationalisierung kombiniert werden. Vorsichtiger und zugleich thematisch umfassender sind die historisch-rekonstruktiven Analysen von *Burkart Lutz* und *Günter Bechtle*, die das Ende der Wachstumskonstellation nach dem Zweiten Weltkrieg, in der die Grundlagen des Fordismus mit seiner Durchsetzung selbst zerstört worden seien, als Ausgangspunkt des derzeitigen Umbruchs benennen. Die Reichweite dieses Umbruchs sei heute noch nicht abschätzbar und mithin sei auch die Zukunft der Arbeit in einer "post-tayloristischen" Phase noch unbestimmt. Den anderen Pol des Spektrums bildet beispielsweise die von *Ulrich Beck* diagnostizierte Ablösung der alten Industriegesellschaft durch die "Risikogesellschaft" als eine traditionelle, soziale Ungleichheiten überlagernde, erodierende und verändernd reproduzierende "reflexive Modernisierung", in der sich die Irrationalität industrieller und wissenschaftlicher Rationalität in der Zerstörung der Lebensgrundlagen zeige und die Grenzen industrieller Problemverarbeitungsmuster sprenge.[41]

Für eine Beurteilung der als Ende des Fordismus bezeichneten industriellen und gesellschaftlichen Entwicklung ist zunächst zu konstatieren, daß sich zwar das Aufbrechen bisheriger Arrangements feststellen läßt, daß daraus aber neue Arrangements noch nicht eindeutig bestimmt werden können. Wie im folgenden anhand einiger ausgewählter empirischer Befunde oder empirisch fundierter Trendaussagen ausgeführt werden soll, muß in der Interpretation gegenwärtiger Entwicklungen davon ausgegangen werden, daß beides möglich ist: die Fortsetzung alter Arrangements in neuem Gewand wie die Erosion und Zerstörung der Grundlagen der alten Arrangements. Es sind nicht wissenschaftliche Ableitungen, sondern gesellschaftliche Entscheidungsprozesse, die über die weitere Entwicklung befinden werden.

Angelika Diezingers kritische Weiterentwicklung der *Beckschen* Individualisierungsthese zeigt, daß die arbeitsmarktinduzierten Individualisierungsprozesse und die Vielfalt von Lebensformen und Handlungschancen, die auch für Frauen entstanden sind, durch eine kollektiv gesetzte Chancenungleichheit auf dem Arbeitsmarkt konterkariert werden, die sich über das Kriterium der Verfügbarkeit nach wie vor an der ungleichen Verteilung der Reproduktionsarbeit festmacht[42]. Befunde zur Entwicklung der Hausarbeit bestätigen dies. *Elisabeth Beck-Gernsheim* weist darauf hin, daß die Entwicklung der Hausarbeit im 20. Jahrhundert von zwei widersprüchlichen Tendenzen gekennzeichnet ist, nämlich der Rationalisierung und mithin Effektivierung von Hausarbeit einerseits und der Arbeitserweiterung durch das gesellschaftlich gestiegene Anspruchsniveau in der Reproduktion von Menschen beziehungsweise Arbeitskraft in einer hocharbeitsteilig differenzierten Gesellschaft andererseits. Während in der Grundversorgung Aufwand eingespart wurde, sei zusätzlicher Aufwand für die verwissenschaftlichten Erziehungs- und Betreuungsleistungen erforderlich, die nahezu ausschließlich von Frauen erbracht werden.[43]

Ähnlich ergibt auch die Untersuchung von *Gisela Dörr* (im Gemeinschaftsprojekt von *Wolfgang Glatzer* u. a.), daß die Arbeitszeit im Haushalt sich trotz der technisch-organisatorischen Rationalisierung dort bis heute nicht reduziert hat, da erweiterte und erhöhte Ansprüche und Anforderungen die Rationalisierungseffekte kompensiert haben. Darüber hinaus stelle die geschlechtsspezifische Arbeitsteilung, die Zuständigkeit von Männern und

Frauen für je unterschiedliche Aufgaben, eine zweite unveränderliche Größe dar. Selbst in Single-Haushalten bestehe sie in einer spezifischen Form fort, da die hier nicht vorhandene Geschlechterkomplementarität durch "Netzwerkhilfe" (und damit wiederum Frauen?) und bei weiblichen Singles zusätzlich durch marktvermittelte Dienstleistungen ausgeglichen werde. Ferner habe sich die geschlechtshierarchische Arbeitsteilung durch Haushaltstechnisierung verstärkt. Denn Hausarbeit wurde und wird komplementär zur industriellen Arbeit so rationalisiert, daß arbeitsteiliges Vorgehen zugunsten der Verrichtung der Arbeit *durch eine Person* ersetzt werden konnte und heute scheinbar technisch bedingt kaum noch möglich ist. Und schließlich seien die hauptsächlich von Frauen erbrachten psychosozialen Dienstleistungen in nur geringem Umfang technisiert und fielen bislang von Männern verrichtete Arbeiten bei Technisierungsprozessen in die Alleinzuständigkeit von Frauen, da Männer ihre "Mithilfe" dann reduzieren oder ganz einstellen. Beschreibt dies relativ grob Tendenzen in der Entwicklung der Arbeitsteilung, so ist abhängig von der Erwerbssituation der Haushaltsmitglieder von weiteren Differenzierungen im einzelnen auszugehen.[44]

Diese Thematisierung von Hausarbeit bewegt sich wesentlich in den Mikroprozessen und -strukturen der Arbeitsteilung und weitgehend im Feld der mit dem Begriff Hausarbeit je nach geschlechtsspezifischem Standpunkt verbundenen Assoziationen von Versorgung, Versorgtsein, Privatheit, Isolation, Intimität sowie hier nicht thematisiert Gewaltförmigkeit von Beziehungen. Zugleich wird deutlich, daß Rationalisierung hier als ein Scharnier in den von *Regina Becker-Schmidt* im Anschluß an *Theodor W. Adorno* benannten Prozessen Vereinheitlichung, Zusammenschluß und Trennung begriffen werden kann[45]. Prozesse der Rationalisierung differenzieren und hierarchisieren die Geschlechter, da Hausarbeit in ihrer Doppelfunktion als Beitrag zur Existenzsicherung und zur Reproduktion der Arbeitskraft den jeweils historisch spezifischen Anforderungen der Kapitalverwertung wie auch darüber hinausgehenden männlichen Herrschaftsansprüchen genügen soll. Diese Anpassung geschieht weder in der historisch-gesellschaftlichen noch in der subjektiven Entwicklung mit der Bruchlosigkeit, die der Rationalisierungsgedanke suggeriert.

Komplementär zur Enge des Haushalts und der Isolation der darin tätigen Person ist seine Einbindung in komplexe gesellschaftliche Institutionen zu sehen[46]. Dies bezieht sich nicht nur auf Einrichtungen wie Kindergärten, Schulen oder Freizeitstätten, die in die Haushalte hineinwirken und bereits die andere Seite der "idealen Siemens-Familie" darstellten. Vielmehr sind Haushalte Bestandteile und Zielgrößen einer differenzierten gesellschaftlichen und hierin auch wissenschaftlich-technologischen Infrastruktur. Rationalisierungsexperten arbeiten beispielsweise an der Entwicklung des "intelligent home", eines nach innen und außen vernetzten Hauses, wobei sie interessanterweise davon ausgehen, daß die Arbeitsteilung zwischen den Geschlechtern auch in Zukunft weitgehend unverändert bleiben wird[47].

Zwar - so läßt sich resümieren - sind die Geschlechterbeziehungen mit dem Wandel der Lebensformen in Bewegung gekommen, die gesellschaftliche Grundstruktur geschlechtshierarchischer Arbeitsteilung scheint bislang jedoch kaum angetastet zu sein.

Hinsichtlich der Mechanismen, durch die das Geschlechterverhältnis in aktuellen Rationalisierungsprozessen in der Erwerbsarbeit aufgegriffen und reorganisiert wird[48], sind die Befunde des industriesoziologischen "mainstream" und der (industriesoziologischen) Frauen(arbeits)forschung komplementär zu diskutieren. In der Frauenforschung liegt der Schwerpunkt in der Untersuchung von Frauenbeschäftigung, wobei Geschlecht theoretisch-systematisch berücksichtigt wird. Im industriesoziologischen "mainstream" wird Geschlecht nicht als Kategorie der Rationalisierungsforschung begriffen, sondern nur bei der Untersuchung von Frauenbeschäftigung berücksichtigt. Hieraus resultiert ein Forschungsstand, in dem die geschlechtsspezifische Besonderheit von Frauen vergleichsweise umfassend erforscht ist, während Männer, deren Beschäftigungsbedingungen und -perspektiven das zentrale industriesoziologische Interesse nach wie vor gilt, mehr oder minder "unbekannte Wesen" sind, deren Besonderheiten sich hinter nur vermeintlich geschlechtsneutralen und somit wissenschaftlich unzulässigen Generalisierungen verbergen. Erst mit der Gegenüberstellung von Befunden aus beiden Forschungssträngen sind Aussagen zu geschlechtsspezifischen Differenzierungen in der aktuellen industriellen Entwicklung möglich.

Mit dem Hinweis, es werde "Rationalisierungsgewinner", "Rationalisierungsdulder" und den "Stachel im Fleisch der Rationalisierungsgewinner", nämlich das "wachsende Heer der Arbeitslosen", geben, deuten beispielsweise *Horst Kern* und *Michael Schumann* an, daß die von ihnen diagnostizierten "neuen Produktionskonzepte" auf die Beschäftigten höchst unterschiedlich wirken. Der später, 1990, erstellte Trendreport über die Diffusion neuer Produktionskonzepte läßt ebenso wie das Verbundprojekt von *Ludger Pries*, *Rudi Schmidt* und *Rainer Trinczek* vermuten, daß diese Wirkungen nicht im Sinne eines zeitlichen Ablaufs zu verstehen sind, an dessen Ende nur noch Arbeitsplätze für die qualifizierten, einsatzbereiten, flexiblen und pfleglich behandelten Rationalisierungsgewinner stehen.[49] Vielmehr bilden sich neu differenzierte und hierarchisierte Belegschaften heraus. Mit der technisch-organisatorischen Flexibilisierung sowohl der Fertigung als auch der Produktpolitik verzeichnen *Ludger Pries*, *Rudi Schmidt* und *Rainer Trinczek* die branchenübergreifende Tendenz zu einem "'Umbau des Gesamtarbeitskörpers'" auf einem betriebsdurchschnittlich höheren Qualifikationsniveau. Die Autoren zeichnen ein komplexes Bild neuer sozialer Differenzierungen, das den Abbau von un- und angelernten Tätigkeiten, Verschiebungen im Segment der Facharbeit und eine "Akademisierung" industrieller Arbeit durch Rekrutierung von Ingenieuren, Technikern, EDV-Spezialisten oder Chemikern von Fachhochschulen und Hochschulen für die neuen indirekt produktiven Arbeitsbereiche und

Dienstleistungsfunktionen umfaßt. Hierbei zeigt sich auch eine Erosion des "Normalarbeitsverhältnisses" im Zuge eines generellen Trends zur Flexibilisierung der Arbeits- und Betriebszeiten und, im Falle der Facharbeiter, des Trends zu unterqualifiziertem Einsatz verbunden mit entsprechend niedriger Gratifikation. Da das "Normalarbeitsverhältnis" als Gegenstück zur "Normalfamilie" bislang eine weitgehend ungebrochene Realität männlicher Beschäftigung (und lediglich Teilrealität weiblicher Beschäftigung) und politisch zentrales Essential zwischen Kapital und Arbeit und Männern und Frauen war, sind die hier festgestellten Veränderungen, was ihre gesellschaftspolitischen Konsequenzen anbelangt, außerordentlich brisant. Unter dem Gesichtspunkt der sozialen Rationalisierung und der Frage nach Beschäftigungsperspektiven von Frauen ist schließlich auch die von den Autoren ausführlich behandelte Ergänzung technologisch gestützter Kontrollpolitiken durch psychologische Methoden der Motivation und Sozialintegration weiterzuverfolgen.[50]

Während in diesen Befunden zur industriellen Entwicklung der Blick vor allem auf die unternehmensinternen Restrukturierungen gerichtet ist, geht es in der Diskussion über "systemische Rationalisierung", die von *Martin Baethge* und *Herbert Oberbeck* in der Untersuchung von Angestelltentätigkeiten und *Norbert Altmann*, *Manfred Deiß*, *Volker Döhl* und *Dieter Sauer* bezogen auf Produktionsarbeit eingeleitet wurde, um die Reorganisation von Abläufen in der gesamt- und zwischen- oder überbetrieblichen, technologiegestützten Verknüpfung und Integration von Teilprozessen und umgekehrt die Entstehung neuer zwischenbetrieblicher Arbeitsteilungen[51]. Nun ist weder die systemische Perspektive noch, das sei hinzugefügt, "arbeitsteiliges" Vorgehen zwischen Unternehmen etwas grundsätzlich Neues gegenüber dem tayloristisch-fordistischen Rationalisierungsmuster, dessen eines Merkmal ja auch die Internationalisierung der Produktion war[52]. In einer Weiterentwicklung der Kontroverse sieht denn auch *Volker Wittke* systemische Rationalisierung nicht als neuen Rationalisierungstyp, sondern als "Medium" der Transformation und Lösung der internen und externen Krisen des traditionellen "Produktionsmodells". Dem Autor zufolge lassen sich hier drei parallel auftretende Tendenzen in der aktuellen und zukünftigen Entwicklung benennen: die "Mediatisierung von Produktionsarbeit", die Aufrechterhaltung tayloristisch-fordistischer Rationalisierung durch Radikalisierung des "Baukastensystems" als Variante der Vereinbarung flexibler Produktpolitiken mit traditionellen Produktionsmethoden und schließlich die technologisch gestützte Entwicklung marktförmig organisierter Beziehungen zwischen Unternehmen als neue Stufe der Vergesellschaftung, in der bislang intern erbrachte Dienstleistungen extern organisiert werden.[53] Diese neue Phase kapitalistischer Vergesellschaftung wird durch die Untersuchungen von *Lothar Hack* und *Irmgard Hack*, die sich mit der Wechselwirkung zwischen der "Verwissenschaftlichung der Industrie" und der "Industrialisierung der Wissenschaft" in Form der Industrieforschung befassen, in der in der aktuellen Debatte weitreichendsten Weise präzisiert.

In Produktion und Verwaltung, in der "Arbeitsteilung" zwischen Unternehmen und weiteren Institutionen und darüber hinausgehend im gesamtgesellschaftlichen Bereich stellt *Lothar Hack* hieran anschließend einen Bedeutungszuwachs neuer Dienstleistungen vor allem in Forschung und Entwicklung, aber auch in "traditionellen" Bereichen wie z. B. dem Vertrieb und im Umfeld technisch-organisatorischer Flexibilisierung fest, dessen Dimension als Restrukturierung der Industriegesellschaft zu begreifen ist. Sie beinhaltet komplexe, international organisierte Kooperationen und Institutionen als Resultat industrialisierter Wissenschafts- und Technologieentwicklung, in der wiederum Gesellschaft selbst reproduziert wird.[54]

Befunde zu Perspektiven von Frauenerwerbsarbeit, die gleichsam als Trendbeschreibung auf der Folie der oben skizzierten Ergebnisse diskutiert werden sollen, beziehen sich vor allem auf vier Bereiche: wissenschaftliche Dienstleistungen, Führungspositionen, Arbeit im "traditionellen" tertiären Sektor und industrielle Frauenarbeit.

Der Bedeutungszuwachs neuer wissenschaftlicher oder verwissenschaftlichter Dienstleistungen und neuer Berufe wird in den Untersuchungen von *Ulrike Teubner* und *Doris Janshen* unter den Aspekten des Berufszugangs und der Arbeitsinhalte vor dem Hintergrund der Entstehung und Traditionen von Wissenschaft und Technologie diskutiert. *Ulrike Teubner* weist die pauschale Rede vom geringen Frauenanteil in den Naturwissenschaften beziehungsweise technischen Disziplinen an Fachhochschulen und Hochschulen als fachspezifisch zu relativierende Fiktion zurück. Ihr zufolge beschränkt sich ein Frauenanteil von etwa zwei Prozent auf die Nachrichten- und Elektrotechnik, während Frauen zu zwischen zehn und dreißig Prozent der Studierenden in Mathematik, Biologie und Chemie stellen und auch frühzeitig in das neugeschaffene Fach Informatik eingezogen sind. Der gegenüber dem Studentinnenanteil weit geringere Zugang zu naturwissenschaftlich-technischen Berufen kann demzufolge weder aus der Sozialisation noch aus der Ausbildungssituation zureichend erklärt werden. Demgegenüber stellt sie Schließungsprozesse in der Personalrekrutierung fest, da Frauen hier nur in produktionsfernen und/oder unbedeutenden Arbeitsbereichen eingesetzt oder nur ausnahmsweise bei Mangel an männlichen Fachkräften für spezielle Aufgaben eingestellt werden. In Übereinstimmung mit den Ergebnissen von *Doris Janshen* weist sie ferner nach, daß die Arbeitsstrukturen und -bedingungen in naturwissenschaftlich-technischen und Ingenieurberufen Frauen zweifach in ihren beruflichen Orientierungen und Aufstiegswünschen blockieren. Der traditionelle Zuschnitt der Arbeit auf ein männliches Lebensmodell sowie die mit Diskriminierungen und Geringschätzung verbundene Ausnahmeerscheinung von Frauen in diesen Bereichen tangieren die eigene Identität im Beruf und als Frau. Zusätzlich zwingt die Isolation und quantitative Unterrepräsentanz zu permanenten Anpassungsleistungen, die die Kreativität blockieren.[55] Der zweite Schließungsprozeß - so stellen *Ulrike Teubner* und *Cynthia Cockburn* fest - ist inhaltlicher Art und besteht in der Affinität von Wissenschaft/Technologie und Männlichkeit als Ursache eines ambivalenten Verhältnisses von Frauen zu diesen ihren Berufen. Jenseits sozialisationstheoretisch abgeleiteter Stereotypisierungen des Verhältnisses von Frauen zur Technik speise sich diese Ambivalenz aus der wissenschaftlichen und technologischen Rationalität und ihrer Geschichte selbst. Die heutige Wissenschaft und Technologie sei auf der Grundlage der Ausgrenzung von Frauen als Erkenntnissubjekt und ihrer Gleichsetzung mit Natur als Erkenntnisobjekt entstanden. So sei Wissenschaft auch bezogen auf das Geschlechterverhältnis ein herrschaftsorientiertes Erkenntnismodell, zu dem Alternativen erst dann überhaupt denkbar sind, wenn Frauen in autonomen Zusammenhängen und quantitativ gleichgestellt an Entwicklungsprozessen beteiligt werden.[56] Hier wiederum schließt sich zumindest jenseits von Quotierungen oder programmatischen Forderungen nach einer "Hochschule von Frauen"[57] der Kreislauf von Struktur und Inhalt der neu entstehenden wissenschaftlichen Dienstleistungsberufe. In diesen - so ist zu vermuten - werden nur wenige Frauen und nur unter den benannten Einschränkungen Fuß fassen. Struktur und Inhalt zusammen betrachtet, scheint hier die verwissenschaftlichte Industriegesellschaft mit einer neuen Stufe verwissenschaftlichter Geschlechterherrschaft einherzugehen, deren innerer Zusammenhang in den neuen wissenschaftlich-technologischen Infrastrukturen nachzuweisen, Gegenstand einer gesonderten Forschung wäre.

Im "traditionellen", seit Ende der sechziger Jahre entstandenen tertiären Sektor konnten Frauen sich ein zunächst weitgehend stabiles Beschäftigungssegment schaffen. Die Untersuchung von *Martin Baethge* und *Herbert Oberbeck* weist jedoch auf Stagnationstendenzen und einen tendenziellen Rückgang der Beschäftigungsperspektiven von Frauen hin. Die Autoren betonen vor allem auch die qualitative Dimension dieses Prozesses. Hatten Frauen hier unter dem Aspekt arbeitsinhaltlicher Orientierungen und der Vereinbarkeit von Beruf und Familie auch in der Lebensperspektive über langfristig gesicherte Erwerbsmöglichkeiten verfügt, so werden diese nun zurückgenommen.[58] Vor diesem Hintergrund sowie angesichts einer verschärften Konkurrenzsituation auf dem Arbeitsmarkt und der historisch gewachsenen und mit der Computerisierung der Büroarbeit stabilisierten geschlechtsspezifischen Arbeitsteilung geht *Karin Gottschall* davon aus, daß "den mehrheitlich berufsfachlich qualifizierten weiblichen Angestellten die 'Behauptung' auf dem Arbeitsmarkt nur um den 'Preis' einer gewissen 'Genügsamkeit' (im Vergleich zu männlichen Angestellten) insbesondere im Hinblick auf materielle Gratifikationen, Aufstiegs- und berufliche Entwicklungsmöglichkeiten oder aber um den 'Preis' der Verdrängungskonkurrenz unter Frauen" gelingt.[59]

Die technisch-organisatorische Flexibilisierung der Produktions- und Verwaltungsabläufe ist durch eine größere Störanfälligkeit im Vergleich zur "traditionellen" Rationalisierung gekennzeichnet. Motivation und Sozialintegration, Erschließung neuer Produktivitätsreserven und ganzheitlicher Zugriff auf das Arbeitsvermögen werden - ebenfalls so neu nicht - zur Maxime manageriellen Handelns erklärt. Ideologiekritisch weist *Eva Brumlop* darauf hin, daß eine Flut von neuer Ratgeberliteratur nun bei Frauen Hoffnung auf einen über die nahezu konstanten drei Prozent hinausgehenden Einzug ins Management weckt. Bislang mit Hausarbeit assoziierte Fähigkeiten, so unterstellt diese Literatur, lösten die zuvor maskulin konnotierten Führungseigenschaften ab. Der Suggestion neuer Beschäftigungsperspektiven stellt *Eva Brumlop* drei Einwände gegenüber: Tatsächlich ist im Zuge technisch-organisatorischer Flexibilisierung vom Abbau mittlerer Führungspositionen auszugehen und damit von Abwehrkämpfen der bislang hier beschäftigten Männer. Zum zweiten erfordere die "corporate culture" selbst eine Homogenität der Mitglieder (bislang männlich, weiß, aus der Mittelschicht) als Grundlage ihres Funktionierens, so daß Frauen im Management bereits aus dem Konzept heraus ein Störpotential darstellen. Und drittens sei aus der Differenz zwischen Frauenförderdiskussion und -taten in Unternehmen der Verdacht naheliegend, daß es sich bei der Überhöhung der vermeintlich weiblichen Tugenden für das neue Management um eine präventive Abwehr institutionell abgesicherter Frauenfördermaßnahmen handele.[60] Geringe Aussichten für Frauen, in Führungspositionen zu gelangen, stellen auch *Angela Fiedler* und *Ulla Regenhard* in ihrer neuen CIM-Studie fest. Ihnen zufolge haben Frauen aufgrund der ihnen zugeschriebenen sozialen Kompetenz allenfalls kurzfristig Chancen, sich mittlere Führungspositionen zu erschließen. In der längerfristigen Perspektive kommt ihnen jedoch lediglich Katalysatorfunktion zu, bis sie nämlich im Rahmen der neuen Managementkonzepte durch geschulte Männer ersetzt werden können.[61]

Die Perspektiven industrieller Frauenarbeit sind offensichtlich durch unterschiedliche Tendenzen gekennzeichnet. Mit dem Abbau von Arbeitsplätzen für Un- und Angelernte, dem traditionellen Segment weiblicher Beschäftigung in der Industrie, werden auch Frauenarbeitsplätze reduziert[62]. Vor allem die Studie von *Iris Bednarz-Braun* hat verdeutlicht, daß oft berufsfremd ausgebildete Frauen als Un- und Angelernte in der Industrie beschäftigt werden, deren Perspektiven über eine begrenzte Anlernung und Weiterbildung im Aufstieg zu Positionen unterhalb von Facharbeit bestehen. Bei Einsatz neuer Technologien und der Restrukturierung von Aufgabenbereichen bildeten diese Frauen - so *Sabine Gensior* - ein erfahrenes Arbeitskräftepotential, das weitergebildet werden könnte. Während die Autorin diese Möglichkeit als noch offen ansieht, läßt sich am Beispiel einzelner Bereiche in der Elektro- und Bekleidungsindustrie nachweisen, daß dies nur im Kontext arbeits- und frauenpolitischer Maßnahmen wahrscheinlich ist.[63] Daraus läßt sich folgern, daß Weiterbildung eine noch zentralere Bedeutung als bislang zukommt - so auch ein Ergebnis in der Studie von *Petra Frerichs*, *Martina Morschhäuser* und *Margareta Steinrücke* -, daß zugleich aber ein Ersatz von bislang angelernten Frauen durch männliche Facharbeiter nicht unwahrscheinlich ist, es sei denn, in der beruflichen Erstausbildung von Frauen träten Veränderungen auf[64]. Hier stellt *Barbara Stiegler* für den begrenzten Bereich der Modellversuche zu Frauen in Männerberufen fest, daß diese die Geschlechtersegregation nur in wenigen traditionellen Handwerksberufen aufweichen konnten, in den zukunftsträchtigen Feldern industrieller Produktion jedoch nicht berührt haben[65]. Die Tendenzen zur Erosion des facharbeiteridealtypischen "Normalarbeitsverhältnisses", auf die weiter oben hingewiesen wurde, könnten auf den ersten Blick mit einer "Feminisierung" der Arbeitsbedingungen assoziiert werden, da die Komponenten - flexible Arbeitszeit, unterqualifizierter Einsatz und entsprechende Entlohnung bei hoher Belastung - allzu bekannte Realität der Frauenbeschäftigung sind. Die naheliegende Frage, ob mit dem "Normalarbeitsverhältnis" auch die Rolle von Männern als Familienernährer sowohl von der objektiven Seite des Einkommens als auch subjektiv zur Disposition steht, wäre noch zu erforschen.[66] Dagegen spricht, daß auch in der industriellen Frauenarbeit weitere Veränderungen zu verzeichnen sind, die im Zuge technisch-organisatorischer Flexibilisierung neue Ungleichheiten schaffen. So enthält die Studie von *Petra Frerichs*, *Martina Morschhäuser* und *Margareta Steinrücke* zahlreiche Hinweise auf neue arbeits- und betriebszeitliche Flexibilisierungen, die bei Frauen sowohl auf Vollzeit- als auch auf Teilzeitbeschäftigung aufbauen. Ferner steht sowohl den Arbeitsgestaltungs- als auch Weiterbildungsinteressen von Frauen im Hinblick auf technisch-organisatorische Maßnahmen eine nach wie vor marginale Interessenvertretungssituation gegenüber.[67] Und nicht zuletzt können neue Verdrängungsprozesse dazu führen, daß sich der "abqualifizierte" Facharbeiter und die jetzt arbeitslose Un- und Angelernte wieder in der "Normalfamilie" treffen.

Resümierend läßt sich aufgrund der hier präsentierten Befunde vermuten, daß in den Segmenten weiblicher und männlicher Beschäftigung je für sich von neuen Differenzierungen auszugehen ist. Die Abschottung der Segmente gegeneinander scheint jedoch bislang kaum durchbrochen zu sein. Der Einzug von Frauen in Bereiche bislang männlicher Beschäftigung erweist sich als Übergangssituation oder Einzelerscheinung. Geschlechterkonkurrenzen um Tätigkeiten, die bislang von Frauen ausgeführt, aber im Zuge technisch-organisatorischer Flexibilisierung aufgewertet werden, erscheinen durchaus möglich. Haus- und Erwerbsarbeit zusammengenommen, erweist sich die Geschlechterungleichheit nach wie vor als stabil, obwohl sich für die unterschiedlichen Beschäftigtengruppen differenzierte Veränderungen abzeichnen. Dies wäre in einer "systemischen" Perspektive, die die Reorganisation der Produktions- *und* Reproduktionsweise in ihrem Zusammenhang erfaßt, gesondert zu untersuchen. Hervorzuheben ist, daß die Entstehung einer neuen industriellen Infrastruktur, in der wissenschaftliche oder verwissenschaftlichte Dienstleistungen bedeutsamer werden, eine Tendenz zur Reorganisation des Geschlechterverhältnisses auf neuem Niveau beinhaltet, die noch ausgeprägter als bislang wissenschaftlich-rational oder in der Weiterführung kapitalistischer Vergesellschaftung versachlicht daherkommt.

Mit diesem recht selektiven Parforce-Durchgang durch die neuere Forschung sollten empirische Befunde und Trendaussagen zusammengestellt werden, die für die Frage nach dem Verhältnis von industrieller Entwicklung, sozialer Differenzierung und der Reorganisation des Geschlechterverhältnisses aufschlußreich sind. Trotz ihrer Unterschiedlichkeit deuten die hier in aller Kürze skizzierten Befunde auf Altbekanntes, nämlich daß Rationalisierung in ihrer Entwicklung nicht nur das aufhebt, verändert, zerstört, was sie vorfindet, sondern auch das, was sie selber hergestellt hat. So sind die neuen Marktbedingungen und die neuen Technologien, mit denen in den neuen Mustern industrieller Rationalisierung auf diese Marktbedingungen reagiert wird, nicht zuletzt auch Resultate der vorangegangenen "alten" Rationalisierung. Mit den neuen Rationalisierungsmustern verändern sich die Anforderungen an die Arbeitskräfte und die Strukturierung der Belegschaften und wird bislang eingespielten Arrangements in den industriellen Beziehungen ebenso wie dem "Normalarbeitsverhältnis" und seinem Komplement, der "Normalfamilie", der Boden entzogen.

Mit dieser allgemeinen Aussage sollen Brüche in unserer Darstellung nicht kaschiert werden, spiegeln sie doch wider, daß sich die genannten Debatten und Untersuchungen nicht immer aufeinander beziehen. Es sind ja gerade diese Brüche, die uns veranlaßt haben, nach dem "Ende des Fordismus" als dem Beginn neuer Geschlechterarrangements zu fragen. Dabei ist dieser Beitrag nur als ein Schritt gedacht, in dem drei Blickwinkel bestimmt werden, aus denen diese Frage gestellt werden sollte.

Vorausgeschickt sei eine Unterscheidung zwischen dem "Fordismus" und der "Epoche der Rationalisierung". Obgleich es nämlich nicht neu ist, daß Rationalisierung verändert und zerstört, was sie selber hergestellt hat, können die genannten neueren Entwicklungen dennoch bereits dann als ein Zeichen für das Ende des Fordismus als gesellschaftlicher Epoche gedeutet werden, wenn unter Fordismus eine Gesellschaftsform mit spezifischen "Rationalisierungsarrangements" verstanden wird, in der beispielsweise ein historisch besonderes Rationalisierungsmuster vorherrschte und in der das "Normalarbeitsverhältnis" und die "Normalfamilie" als historisch besondere Norm das Geschlechterarrangement prägte. Hingegen signalisieren aktuelle Entwicklungen ein Ende der "Epoche der Rationalisierung" nur dann, wenn die Rationalisierung in der Industrie, oder allgemein: im ökonomischen Raum, an Bedeutung für Prozesse sozialer Differenzierung und für die Reorganisation des Geschlechterverhältnisses verliert und wenn der Rationalisierungsgedanke nicht mehr als gesellschaftliche Norm für "richtiges" Handeln schlechthin gilt.

Unseres Erachtens bestätigt sich in dem hier definierten Sinne durchaus die gängige These vom Ende des Fordismus, es kann jedoch nicht ohne weiteres von einem Ende der Epoche der Rationalisierung gesprochen werden. Denn es haben zwar beträchtliche Veränderungen in den Formen der industriellen Rationalisierung und ihrer gesellschaftlichen Regulation, nicht aber im Grundsatz der Rationalisierung stattgefunden, und zwar haben sich die Beziehungen zwischen den Geschlechtern gewandelt, doch der Grundsatz der Geschlechterungleichheit bleibt bestehen. Diese Feststellung enthebt die Forschung jedoch nicht der Aufgabe, nach Verbindungslinien zwischen den entsprechenden Befunden aus unterschiedlichen Disziplinen und Diskussionssträngen zu suchen; dies insbesondere deshalb, weil nur so weitergehende Fragen danach gestellt werden können, ob und wo in den aktuellen Veränderungen Anzeichen für ein Ende der Epoche der Rationalisierung ausgemacht werden können.

Der Blickwinkel, aus dem sich aufgrund des gegenwärtigen Forschungsstandes am leichtesten Verbindungslinien zwischen industrieller Entwicklung, sozialer Differenzierung und der Reorganisation des Geschlechterverhältnisses ziehen lassen, ist der der "industriellen" Rationalisierung, die wir hier angesichts der abnehmenden Bedeutung des industriell-gewerblichen Sektors in der Erwerbsarbeit in dem allgemeinen Sinne der Rationalisierung im ökonomischen Raum verstehen. Aus diesem Blickwinkel legt, wie ausgeführt, die Perspektive der Rationalisierung selbst es nahe, diese Verbindungen zu untersuchen, denn nicht sie, sondern eher ein Teil der Forschung über sie hat Prozessen sozialer Differenzierung und der Reorganisation des Geschlechterverhältnisses eine zweitrangige Bedeutung zugeschrieben.

Der zweite Blickwinkel, nämlich der, aus dem nach Wirkungen und Zugriffen der "industriellen" Rationalisierung auf andere gesellschaftliche Bereiche gefragt wird, ist bislang eher in historischen Studien als in Untersuchungen zu aktuellen Entwicklungen behandelt worden. Hier gilt es, gerade wenn das Ende des Fordismus konstatiert wird, ein Defizit aufzufüllen, wobei ebenfalls die Perspektive der Rationalisierung zunächst als Ansatzpunkt gelten kann, da diese selbst "systemisch" reorganisierend in die gesamte Produktions- und Reproduktionsweise eingreift.

Aus diesen beiden Blickwinkeln betrachtet, weisen Analysen neuer Rationalisierungsmuster und Managementstrategien auf Prozesse der Restrukturierung von Belegschaften hin, die von beträchtlicher Folgewirkung sind. Hierarchien, Verhaltensweisen und Arrangements nämlich, die sich über Jahrzehnte so eingespielt hatten, daß sie fast selbstverständlich und "unpolitisch" erschienen, werden, weil sie nunmehr den neuen Formen von Rationalisierung im Wege stehen, wieder zum Gegenstand gesellschaftspolitischer Entscheidungen. In dieser gesellschaftspolitischen "Offenheit" kommen die Erfahrungen, die in der Geschichte der Rationalisierung gemacht wurden, auf doppelte Weise zum Tragen. Zum einen haben die Rationalisierungsexperten dazugelernt, werden aus der Krise der tayloristisch-fordistischen Rationalisierungsmuster neue, anscheinend wirksamere Methoden der industriellen wie sozialen Rationalisierung entwickelt. Zum anderen werden von Individuen und unterschiedlichen gesellschaftlichen Gruppierungen auf unterschiedliche Weise Zweifel an dem mit der Rationalisierung verbundenen Versprechen auf allgemeinen Wohlstand, Fortschritt und Emanzipation in "rationalen" Beziehungen geäußert. Die Frauenbewegung ist ein Beispiel dafür.

Die Frage, ob aus der mit dem Ende des Fordismus verbundenen "Offenheit" eine Phase der Rationalisierung "mit besseren Mitteln" oder aber gesellschaftliche Entwicklungen folgen werden, die zu einem Ende der Epoche der Rationalisierung führen, läßt sich jedoch aus der Perspektive der Rationalisierung allein nicht erklären. Denn in dieser Perspektive erscheinen andere, der Norm des Rationalisierungsgedankens nicht folgende Orientierungen des Handelns nur in verzerrter Form. Hier muß ein dritter Blickwinkel gewählt werden, aus dem diese anderen Orientierungen in ihrer eigenen Bedeutung untersucht werden. Gerade dies klagt nicht zuletzt die feministische Rationalitätskritik nachdrücklich ein.

Die hier benannten Blickwinkel schließen sich nicht aus. Als einander in jeweils unterschiedlicher Gewichtung ergänzende bezeichnen sie vielmehr Ansatzpunkte für Analysen sozialer Prozesse. Aus diesen drei Blickwinkeln betrachtet, zeigt sich Rationalisierung als das, was sie ist, nämlich ein sozialer Prozeß, und können die Grenzen des "Betriebs" als Untersuchungsobjekt auf doppelte Weise durchlässiger werden. Denn zum einen weist auch die "industrielle" Rationalisierung über dessen Grenzen hinaus. Zum anderen weisen die unablässigen und immer nur vorübergehend erfolgreichen Versuche in der Geschichte der Rationalisierung, "ökonomisches" und "soziales" Handeln auseinanderzudividieren und letzteres als störend aus dem "Betrieb" wegzurationalisieren, um es dann doch wieder in neuer Form in ihn zurückzuholen, darauf hin, daß der "Betrieb" auch ein Sozialverband ist, in dem neben der formalen Rationalität wirtschaftlichen Handelns auch andere Orientierungen des Handelns wirksam sind und wirksam sein müssen. Eingebettet in eine so verstandene Soziologie des ökonomischen Raumes würden sich selbst traditionell industriesoziologische Themen in ihrer Relevanz für Prozesse sozialer Differenzierung und der Reorganisation des Geschlechterverhältnisses erweisen.

Anmerkungen

1. Vgl. die Kontroverse zwischen *Beer* 1989, S. 298 ff., und *Heise* 1989, S. 261 ff., auf die im weiteren noch eingegangen wird, sowie *Kreckel* 1991, S. 370 ff. Zu den Konsensen: Neben *Beer* 1989 und *Heise* 1989 z. B. *Beck* 1986, S. 174 ff., *Diezinger* 1991, S. 34 ff., *Beck-Gernsheim* 1980, S. 64 ff., *Knapp* 1987, S. 242 f., um nur einige zu nennen. Stellvertretend für die "Hausarbeitsdebatte": *Kittler* 1980, S. 112 ff., und *Beer* 1983, S. 30 ff. Von ihnen stammt auch die Unterscheidung von Reproduktionskosten und -aufwand.
2. Zum Thema "Strukturkategorie Geschlecht, Theoriegeschichte und -perspektiven" hat im Wintersemester 1991/92 an der Universität Frankfurt/Main eine Gemeinschaftsveranstaltung von *Brigitte Aulenbacher* und *Barbara Holland-Cunz* stattgefunden, in der unterschiedliche Ansätze der Frauenforschung und Sozialstrukturanalyse intensiv diskutiert wurden. Die folgenden Passagen sind auch Ergebnis dieses Lern- und Diskussionsprozesses. *Barbara Holland-Cunz* sei an dieser Stelle für den anregenden Prozeß wissenschaftlicher Auseinandersetzungum 'Geschlecht als Strukturkategorie' und 'Individualisierung' gedankt.
3. *Heise* 1989, S. 265 ff. (Zitate: S. 270, 271, 278, Hervorhebung im Original, und S. 280).

4. *Heise* 1986, S. 69 ff. und 142 ff.
5. *Beer* 1990, S. 21 f., 90 ff., 109 ff. Zitate: S. 91, Hervorhebung im Original, S. 22.
6. *Beer* 1990, S. 120 ff. Zitate: S. 123, Hervorhebung im Original, S. 124. Ferner *Godelier* 1970, S. 4 ff.
7. *Beer* 1990, S. 152 ff. Zitate: S. 153/154.
8. *Beer* 1990, S. 249 ff., 260 ff. Zitate: S. 249, 261, Hervorhebung im Original.
9. *Aulenbacher* 1991, S. 32 ff., 60 ff.
10. Diese Annäherung läßt sich an *Beer* 1986, S. 94 ff., *Beer* 1989, S. 298 ff. und *Beer* 1990, S. 22 nachvollziehen.
11. *Heise* 1989, S. 284, Hervorhebung im Original.
12. Vgl. *Heise* 1986, S. 65 ff. Dies ist zugleich ihre Interpretationsfolie für Ergebnisse der Frauenarbeitsforschung bzw. der Industriesoziologie (z. B. S. 135 ff.).
13. Vgl. auch *Knapp* 1987, S. 241 ff. und *Aulenbacher* 1991, S. 41 ff.
14. *Beer* 1990, S. 219 ff., 273 ff.
15. *Becker-Schmidt* 1987 b, S. 187 ff.
16. *Heise* 1989, S. 272. Kritisch zur Genese von *Heises* Argumentation: *Beer* 1990, S. 113 ff.
17. Vgl. z. B. *Busch/Hess-Diebäcker/Stein-Hilbers* 1988, S. 133 ff.; *Metz-Göckel/Müller* 1986. Vgl. *Beck* 1983, S. 51 ff. Zitat: S. 53.
18. Vgl. *Beck* 1983, S. 36 ff., und *Beck* 1986, S. 115 ff.
19. Vgl. z. B. *Schelsky* 1965, S. 331 ff.; *Dahrendorf* 1965, S. 94 ff.; *Jaeggi* 1976, S. 152 ff.; *Müller* 1977, S. 21 ff.; *Kreckel* 1985, S. 29 ff. beispielhaft für die Diskussionsprozesse.
20. Die zentrale Frage, ob *Ulrich Becks* Konzeption von Individualisierung nicht letztlich nur den männlichen Arbeits- und Lebenszusammenhang meint, wurde bereits im Hinblick auf eine geschlechtsspezifisch differenzierende Weiterentwicklung von *Angelika Diezinger* aufgegriffen: *Diezinger* 1991, S. 15 ff.
21. *Beck* 1986, S. 162 ff. Zitate: S. 174, Hervorhebung im Original, und S. 178.
22. *Ruf* 1990, S. 39 ff.
23. Vgl. *Beck* 1986, S. 173; *Becker-Schmidt* 1987 b, S. 19 ff.; *Knapp* 1990, S. 25 ff.
24. Die nachfolgenden Ausführungen beziehen sich auf einen Diskussionszusammenhang, der vor einigen Jahren mit dem Workshop "Soziale Rationalisierung und Geschlechterverhältnis. Zur Ambivalenz einer gesellschaftspolitischen Strategie" in Berlin initiiert wurde. Beiträge zu diesem Workshop wie auch weitergehende Überlegungen werden 1993 beim Suhrkamp Verlag in dem Sammelband erscheinen: *Dagmar Reese/Carola Sachse/Tilla Siegel* (Hg.): Rationale Beziehungen? Geschlechterverhältnisse im Rationalisierungsprozeß, Frankfurt am Main.
25. *Horkheimer/Adorno* 1991, S. 95 und 96.
26. Wenn hier von industrieller *und* sozialer Rationalisierung gesprochen wird, so ist dies eine provisorische Formulierung, die wieder sichtbar machen soll, was in der heutigen Rationalisierungsdebatte mit der Verengung des Begriffs Rationalisierung auf den technisch-organisatorischen Prozeß aus dem Blickfeld geraten ist: daß nämlich jede Rationalisierung, auch die industrielle, insofern eine soziale ist, als sie mit Menschen zu tun hat und das Handeln der Menschen verändern will. Darüber hinaus ist die Epoche der Rationalisierung von Prozessen einer auf die Menschen und ihre Lebenszusammenhänge gerichteten sozialen Rationalisierung geprägt, die von vielfältigen gesellschaftlichen Gruppierungen und Institutionen getragen wurde; s. *Siegel* 1993.
27. *Van de Velde* 1933, S. 31.
28. Dazu ein aktuelles Beispiel: Wenn in den neuen Bundesländern die Zahl der Sterilisationen und Abtreibungen erschreckend angestiegen ist, dann liegt diese "individuelle" Entscheidung von Frauen, sich für diesen Zweck, als Arbeitskraft verfügbar zu sein, selbst zu

rationalisieren, nicht zuletzt an der politischen Entscheidung, die Vorkehrungen abzuschaffen, mit denen in der ehemaligen DDR den Frauen ermöglicht werden sollte, die Doppelrolle als Erwerbstätige und Mutter miteinander zu vereinen.
29. *Altmann* u. a. 1986, S. 191.
30. Siehe *Henry Fords* Selbstdarstellung: *Ford* 1923. Vgl. auch *Sinclair* 1985 und *Gramsci* 1967 zur literarischen bzw. kapitalismuskritischen Interpretation von *Henry Fords* Verbindung von industrieller und sozialer Rationalisierung.
31. *Siegel/von Freyberg* 1991, Kapitel 1, 2.1 und 5.2; Zitate S. 41.
32. *Sachse* 1987.
33. Zur Entwicklung der betrieblichen Sozialpolitik im amerikanischen "welfare capitalism" zu Beginn unseres Jahrhunderts gibt es in den USA eine umfangreiche Debatte, die in der deutschen Diskussion um das tayloristisch-fordistische Rationalisierungsmuster so gut wie nicht rezipiert ist. Erkenntnisse über die Entwicklung in Deutschland sind vor allem der historischen Frauenforschung zu verdanken. Vgl. dazu *Brandes* 1976; *Sachse* 1987 und 1990.
34. *Kern/Schumann* 1984, S. 19.
35. Siemens Archiv Akte, 14/Lk 425, S. 10 ff.
36. Reichskuratorium für Wirtschaftlichkeit 1933, S. 98.
37. Vgl. *Siegel* 1989, Kap. IV.2 und V.4; *Siegel/von Freyberg* 1991, Kap. 5.4.
38. Vgl. *Sachse* 1991; *Siegel* 1991.
39. Ausführlicher dazu *Sachse* 1986.
40. Ausführlicher zum Denkmuster der Rationalisierung und dem Wechselspiel von Fortschritts- und Emanzipationshoffnungen einerseits und Zwang andererseits in der Entwicklung der Rationalisierung: *Siegel* 1993.
41. *Kern/Schumann* 1984. Kritisch vor allem: *Malsch/Seltz* 1987. Vgl. *Brödner* 1985, S. 61 ff., 117 ff. und 169 ff.; *Lutz* 1984, S. 186 ff.; *Bechtle/Lutz* 1989, S. 21 ff. und *Beck* 1986, S. 25 ff., 67 ff. und 251 ff. Zitate: S. 251/252.
42. *Diezinger* 1991, S. 15 ff.
43. *Beck-Gernsheim* 1985, S. 265 ff.
44. *Glatzer* u. a. 1991, S. 242 ff., 257 und 268 ff.
45. *Becker-Schmidt* 1991, S. 384 ff.
46. Vgl. *Glatzer* u. a. 1991, S. 163 ff.; *Rammert* 1988, S. 165 ff., und exemplarisch *Braun* 1989, S. 353 ff., zu den soziotechnischen Dimensionen.
47. Während das "intelligent home" als Gegenstand internationaler Forschungs- und Entwicklungskooperation erst entwickelt wird, ist das "smart house" als der nach innen vernetzte Haushalt bereits prototypische Realität in den USA. Dies ergab eine Forschungs- und Unternehmenspräsentation auf der Tagung "Technikforschung an hessischen Universitäten" am 21.6.1991 in Frankfurt am Main.
48. Wie dies in unterschiedlichen Rationalisierungsprozessen im Zuge der geschlechtsspezifischen Vergesellschaftung geschehen ist, setzen wir aufgrund der zahlreichen Ergebnisse industriesoziologischer Frauenforschung hierzu als bekannt voraus.
49. *Kern/Schumann* 1984, S. 22 ff.; kritisch vor allem: *Malsch/Seltz* 1987. Vgl. ferner: *Schumann* u. a. 1990, S. 47 ff.; *Pries/Schmidt/Trinczek* 1989.
50. *Pries/Schmidt/Trinczek* 1990, S. 60 ff., 70 ff., 95, 112, 121 ff., 130, 158 ff., 221 ff.
51. Vgl. *Baethge/Oberbeck* 1986, S. 22 ff., und *Altmann* u. a. 1986, S. 191 ff.
52. *Fröbel/Heinrichs/Kreye* 1986.
53. *Wittke* 1990, S. 23 ff., 30 und 34.
54. Vgl. *Hack/Hack* 1985 und *Hack* 1988, S. 15 ff., 97 ff. und 219 ff.
55. Vgl. *Janshen* 1989, S. 93 ff.; *Teubner* 1984, S. 53 ff. und *Teubner* 1989, S. 63 ff.

56. Vgl. *Cockburn* 1988, S. 24 ff. und 169 ff.; *Teubner* 1989, S. 73 ff., zur Geschichte von Technologie ferner: *Becker-Schmidt* 1989, S. 17 ff.; zu Stereotypen ferner: *Knapp* 1989, S. 193 ff.
57. *Janshen* 1990.
58. *Baethge/Oberbeck* 1986, S. 38 ff., 297 ff. und 386 ff.
59. *Gottschall* 1990, S. 132 ff., Zitat: S. 147.
60. *Brumlop* 1992, S. 54 ff.
61. *Fiedler/Regenhard* 1991, S. 119 ff.
62. Bereits *Krebsbach-Gnath* u. a. 1983, S. 8 ff. und 123 ff.
63. Vgl. *Gensior* 1989, S. 124 ff.; *Gärtner/Krebsbach-Gnath* 1987 und *Aulenbacher* 1992, S. 195 ff.; *Bednarz-Braun* 1983
64. *Frerichs/Morschhäuser/Steinrücke* 1989, S. 103 ff. und 497 ff.
65. *Stiegler* 1990, S. 59 ff.
66. Ergänzend auch zu den Hypothesen von *Baethge* 1991, S. 260 ff., zur subjektiven Seite der Vergesellschaftung.
67. *Frerichs/Morschhäuser/Steinrücke* 1989, S. 34 ff.

Literaturverzeichnis

Altmann, Norbert, u. a. (1986): Ein "Neuer Rationalisierungstyp" - neue Anforderungen an die Industriesoziologie, in: Soziale Welt, Heft 2/3

Aulenbacher, Brigitte (1991): Arbeit - Technik - Geschlecht. Industriesoziologische Frauenforschung am Beispiel der Bekleidungsindustrie, Frankfurt/New York

Aulenbacher, Brigitte (1992): Neue Rationalisierungsstrategien und Geschlecht: Das Beispiel Bekleidungsindustrie, in: WSI-Mitteilungen, Heft 4

Baethge, Martin; Herbert Oberbeck (1986): Zukunft der Angestellten. Neue Technologien und berufliche Perspektiven in Büro und Verwaltung, Frankfurt/New York

Baethge, Martin (1991): Arbeit, Vergesellschaftung, Identität - Zur zunehmenden normativen Subjektivierung der Arbeit, in: Wolfgang Zapf (Hg.): Die Modernisierung moderner Gesellschaften, Verhandlungen des 25. Deutschen Soziologentages in Frankfurt a. M. 1990, Frankfurt/New York

Bechtle, Günter; Burkart Lutz (1989): Die Unbestimmtheit posttayloristischer Rationalisierungsstrategie und die ungewisse Zukunft industrieller Arbeit - Überlegungen zur Begründung eines Forschungsprogramms, in: Klaus Düll; Burkart Lutz (Hg.): Technikentwicklung und Arbeitsteilung im internationalen Vergleich. Fünf Aufsätze zur Zukunft industrieller Arbeit, Frankfurt/New York

Beck, Ulrich (1983): Jenseits von Klasse und Stand? Soziale Ungleichheit, gesellschaftliche Individualisierungsprozesse und die Entstehung neuer sozialer Formationen und Identitäten, in: Reinhard Kreckel (Hg.): Soziale Ungleichheit, Soziale Welt, Sonderband 2, Göttingen

Beck, Ulrich (1986): Risikogesellschaft. Auf dem Weg in eine andere Moderne, Frankfurt a. M.

Beck-Gernsheim, Elisabeth (1980): Das halbierte Leben. Männerwelt Beruf, Frauenwelt Familie, Frankfurt a. M.

Beck-Gernsheim, Elisabeth (1985): Wieviel Mutter braucht das Kind? Geburtenrückgang und der Wandel der Erziehungsarbeit, in: Stefan Hradil (Hg.): Sozialstruktur im Umbruch, Opladen

Becker-Schmidt, Regina (1987 a): Die doppelte Vergesellschaftung - die doppelte Unterdrückung: Besonderheiten der Frauenforschung in den Sozialwissenschaften, in: Lilo

Unterkircher; Ina Wagner (Hg.): Die andere Hälfte der Gesellschaft, Österreichischer Soziologentag 1985, Soziologische Befunde zu geschlechtsspezifischen Formen der Lebensbewältigung, Wien
Becker-Schmidt, Regina (1987 b): Frauen und Deklassierung. Geschlecht und Klasse, in: Ursula Beer (Hg.): Klasse Geschlecht. Feministische Gesellschaftsanalyse und Wissenschaftskritik, Bielefeld
Becker-Schmidt, Regina (1989): Technik und Sozialisation. Sozialpsychologische und kulturanthropologische Notizen zur Technikentwicklung, in: Dietmar Becker u. a.: Zeitbilder der Technik. Essays zur Geschichte von Arbeit und Technologie, Bonn
Becker-Schmidt, Regina (1991): Individuum, Klasse und Geschlecht aus der Perspektive der Kritischen Theorie, in: Wolfgang Zapf (Hg.): Die Modernisierung moderner Gesellschaften, Verhandlungen des 25. Deutschen Soziologentages in Frankfurt a. M. 1990, Frankfurt/New York
Bednarz-Braun, Iris (1983): Arbeiterinnen in der Elektroindustrie. Zu den Bedingungen von Anlernung und Arbeit an gewerblich-technischen Arbeitsplätzen für Frauen, München
Beer, Ursula (1983): Marx auf die Füße gestellt? Zum theoretischen Entwurf von Claudia v. Werlhof, in: Prokla, Heft 50
Beer, Ursula (1986): Geschlechtshierarchische Arbeitsteilung und Frauendiskriminierung in Industriegesellschaften. Ko-Referat zu Hildegard Heise, in: Jürgen Friedrichs (Hg.): 23. Deutscher Soziologentag 1986, Sektions- und Ad-hoc-Gruppen, Opladen
Beer, Ursula (1989): Geschlechtliche Arbeitsteilung als Strukturelement von Gesellschaft - ein theoriepolitischer Kurzschluß der Frauenforschung?, in: Ursula Müller; Hiltraud Schmidt-Waldherr (Hg.): FrauenSozialKunde. Wandel und Differenzierung von Lebensformen und Bewußtsein, Bielefeld
Beer, Ursula (1990): Geschlecht, Struktur, Geschichte. Soziale Konstituierung des Geschlechterverhältnisses, Frankfurt/New York
Brandes, Steward D. (1976): American Welfare Capitalism 1880 - 1940, Chicago/London
Braun, I. (1989): Technische Infrastrukturen der Konsumarbeit am Beispiel des Wäschewaschens, in: Zeitschrift für Umweltpolitik & Umweltrecht, Heft 4
Brödner, Peter (1985): Fabrik 2000. Alternative Entwicklungspfade in die Zukunft der Fabrik, Berlin
Brumlop, Eva (1992): Frauen im Management: Innovationspotential der Zukunft? 'Neue Unternehmenskultur' und Geschlechterpolitik, in: Die Neue Gesellschaft/Frankfurter Hefte, Heft 1
Busch, Gabriele; Doris Hess-Diebäcker; Marlene Stein-Hilbers (1988): Den Männern die Hälfte der Familie - den Frauen mehr Chancen im Beruf, Weinheim
Cockburn, Cynthia (1988): Die Herrschaftsmaschine. Geschlechterverhältnisse und technisches Know-how, Berlin/Hamburg
Dahrendorf, Ralf (1965): Gesellschaft und Demokratie in Deutschland, München
Diezinger, Angelika (1991): Frauen: Arbeit und Individualisierung, Chancen und Risiken. Eine empirische Untersuchung anhand von Fallgeschichten, Opladen
Fiedler, Angela; Ulla Regenhard (1991): Mit CIM in die Fabrik der Zukunft? Probleme und Erfahrungen, Opladen
Ford, Henry (1923): Mein Leben und mein Werk, Leipzig
Frerichs, Petra; Martina Morschhäuser; Margareta Steinrücke (1989): Fraueninteressen im Betrieb. Arbeitssituation und Interessenvertretung im Zeichen neuer Technologien, Opladen
Freyberg, Thomas v. (1989): Industrielle Rationalisierung in der Weimarer Republik. Untersucht an Beispielen aus dem Maschinenbau und der Elektroindustrie, Frankfurt/New York
Fröbel, Folker; Jürgen Heinrichs; Otto Kreye (1986): Umbruch in der Weltwirtschaft. Die globale Strategie: Verbilligung der Arbeitskraft/Flexibilisierung der Arbeit/Neue Technologien, Reinbek bei Hamburg

Gärtner, H.-J.; Camilla Krebsbach-Gnath (1987): Berufliche Qualifizierung von Frauen zur Verbesserung ihrer Berufschancen bei der Einführung neuer Technologien, Schriftenreihe des Bundesministers für Jugend, Familie, Frauen und Gesundheit, Bd. 215, Stuttgart u.a.

Gensior, Sabine (1989): Die mikroelektronische Modernisierung der Elektroindustrie und ihre arbeitspolitischen Implikationen, in: Ludger Pries; Rudi Schmidt; Rainer Trinczek (Hg.): Trends betrieblicher Produktionsmodernisierung. Chancen und Risiken für Industriearbeit, Opladen

Glatzer, Wolfgang, u. a. (1991): Haushaltstechnisierung und gesellschaftliche Arbeitsteilung, Frankfurt/New York

Godelier, Maurice (1970): System, Struktur und Widerspruch im "Kapital", in: Internationale marxistische Diskussion 8, Berlin

Gottschall, Karin (1990): Frauenarbeit und Bürorationalisierung. Zur Entstehung geschlechtsspezifischer Trennungslinien in großbetrieblichen Verwaltungen, Frankfurt/New York

Gramsci, Antonio (1967): Amerikanismus und Fordismus, in: ders., Philosophie der Praxis. Eine Auswahl, Frankfurt a. M.

Hack, Lothar (1988): Vor Vollendung der Tatsachen. Die Rolle von Wissenschaft und Technologie in der dritten Phase der Industriellen Revolution, Frankfurt a. M.

Hack, Lothar; Irmgard Hack (1985): Die Wirklichkeit, die Wissen schafft. Zum wechselseitigen Begründungsverhältnis von 'Verwissenschaftlichung der Industrie' und 'Industrialisierung der Wissenschaft', Frankfurt/New York

Heise, Hildegard (1986): Flucht vor der Widersprüchlichkeit. Kapitalistische Produktionsweise und Geschlechterbeziehung, Frankfurt/New York

Heise, Hildegard (1989): Gleichstellung und Ungleichstellung von Frauen und Männern sind (im entwickelten Kapitalismus) Vor- und Rückseite "Desselben", in: Ursula Müller; Hiltraud Schmidt-Waldherr (Hg.): FrauenSozialKunde. Wandel und Differenzierung von Lebensformen und Bewußtsein, Bielefeld

Horkheimer, Max; Thoedor W. Adorno (1991): Dialektik der Aufklärung. Philosophische Fragmente, Frankfurt a. M.

Jaeggi, Urs (Hg.) (1976): Sozialstruktur und politische Systeme, Gütersloh

Janshen, Doris (1989): Ingenieurinnen - Vorbotinnen eines weiblichen Projekts der Zivilisation?, in: Werner Fricke u. a. (Hg.): Jahrbuch Arbeit und Technik in Nordrhein-Westfalen 1989, Bonn

Janshen, Doris (Hg.) (1990): Hat die Technik ein Geschlecht? Denkschrift für eine andere technische Zivilisation, Berlin

Kern, Horst; Michael Schumann (1984): Das Ende der Arbeitsteilung? Rationalisierung in der industriellen Produktion, München

Kittler, Gertrude (1980): Hausarbeit. Zur Geschichte einer "Naturressource", München

Knapp, Gudrun-Axeli (1987): Arbeitsteilung und Sozialisation. Konstellationen von Arbeitsvermögen und Arbeitskraft im Lebenszusammenhang von Frauen, in: Ursula Beer (Hg.): Klasse Geschlecht. Feministische Gesellschaftsanalyse und Wissenschaftskritik, Bielefeld

Knapp, Gudrun-Axeli (1989): Männliche Technik - weibliche Frau? Zur Analyse einer problematischen Beziehung, in: Dietmar Becker u. a.: Zeitbilder der Technik. Essays zur Geschichte von Arbeit und Technologie, Bonn

Knapp, Gudrun-Axeli (1990): Zur widersprüchlichen Vergesellschaftung von Frauen, in: Ernst-H. Hoff (Hg.): Die doppelte Sozialisation Erwachsener, München

Krebsbach-Gnath, Camilla, u. a. (1983): Frauenbeschäftigung und neue Technologien. Eine Untersuchung in Zusammenarbeit mit Infratest München, Sozialwissenschaftliche Reihe des Battelle-Instituts e. V., Bd. 8, München/Wien

Kreckel, Reinhard (1985): Statuskonsistenz und Statusdefizienz in gesellschaftstheoretischer Perspektive, in: Stefan Hradil: Sozialstruktur im Umbruch, Opladen

Kreckel, Reinhard (1991): Geschlechtssensibilisierte Soziologie. Können askriptive Merkmale eine vernünftige Gesellschaftstheorie begründen?, in: Wolfgang Zapf (Hg.): Die Modernisierung moderner Gesellschaften, Verhandlungen des 25. Deutschen Soziologentages in Frankfurt a. M. 1990, Frankfurt/New York

Lutz, Burkart (1984): Der kurze Traum immerwährender Prosperität. Eine Neuinterpretation der industriell-kapitalistischen Entwicklung im Europa des 20. Jahrhunderts, Frankfurt/New York
Malsch, Thomas; Rüdiger Seltz (Hg.) (1987): Die neuen Produktionskonzepte auf dem Prüfstand. Beiträge zur Entwicklung der Industriearbeit, Berlin
Metz-Göckel, Sigrid; Ursula Müller (1986): Der Mann. Die Brigitte-Studie, Weinheim/Basel
Müller, Walter (1977): Klassenlagen und soziale Lagen in der Bundesrepublik, in: Johann Handl; Karl-Ulrich Mayer; Walter Müller: Klassenlagen und Sozialstruktur, Frankfurt/New York
Münsterberg, Hugo (1912): Psychologie und Wirtschaftsleben, Leipzig
Pries, Ludger; Rudi Schmidt; Rainer Trinczek (Hg.) (1989): Trends betrieblicher Produktionsmodernisierung. Chancen und Risiken für Industriearbeit, Opladen
Pries, Ludger; Rudi Schmidt; Rainer Trinczek (1990): Entwicklungspfade von Industriearbeit. Chancen und Risiken betrieblicher Produktionsmodernisierung, Opladen
Rammert, Werner (1988): Technisierung im Alltag. Theoriestücke für eine spezielle soziologische Perspektive, in: Bernward Joerges (Hg.): Technik im Alltag, Frankfurt a. M.
Reese, Dagmar; Eve Rosenhaft; Carola Sachse; Tilla Siegel (Hg.) (1993, im Erscheinen): Rationale Beziehungen? Geschlechterverhältnisse im Rationalisierungsprozeß, Frankfurt a. M.
Reichskuratorium für Wirtschaftlichkeit (Hg.) (1933): Der Mensch und die Rationalisierung III. Eignung und Qualitätsarbeit, RKW-Veröffentlichung Nr. 87, Berlin
Ruf, Anja (1990): Frauenarbeit und Fordismus-Theorie, Diss., Frankfurt a. M.
Sachse, Carola (1986): Von "Güterströmen" und "Menschenströmen" ... Betriebliche Familienpolitik bei Siemens 1918 - 1945, in: Christiane Eifert; Susanne Rouette (Hg.): Unter allen Umständen. Frauengeschichte(n) in Berlin, Berlin
Sachse, Carola (1987): Betriebliche Sozialpolitik als Familienpolitik in der Weimarer Republik und im Nationalsozialismus. Mit einer Fallstudie der Firma Siemens Berlin, Hamburg
Sachse, Carola (1990): Siemens, der Nationalsozialismus und die moderne Familie. Eine Untersuchung zur sozialen Rationalisierung in Deutschland im 20. Jahrhundert, Hamburg
Sachse, Carola (1991): Zwangsarbeit jüdischer und nichtjüdischer Frauen und Männer bei der Fa. Siemens 1940 bis 1945, in: Internationale wissenschaftliche Korrespondenz zur Geschichte der deutschen Arbeiterbewegung (IWK), Heft 1
Schumann, Michael, u. a. (1990): Breite Diffusion der neuen Produktionskonzepte - zögerlicher Wandel der Arbeitsstrukturen. Zwischenergebnisse aus dem "Trendreport - Rationalisierung in der Industrie", in: Soziale Welt, Heft 1
Schelsky, Helmut (1965): Auf der Suche nach Wirklichkeit. Gesammelte Aufsätze, Düsseldorf/Köln
Siegel, Tilla (1989): Leistung und Lohn in der nationalsozialistischen "Ordnung der Arbeit", Opladen
Siegel, Tilla (1991): Die doppelte Rationalisierung des "Ausländereinsatzes" bei Siemens, in: Internationale wissenschaftliche Korrespondenz zur Geschichte der deutschen Arbeiterbewegung (IWK), Heft 1
Siegel, Tilla (1993, im Erscheinen): Das ist nur rational - Ein Essay zur Logik der sozialen Rationalisierung, in: Dagmar Reese u. a. (Hg.): Rationale Beziehungen? Geschlechterverhältnisse im Rationalisierungsprozeß, Frankfurt a. M.
Siegel, Tilla; Thomas v. Freyberg (1991): Industrielle Rationalisierung unter dem Nationalsozialismus, Frankfurt/New York
Sinclair, Upton (1985): Am Fließband. Mr. Ford und sein Knecht Shutt, Reinbek bei Hamburg
Stiegler, Barbara (1990): Gewerblich-technische Berufe. Männerberufe - Berufe für Frauen?, in: Offene Frauenhochschule, Dokumentation 190, Gesamthochschule Kassel
Taylor, Frederick W. (1977): Die Grundsätze wissenschaftlicher Betriebsführung, Weinheim/Basel

Teubner, Ulrike (1984): Zur Frage der Aneignung von Technik und Natur durch Frauen - Oder der Versuch, gegen die Dichotomien zu denken, in: Materialienband 1, Vorträge aus der Frankfurter Frauenschule, Facetten feministischer Theoriebildung, Frankfurt a. M.

Teubner, Ulrike (1989): Neue Berufe für Frauen. Modelle zur Überwindung der Geschlechterhierarchie in der Erwerbsarbeit, Frankfurt/New York

Van de Velde, Theodor (1933): Die vollwertige Gattin. Anleitungen für die Frau und ihre Helfer, Dresden

Wittke, Volker (1990): Systemische Rationalisierung - zur Analyse aktueller Umbruchprozesse in der industriellen Produktion, in: Jörg Bergstermann; Ruth Brandherm-Böhmker (Hg.): Systemische Rationalisierung als sozialer Prozeß, Bonn

Empirie Ost

Weibliche Wendeerfahrungen "oben" und "unten"

Irene Dölling

Von zwei Frauen und ihren Tagebuchaufzeichnungen, die sie im Herbst 1990 machten, soll in diesem Beitrag die Rede sein. Beide Frauen gehören derselben Generation an - sie sind 1990 48 bzw. 49 Jahre alt, beider Kindheit ist durch Kriegs- und Nachkriegsjahre geprägt, beide haben 40 Jahre DDR als individuelle weibliche Biografie gelebt und erlebt, beide haben zwei Kinder geboren, die jetzt im Erwachsenenalter sind. Ihr Leben in der DDR haben sie allerdings aus unterschiedlicher Position und Perspektive gestaltet. Anna Schneider, deren Eltern und Großeltern Arbeiter und Arbeiterinnen ohne Berufsausbildung waren, hat nach der mittleren Reife erst einen Fachschul- , dann einen Universitätsabschluß in Pädagogik erworben und danach promoviert, sie hat nach der Tätigkeit als Lehrerin als Schulinspektorin und als stellvertretende Kreisschulrätin gearbeitet.

Gisela Tarnow hat nach der 8. Klasse einen Facharbeiterbrief erworben, sie ist gelernte Konditorin und hat lange Jahre in einer großen Bäckerei gearbeitet. Noch vor der Wende hat sie eine Arbeit als Kassiererin in einem Kino aufgenommen. Ihre Eltern waren Kaufmann bzw. Hausfrau. Sie selbst ist im Arbeiter- und Bauernstaat ihr Leben lang Arbeiterin geblieben.

Beide Frauen haben ihre Tagebücher nach einem Aufruf in einer ostdeutschen Tageszeitung geschrieben, in dem nach Frauen und Männern gesucht wurde, die bereit wären, für drei Monate die Veränderungen ihres Alltags in der Zeit zwischen Währungsunion und ersten gesamtdeutschen Wahlen festzuhalten und ihre Aufzeichnungen für ein Forschungsprojekt zur Verfügung zu stellen.[1]

Die Fragen, denen ich im Durcharbeiten der beiden Tagebücher nachgehen möchte, lauten:
- Wie nehmen die beiden Frauen aus ihrer jeweiligen sozialen Perspektive die "Wende" wahr? Was wird ihnen dabei zum Problem, wie antizipieren sie ihren Platz in der neuen Gesellschaft?
- Welche Rolle spielt dabei ihre Geschlechtszugehörigkeit? Sind ihre Wendeerfahrungen eher durch ihre soziale oder durch ihre Geschlechterposition bestimmt, sind es in erster Linie soziale oder Geschlechterordnungen (oder eine Mischung aus beiden), mittels derer sie ihrer bisherigen und neuen Position im sozialen Raum Bedeutung geben?
- Gibt es in ihren Wahrnehmungs- und Deutungsmustern Gemeinsamkeiten, die aus ihrer Zugehörigkeit zu einer Frauengeneration bzw.

- vermittelt darüber - aus Besonderheiten des Patriarchalismus in der staatssozialistischen DDR herrühren?

Ich kann hier nur eine erste Annäherung an die Beantwortung dieser Fragen versuchen und ich werde dabei auf der Analyseebene individueller, konkreter Zeugnisse bleiben.

Die Beschränkung der Analyse auf den individuellen Fall heißt natürlich nicht, daß sie theoretisch voraussetzungslos ist. Für mich sind dies - nicht nur, aber vor allem - folgende Voraussetzungen, deren konzeptionsbildende Wirkung in diesem Text nur im Groben angedeutet werden kann:

1. *Bourdieus* Konzept des sozialen Raumes. Diesem Konzept entnehme ich Anregungen dafür, den Ort und die Chancen der Tagebuchschreiberinnen in der DDR-Gesellschaft zu beschreiben. Die individuelle Verfügung über Kapitalsorten im Zusammenhang aller Kapitalien und insbesondere die Nähe oder Ferne zum politischen Kapital, das *Bourdieu* für die staatssozialistischen Gesellschaften als ein entscheidendes Differenzmuster ansieht[2] (*Bourdieu* 1991), erschließen Zusammmenhänge zwischen Biografie und sozialer Geschichte[3]. Über *Bourdieu* hinausgehend wäre hier nach geschlechtsspezifischen Dimensionen der Verfügung über Kapitalsorten zu fragen[4].
2. Der Habitusbegriff, den *Bourdieu* komplementär zum sozialen Raum entwickelt. Dieser Begriff ermöglicht es, den Bedeutungen auf die Spur zu kommen, die die agierenden Subjekte (die Tagebuchschreiberinnen) den Bedingungen und Praktiken zuschreiben, die ihnen auf Grund ihrer Position in einem sozialen Raum zugänglich sind. Dabei wird nachvollziehbar, welche Bedeutungen symbolische Geschlechterordnungen für die Wahrnehmung und Bewertung der eigenen sozialen Position in einem hierarchisch strukturierten sozialen Raum haben (und umgekehrt). Ich gehe dabei davon aus, daß im modus operandi des Habitus die Wahrnehmungs- und Wertungsschemata, in denen die symbolische soziale und Geschlechterordnung individuelle Gestalt angenommen haben, nicht nebeneinander existieren[5]. Sozialer (Klassen-) und Geschlechtshabitus sind praktisch nicht voneinander zu trennen - sie verweisen aufeinander, stehen wechselseitig füreinander; je nach individueller Situation und Konstellation in den Kräfteverhältnissen des sozialen Raumes kann der eine gegenüber dem anderen dominieren usw.[6].
3. Die Methode der objektiven Hermeneutik. Sie ermöglicht es, in einer Feinanalyse der Texte habituelle Wahrnehmungs- und Deutungsschemata aufzufinden und dabei in der Diskrepanz zwischen subjektiv intentional repräsentierten Bedeutungen und latenten Sinnstrukturen die Wirkungen von symbolischen und Geschlechterordnungen in den individuellen *modi operandi* zu entschlüsseln[7].

Als ich mich in Gedanken auf das Schreiben dieses Beitrages vorbereitete, kam mir die schon kurz nach der Wende geprägte, seither stereotyp verwendete Formulierung in den Sinn: "Frauen sind die Verliererinnen der deutschen Einheit". Ich will hier nicht weiter der Frage nachgehen, warum gerade ostdeutsche frauenbewegte Politikerinnen und Wissenschaftlerinnen so häufig und gern diesen Slogan gebrauchen, in dem festgeschrieben ist, daß Frauen (d.h. alle Frauen) Verliererinnen sind. Und ich will mit dem Aufzeigen von Differenzen und Ungleichheiten zwischen Anna Schneider und Gisela Tarnow selbstverständlich nicht den Slogan von den Frauen als den notorischen Verliererinnen widerlegen, weil bekanntlich der Hinweis auf wirkliche Unterschiede die Wahrheit und Wirkmächtigkeit von kulturellen Konstruktionen nicht außer Kraft setzt. Ich möchte lediglich fragen, ob das Muster von den Frauen als den Opfern/Ohnmächtigen, das in dem Satz von den Frauen als den Verliererinnen der deutschen Einheit aufscheint, auch als Denkmuster bei Anna Schneider und Gisela Tarnow zu finden ist.

Nun zu den beiden Tagebüchern.

1 "Es bleibt nichts, aber auch nichts von der DDR übrig"

Dieser Satz steht im Tagebuch der Arbeiterin Gisela Tarnow und das darin formulierte Gefühl eines Verlustes zieht sich leitmotivisch durch ihren ganzen Text. Diesem Gefühl, gemischt mit Wut und Trauer, gibt sie immer wieder sehr offen, mit deutlicher, affektgeladener Sprache Ausdruck:

"Ich hasse es, daß alles so gekommen ist, ich verfluche Deutschland, das Deutschlandlied. Ich bin nicht stolz, Deutsche zu sein."

"Es ist also nicht nur das politische System, was kaputt gegangen ist, nein, ich habe auch das Gefühl, meine Heimat geht mir verloren. Das habe ich nie so empfunden wie jetzt. Ich muß schon wieder heulen, verdammte Scheiße."

"Für mich ist es [der 3. Oktober 1990] auch ein Begräbnis, wie Gysi gesagt haben soll."

"Manchmal denke ich, warum bin ich so traurig, daß wir bald keine DDR mehr sind."

Gisela Tarnow war nie Mitglied einer Partei, ihrem Tagebuch ist nicht zu entnehmen, daß sie - über Arbeit und Familie hinaus - sich in anderen Bereichen aktiv betätigt, engagiert hat. Der Verlust, den sie in dem Verschwinden der DDR betrauert, bezieht sich auf Lebensbedingungen, Werte und Beziehungen, die bisher ihren Alltag selbstverständlich prägten und ihr das Gefühl von Sicherheit und Perspektive gaben.

"Nein, ich bin froh, daß ich nicht noch 20 Arbeitsjahre vor mir habe ... Als ich aus meinem Beruf raus bin, hatte ich vor, als Verkäuferin in der Kinderabteilung zu arbeiten. Ich wollte mir im Kino nur das Gefühl fürs Geld erarbeiten. Aber ich habe keine Lust mehr. Es wird ja alles privat. Im Kino sind wir sowas wie eine kleine Brigade, noch, mal sehen, wie lange wir uns so halten können. Ich denke jedenfalls, das wird meine letzte Arbeit sein."

Gisela Tarnow war, wie die meisten Frauen in der DDR, ihr Leben lang voll berufstätig. "Ich habe immer gern gearbeitet in "meinem" Betrieb, egal, wo es war".

Dabei waren es wohl vor allem die sozialen Kontakte, die "Kollektivbeziehungen", die ihr in der Arbeit wichtig waren, weniger die konkreten Inhalte ihrer Tätigkeit. "Berufliche Karriere" ist ihr, wie sie in ihrem Fragebogen angibt, kein Wert. Als Konditorin hat sie nicht viel verdient, ihr derzeitiges Einkommen als Kassiererin gibt sie mit 950.- DM (brutto) an und sie bezeichnet ihre materielle Situation als gut. Geld und materielle Sicherheit waren ihr, jedenfalls bis Juni 1990, laut Fragebogen kein wichtiger Wert. Mit 34 Jahren, als ihre Kinder 6 und 12 Jahre alt waren, hat sie sich scheiden lassen. Seither lebt sie allein und hat ihre Kinder mit ihrem Einkommen und einer - in der DDR relativ niedrigen - Alimente großgezogen. Vermutlich lag die monatliche Summe, über die sie für drei Personen verfügen konnte, zu DDR-Zeiten unter 1000.- M netto. Große Sprünge hat sie damit nicht machen können, sie verfügt weder über Auto noch Gartengrundstück und die Mitteilung, daß sie sich nun ein Sparbuch neben dem Gehaltskonto angelegt und "gleich 2000.- DM von meinem Konto eingezahlt" habe, ergänzt sie, daß damit das Konto auch "fast leer" sei.

Auf Grund ihrer niedrigen beruflichen Position und ihres Status als alleinerziehende Mutter verfügt sie über wenig ökonomisches Kapital, gering sind sowohl ihr kulturelles als auch ihr soziales Kapital, das sie auch nicht durch eine Parteimitgliedschaft "aufgebessert" hat (was in ihrer Position im sozialen Raum der DDR auch kaum möglich gewesen wäre). Dieses geringe Kapitalvolumen hat den Zugang ihrer Kinder zu höherem kulturellen Kapital allerdings nicht negativ beeinflußt: Beide haben die Hochschulreife erworben und beide studieren (die 27jährige Tochter in einem Fernstudium). Mehr als um sich selbst sorgt sich Gisela Tarnow auch darum, daß beide es schaffen, ihr Studium erfolgreich abzuschließen.

"Unsere Kinder werden, wenn sie Arbeit haben, sich einen gewissen Wohlstand leisten, es wird jetzt nur noch Geld gemacht, weiter nichts."

In der Ablehnung eines dominanten Interesses am Geld steckt auch ein Hinweis auf die Wahrnehmung der eigenen Position. An einer anderen Stelle gibt sie ihrer schlechten Laune darüber Ausdruck, daß ihre Kinder trotz guten Verdienstes Geld bei ihr borgen, ständig neue Dinge kaufen, statt ihre Schulden bei ihr abzuzahlen, und konstatiert:

"Ich merke schon, bei mir ist es auch das Geld. Bloß wenn man nichts hat, und gerade vor Weihnachten könnte man es gut gebrauchen."

Ihre mehrfach bedingte Position "unten" - in der beruflichen Hierarchie, im Lebensstandard, als geschiedene Frau und alleinversorgende Mutter - hat sie bislang mit dem Muster der Bescheidenheit, des Zufriedenseins mit dem "kleinen Glück", um das mühsam, aber ehrlich gerungen wird, "verarbeitet". Es dient ihr auch in den Wendezeiten dazu, mit dem größer und

Weibliche Wendeerfahrungen "oben" und "unten"

verlockender werdenden Angeboten fertigzuwerden und es zugleich als Tugend dem "Konsumrausch" aller anderen, ihrem "hemmungslosen" Über-die-Verhältnisse-Leben, moralisch entgegenzuhalten.

"Ich komme eben vom Einkaufen. Zwei ältere Herrschaften unterhielten sich über die teuren Lebensmittel, und daß sich ihre Kinder diese von "drüben" holen. Auch von Bekannten habe ich festgestellt, daß sie jetzt mehr ausgeben.
Ich finde das nicht. Ich habe auch früher nicht im Delikatladen einkaufen können, war bloß manchmal wütend, wenn es beim Fleischer keinen gekochten oder rohen Schinken gab. Jetzt ist das Angebot überall größer und die Leute kaufen wie verrückt. Ich lebe ganz normal weiter ohne Langneseeis, Nutella, Merci, Weißer Riese, die verschiedenen Joghurts usw. Ich versuche, unsere Produkte zu kaufen und hoffe bloß, daß sie nicht ganz untergehen."

Während sie ihren Ärger darüber andeutet, daß es in den normalen Läden zu DDR-Zeiten keinen Schinken gab, konstatiert sie ohne Wertung die Existenz von Sonderläden oder - an anderer Stelle - den Wahnsinnspreis von 5200.- M für einen Farbfernseher der DDR-Produktion, von dem sie seit Jahren träumte.

"Damals wollte ich ihn mir auf Abzahlung kaufen, da hätte ich ganz schön lange dran geknabbert."

Zwar weiß sie um eine bestehende Ungleichheit - andere konnten sich ja sehr wohl den Einkauf im Delikatladen und einen Farbfernseher japanischer Produktion für ca 8000.- M leisten. Aber in ihrer Alltagswelt war davon unmittelbar nicht allzuviel zu merken. Sie war als Kind ihrer Generation an Mangel gewöhnt und zufrieden mit kleinen Verbesserungen. Und auch die Tatsache, daß ihre Kinder als VertreterInnen der nachgeborenen Generation längst andere Ansprüche hatten, konnte in der Tristesse des ihnen zugänglichen Einheitskonsums verdeckt werden. Nun wird Gisela Tarnow mit Veränderungen in ihrem Alltag konfrontiert, die ihr - vielleicht zum ersten Mal, auf jeden Fall in aller Schärfe - deutlich machen, daß sie nach einem langen Arbeitsleben über nichts verfügt, was ihr das Leben in der neuen Gesellschaft erleichtern könnte: kaum Ersparnisse, kein Eigentum, keine hohen Rentenansprüche, kein jugendliches Alter und auch keinen Partner/ Ehemann.

"Was habe ich denn sonst als meine Kinder".

Das Fehlen eines Partners war ihr - so klingt es im Tagebuch an - in den langen Jahren nach der Scheidung ein individuelles Problem - jetzt bekommt dieser Mangel plötzlich eine neue Dimension. Nicht ohne Ironie schreibt sie:

"Fein, heute steht in der 'Volksstimme', daß sich jeder 'durchschnittliche DDR-Bürger' seine Mietwohnung kaufen könne.
Da muß ich mir noch schnell jemanden anlachen, damit ich ein Einkommen von 1600 DM habe. Und wenn ich davon jeden Monat 400.- DM bezahle, gehört mir die Wohnung in 28 Jahren. Toll, dann bin ich 77! Dann warten meine Kinder darauf, daß ich sie ihnen vererbe. Schöne Aussichten."

Schlechte Bezahlung in einer unqualifizierten, Frauen vorbehaltenen Tätigkeit, Alter und die geschlechtsspezifische Benachteiligung als geschiedene Frau bündeln sich für Gisela Tarnow zu Faktoren, die sie in einer für sie bisher unbekannten, massive Ängste auslösenden Weise auf einen Platz "unten" verweisen und ihre Identität auszulöschen drohen. In Formulierungen wie "Die Aasgeier sitzen drüben schon auf der Lauer, um über uns herzufallen", bannt sie diese Bedrohung. In ihrer Not identifiziert sie sich mit der DDR, die als die Schwächere der Partner bei dieser Vereinigung unterliegt, vereinnahmt wird (und sie identifiziert sich analog diesem Muster auch mit den Linken bzw. mit der PDS oder mit den Asozialen, um die sich jetzt keiner mehr kümmert). Mit der Mehrheitsentscheidung der DDR-BürgerInnen für die Vereinigung wird mit dem Staat DDR auch ihre eigene, bescheidene, aber sichere Existenz geopfert. Mit diesem Wahrnehmungs- und Deutungsmuster verschiebt sie die erfahrenen Ungerechtigkeiten in der DDR, alles Böse und Kritikwürdige auf "die drüben" und drängt Informationen über geschehenes Unrecht in der DDR, über die Stasi beiseite.

"Was soll man von der ganzen Sache halten? Die nichts davon hören wollen, so wie ich oder Anita, verdrängen wir damit wirklich eine scheußliche Zeit? Ich weiß überhaupt nichts mehr ... Und die Stasi hat ihrs dazu getan, [daß es mit unserem Staat abwärts gegangen ist], ob es notwendig war oder nicht, kann ich nicht einschätzen."

Individuell verbleibt sie - zumindest in dieser Umbruchszeit - im Zustand einer lähmenden Traurigkeit, die sich in Depressionen, dem häufigen Bedürfnis, allein oder mit der Freundin Anita zu heulen, und in Schlaflosigkeit äußert. In ihrem ganzen Fühlen, Wahrnehmen, Denken ist sie stark rückwärts gewandt, klammert sie sich wie eine Ertrinkende an die Hoffnung, daß ihr eine Brigade-Nische im Kino bleibt, daß sie weiter DDR-Produkte kaufen kann[8]. Ihre Form von Widerstand gegen das, was mit ihr in diesen Umbruchszeiten geschieht, hat eine nach innen gerichtete, selbstdestruktive Tendenz. Das Gefühl, im Zirkel der Wiederholung eingeschlossen zu bleiben artikuliert sie selbst, allerdings kann sie es nicht auf sich selbst beziehen.

"Fast kriegt man das Gefühl, es wiederholt sich alles. Unsere Eltern waren Nazis, der Opa und Onkel Kurt waren in der SPD, Tante Hedwig KPD, Onkel Arno SA. Oh Gott."

Sie stellt sich damit in einen geschichtlichen Zusammenhang, sieht eine wichtige Aufgabe für sich darin, festzuhalten, was die DDR war, um den Enkeln später Auskunft geben zu können, "warum das alles so war". Auch hier ist für sie die Opferperspektive wieder die dominierende.

"Eines Tages werden nur die Enkel fragen, warum habt Ihr Euch das alles gefallen lassen."

In der affektgeladenen, hilflosen Ablehnung all dessen, was ihr "von denen drüben" aufgezwungen wird, artikuliert sich auch die verdrängte Erinnerung an die lebenslang erfahrene Ungerechtigkeit, von den Entscheidungen anderer abhängig, unbeeinflußbaren Mächten ausgeliefert zu sein und sich mit diesen Tatsachen arrangieren zu müssen. In Formulierungen wie "es gibt

Weibliche Wendeerfahrungen "oben" und "unten" 107

Schlimmeres", "was solls", "bis dahin habe ich mich an den ganzen Quatsch gewöhnt" bannt und befriedet Gisela Tarnow ihre Erfahrungen "unten". Dem korrespondiert in ihrem Habitus, wie eine Feinanalyse von Textsequenzen zutage förderte, eine ziemlich strikte und rigide Übernahme traditionaler Geschlechterrollen und kultureller Normen von Ehe und Mutterschaft[9].

2 "DDR passé?" - Abschied nach vorn!

Unter diesem Motto steht eine Podiumsdiskussion mit Vertretern verschiedener Parteien, die Anna Schneider am Abend der deutsch-deutschen Vereinigung besucht. Ein energisches "Abschied nach vorn!" könnte auch der Leitspruch sein, mit dem sie ihr eigenes Leben nach der Wende in den Griff zu bekommen sucht. Anna Schneider hat es in der DDR ziemlich weit gebracht. Die Tochter und Enkelin von ArbeiterInnen verfügt über hohe Bildungsabschlüsse und einen Doktortitel, sie ist in zweiter Ehe verheiratet mit einem Hochschullehrer, der im Herbst 1990 noch an der großen Hochschule ihres Heimatortes angestellt ist, aber bereits auf dem Absprung zu einer Tätigkeit in einem neugegründeten Marketing Club ist. Anna Schneider hat einige Jahre als Lehrerin gearbeitet, wurde dann - sicher auch begünstigt durch ihre Mitgliedschaft in der SED - stellvertretende Schuldirektorin, stieg weiter auf zur Schulinspektorin und zur ersten Stellvertreterin des Kreisschulrates. Nach einem einjährigen Aufenthalt an einer Universität in Äthiopien, der vermutlich durch ihren Mann zustande kam, arbeitete sie ab 1989 zunächst als "Schulberater", seit Herbst 1990 ist sie verantwortlich für sonderpädagogische Einrichtungen und den Haushalt im Schulamt. "Berufliche Karriere" kreuzt sie im Fragebogen als wichtigen Wert an.

Anna Schneider verfügt über ein hohes kulturelles Kapital, das ihr durch die Kombination mit politischem Kapital Zugang zu mittleren Leitungsebenen, vor allem aber die Kenntnis von strukturellen Zusammenhängen, Institutionen und Amtsträgern verschafft hat. Zwar weist ihr Aufstieg geschlechtsspezifische Züge auf - über den Frauenberuf Lehrerin, immer als Stellvertreterin der männlichen Leiter, in der mühseligen "Tippel-Tappel-Tour" der kleinen Schritte in der Qualifizierung vom Abschluß der mittleren Reife bis zur "Frau Doktor" - , aber in ihrer mittelstädtischen Provinz war sie als Repräsentantin von Behörde und mächtiger Partei durchaus "wer". Zwar hat sie nicht übermäßig viel verdient - sie gibt ihr Einkommen mit 1300.- M an (vermutlich netto), das nach der Währungsunion auf 3200.- DM brutto steigt, aber zusammen mit dem Einkommen ihres Mannes hat das durchaus für einen gewissen Wohlstand gereicht. Sie besitzen ein Wochenendgrundstück, machen in Tirol Urlaub, während Tochter Karla einen "Trip durch Europa" unternimmt, und sie realisieren im Herbst 1990 den Kauf eines neuen Autos. Die Marke - ein "Opel Kadett 1.4 mit Stufenheck" - wie der Hinweis, daß sie lieber einen BMW gehabt hätten, dieser aber zu teuer sei, signalisieren, daß sich Anna Schneider mit ihrem Mann einer oberen

Mittellage zuordnet. Und das ist das Ergebnis gleichermaßen ihrer beider Arbeit. Es gibt im Tagebuch keinerlei Hinweise darauf, daß Anna Schneider die Arbeit bzw. den Beruf ihres Mannes höher bewertet als ihre eigene Tätigkeit; gleichberechtigt ist offenbar auch ihre häusliche Arbeitsteilung: Es gibt zwischen ihnen eine relativ feste, gut funktionierende Funktionsteilung (sie wäscht und macht sauber, er kocht das Essen), in der beide aber auch flexibel die Arbeiten des jeweils anderen übernehmen (können). In Formulierungen wie "Ingo fordert nun auch sein Recht, schließlich wartete er auf uns" bzw. in Beschreibungen von häuslichen Szenen, in denen ihr Mann vor dem Fernseher sitzt und sie Hausarbeit verrichtet oder in denen sie trotz starker Erkältung bzw. nach einem Autounfall fortlaufend im Haushalt rotiert und trotz eigener hoher Arbeitsbelastung für den Mann etwas auf der Maschine tippt und für die Tochter Bewerbungsunterlagen zusammenstellt, wird allerdings die Asymmetrie dieser Arbeitsteilung und ihre stillschweigende Akzeptanz traditionaler "weiblicher Verantwortung" für das Häusliche und die Familie deutlich.

Die Wende bedeutet einen Einschnitt in Anna Schneiders Karriere. Ihr politisches Kapital wird entwertet, ihre berufliche Perspektive (wie auch die ihres Mannes an der Hochschule) wird unsicher. Von ihren Ängsten erfahren wir aus ihrem Tagebuch wenig, auch nichts darüber, wie sie persönlich mit ihrer Vergangenheit konfrontiert wird und sich selbst mit ihr konfrontiert. Ihr ganzer Schreibstil ist sachlich, distanziert, kontrolliert, kaum sagt sie etwas direkt über sich selbst. So notiert sie über ein Gespräch mit der stellvertretenden Direktorin der Kreisvolkshochschule nicht die Inhalte, sondern:

"Sie ist sehr aufgeschlossen und erzählt emotional über ihre Schwierigkeiten bei der Übernahme dieser Aufgabe."

Ob sie diese sachliche, Emotionen abwehrende Art auf ihrem langen stufenweisen Aufstieg erworben hat bzw. wie hier individuelle psychische Disposition und Normendruck in der dünnen Luft in einem durch Männerdominanz und strikte Parteidisziplin gekennzeichneten Feld zusammenspielen, vermag ich nicht zu sagen. Zu vermuten ist aber, daß Anna Schneider diese Persönlichkeitsstrukturen schon früher erworben hat und diese es ihr nun erleichtern, eine Barriere des Schweigens und Verdrängens zwischen sich und alles, was an "früher" erinnert, zu schieben. In mehrmals auftauchenden Berichten über Nachwirkungen der Vergangenheit steht sie wie eine unbeteiligte Beobachterin daneben, sie gibt auch in der Wiedergabe solcher Ereignisse nicht zu erkennen, inwieweit sie dies betrifft.

"Wir setzen uns auf eine Parkbank und tauschen Meinungen zu unserer Arbeit aus. Frau Sch. spricht Vermutungen über ihren Chef aus. Sie versteht nicht, daß er so einfach Fachberater für Gesellschaftskunde ist (er ernannte sich selbst), Gesellschaftskunde erteilt und nun auch zum Thema 'Des Deutschen Vaterland' eine Weiterbildung durchführt, obwohl er ja vorher auch u.a. das Fach Staatsbürgerkunde führte." [Ende der Sequenz].

"Die DSU hat einen Antrag zur Überprüfung aller ehemaligen SED-Mitglieder, die als Direktoren ernannt wurden, eingebracht. Herr M. [er ist Kreisschulrat] zeigt sich sichtlich erregt und versteht diese Art und Weise nicht. Er fühlt sich persönlich angegriffen."

Die relative Häufigkeit solcher Erzählungen in ihrem Tagebuch ist ein Hinweis darauf, daß Anna Schneider mit ihren massiven Ängsten, auf die Vergangenheit hin angesprochen zu werden, beruflich ins Abseits zu geraten und von der Karriereleiter herunterzupurzeln, nur fertig wird, indem sie sie von sich abspaltet und auf andere verschiebt.

Denn die Wende hat für Anna Schneider nicht das Ende ihrer Karriere, sondern einen Einschnitt in sie bedeutet. Sie hat zwar einen Verlust in ihrer Position im Schulamt hinnehmen müssen, aber sie ist (zunächst einmal) in diese Behörde übernommen und mit neuen, wichtigen Aufgaben betraut worden. Ihre Kenntnis von Strukturen und Leuten, ihre Sachkompetenz und ihre Bereitschaft, sich auf Neues einzustellen, kommen ihr zugute und machen sie auch in den Augen "der Neuen" zu einer brauchbaren Mitarbeiterin. Ihre in langjährigen Stellvertreterfunktionen geübte und honorierte "weibliche" Fähigkeit, fleißig und unverdrossen, mit großem Organisations- und Improvisationstalent die Kleinarbeit zu machen, Material zu sammeln und Beschlußvorlagen zu erarbeiten, macht sich auch unter den neuen Bedingungen bezahlt.

"Ich informiere zum Stand der 'Schule für Praktisch Bildbare'. Außerdem erläutere ich noch das Vorgehen bei den neuen Personalratswahlen nach dem BRD-Gesetz."

- so und ähnlich lauten die zahlreichen Berichte über ihre Arbeitsaufgaben in ihrem Tagebuch. Sie fühlt sich durch ihre Kompetenzen und ihre effektive Arbeit quasi legitimiert, auch nach der Wende weiter in der Schulbehörde zu arbeiten. Umso härter trifft sie die Mitteilung des Landrates,

"daß ich nun doch noch aus dem Schulamt heraus solle. Die Koalitionsparteien würden die Forderungen verstärken. Ich solle nicht entlassen, sondern ausgetauscht werden. Man will jemand für meine Tätigkeit finden, dann soll ich die andere übernehmen. Ich weiß nicht, wie das gehen soll."

Und in der für sie charakteristischen Art der Distanziertheit und Verschiebung fährt sie fort:

"Auch die Vorschulreferentin und der Referatsleiter Personal sind davon betroffen. Meine Kollegen verstehen dieses nun nicht mehr. Denn wir haben ja die Zusage, ab 1.9.90, nach dem Abschluß der Bewerbungen, hier arbeiten zu können. Ich räumte meinen Platz und übernahm zwei neue Aufgabengebiete. nun geht die Unsicherheit wieder los."

Unsicher ist Anna Schneider nur in bezug auf die künftige Arbeitsstelle, nicht bezüglich ihres legitimen Anspruchs, entsprechend ihrer Qualifikation beschäftigt zu werden. Als ihr mitgeteilt wird, daß sie innerhalb der nächsten 6 Monate aus dem Schulamt ausscheiden soll und ihr angeboten wird, zunächst als Vertretung in einer Schule als Lehrerin zu arbeiten, nimmt sie dies - obwohl sie eigentlich stark überlastet ist - sofort an, ohne dies in den

Tagebuchnotizen auch nur andeutungsweise als Abstieg zu werten. Sie notiert:

"Ich setze mich über meine Arbeitsmaterialien und bereite die Unterrichtsstunden für morgen vor. Denn morgen bin ich wieder Lehrer. Etwas gespannt und aufgeregt bin ich."

Die Erfahrungen eines Einschnitts, nicht des Endes der Karriere, hat für Anna Schneider noch eine andere Dimension: Ihren "Abschied nach vorn" hat sie keineswegs mit dem Austritt aus der Partei verbunden. Sie ist - wie ihr Mann auch - nun Mitglied der PDS, und sie vertritt diese Partei im Kreistag und in der Stadtverordnetenversammlung. Obwohl nun in einer nicht gerade anerkannten und geachteten Oppositionspartei, hat sie es auf diese Weise geschafft, in dem Feld zu bleiben, in dem politisches und soziales Kapital den größten Wert darstellen und in dem sie sich auch mit ihren Abschlüssen und ihrem Titel am rechten Ort fühlt. Wie im beruflichen Feld versucht sie auch hier, durch emsige und kompetente Arbeit in verschiedenen Ausschüssen, durch das Einbringen von Anträgen usw. einen Trennungsstrich zwischen früher und heute zu ziehen und gleichzeitig Kontinuität zu wahren. Ihre Partei will sie behandelt wissen wie alle anderen auch und mit diesem Verständnis kann sie auch Angriffe und Intoleranz als unsachlich, undemokratisch usw. abwehren - und zugleich auch die Verbindungen zur Vergangenheit.

"Die DSU kommt noch zum Schluß mit einem Antrag an, der die PDS auffordert, ihr Vermögen offenzulegen. Ich bin dafür, wenn es alle Parteien tun. Ich sage meinen Standpunkt und beziehe mich auf Artikel 21 des Grundgesetzes, welches ja nun auch bei uns gilt."

Ihr Verhältnis zur PDS - und vermutlich auch ihr früheres Verhältnis zur SED - scheint das eines Kosten-Nutzen-Verhältnisses zu sein.

"Leider gab mir die 'Aktuelle Kamera' den Rest. Der PDS-Finanzskandal hat mich geschafft. Da rackert man an der Basis und als Abgeordneter, gibt möglichst keinen Anlaß zu partei-politischem Händel, aber 'die da oben' scheinen die Zeichen der Zeit nicht recht zu verstehen. Mir reicht es, am besten wir distanzieren uns, sollte ich austreten?"

Aber den liebgewordenen öffentlichen Aktionsradius kann sie nur in der PDS behalten, und so steht sie am Ende "noch zur Sache".

Das Ende der DDR ist für sie kein Anlaß zur Trauer oder zu einem Rückblick. Den Besuch der Podiumsdiskussion am "Tag der deutschen Einheit" erwähnt sie so sachlich-berichtend wie alles andere, was in dieser Zeit in ihrem beruflichen und politischen Umfeld passiert. Die Tatsache, daß sie um Mitternacht von Raketenböllern geweckt wird, konstatiert sie mit dem Satz:

"Man feiert die Einheit lautstark."

Mit einem enormen Einsatz an Zeit und Kraft hat sie es geschafft, aus ihrer Arbeiterherkunftsfamilie in die politisch aktive Intelligenz aufzusteigen. Sie hat ihre neue Position durch die Ehe mit einem zur Intelligenzschicht gehörenden, ihre politischen Auffassungen teilenden Mann gestärkt. Ihr hoher Einsatz ist mit Erfolg belohnt worden und wie viele erfolgreiche Frauen - verstärkt durch die Erfahrung einer relativ egalitären Partnerschaft - zieht sie daraus Stärke und Vertrauen in ihre Kraft und Kompetenz.

"Es ergibt sich für mich die Möglichkeit, 10 Stunden Deutsch in N. nach den Herbstferien zu unterrichten. Das werde ich anpacken. Je eher um so besser! Dann kann ich sagen, wann ich gehe und bin nicht auf andere angewiesen."

Und wie viele Frauen, denen ein sozialer oder beruflicher Aufstieg gelungen ist, rechnet sie sich diesen Erfolg vor allem selbst zu und hat kein Gespür für ihre Ausnahmesituation in einer männlich dominierten und patriarchalisch strukturierten Welt. Sie gehört zu den Starken und im Verhältnis dazu ist ihre Geschlechtszugehörigkeit für sie zweitrangig. Zu ihrem Erfahrungs- und Verhaltensrepertoire gehört das Verlieren nicht - und entsprechend auch nicht ein Identifizieren mit den Schwächeren, Unterlegenen. Anna Schneider hat die in der DDR gegebenen Möglichkeiten für die Befriedigung ihres Ehrgeizes genutzt und mit dem dabei aufgehäuften kulturellen und sozialen Kapital - gekoppelt mit dem "weiblichen" Vermögen, beim Erklimmen höherer Stufen mit dem Platz in der zweiten Reihe und der Stellvertreterfunktion zufrieden zu sein - hat sie gute Voraussetzungen dafür, daß ihr der "Abschied nach vorn" gelingt. Mit dem Kauf des Opel, dem Besuch eines teuren Trainingskurses für Rollenverhalten, dem Interesse an Yoga, Weinsorten und Biokost übt sie den Lebensstil derjenigen, die sich eine Zukunft in der Mittellage geben.

3 Versuch eines vergleichenden Resumees

Ich möchte diesen Versuch eines Vergleichs auch der Vorläufigkeit wegen in Thesen formulieren.

1. Keine der beiden Frauen sagt in ihren Tagebuchaufzeichnungen explizit etwas zu ihrer Geschlechterposition bzw. zu ihrer Geschlechterrolle. Aber als latente Sinnstruktur ist die polare symbolische Geschlechterordnung unserer Kultur in ihren Wahrnehmungs- und Deutungsmustern wirksam. Abhängig davon, wie sich Beruf und daran geknüpfte Perspektive, Einkommen, Status als verheiratete bzw. geschiedene Frau, Verfügung über Kapitalsorten usw. miteinander verbinden, setzen sie in ihren Habitus die gängigen Muster einer hierarchischen Geschlechterordnung für die Bestimmung ihrer Position im sozialen Raum ein. Während für Gisela Tarnow das Muster, nach dem "Weiblich" mit Ohnmacht, Abhängigkeit, Schwäche, Opfer konnotiert wird, ihrer mehrfach determinierten Position "unten" angemessen Sinn gibt, distanziert sich Anna Schneider eher von solch einem Muster, das all das repräsentiert, was sie durch ihren erfolgreichen Aufstieg in eine höhere soziale Schicht und in Männerdomänen hinter sich gelassen hat. "Frauen

können es den Männern gleichtun, sie können genauso stark, leistungsfähig, erfolgreich usw. sein und dabei doch ganz Frau bleiben", wäre wohl eher die Form, in der Anna Schneider ihren Platz im sozialen Raum be-deutet und dabei gängige Muster von "Weiblichkeit" und "Männlichkeit" reproduziert. Vermutlich würde sich Gisela Tarnow zu den "Verliererinnen der deutschen Einheit" zählen, während dies bei Anna Schneider genauso schwer denkbar ist wie der Satz, mit dem Gisela Tarnow ihr Tagebuch beschließt: "Warten wir es ab!"
2. Beide Frauen waren ihr Leben lang berufstätig, beide haben - wie so viele in ihrer Generation - die propagierte Norm übernommen, nach der die Arbeit im Zentrum des Lebens steht. Zugleich bedeutet dies für beide Frauen Unterschiedliches und sie schauen auch auf unterschiedliche Resultate ihrer bisherigen Berufsarbeit zurück. Für Gisela Tarnow war die Arbeit - so gern sie sie vor allem wegen der sozialen Kontakte gemacht hat - auch immer existentielles Muß. Wie sonst hätte sie sich und ihre Kinder durchbringen sollen in einem Staat, der die Pflicht zur Arbeit auf seine Fahnen geschrieben hatte und deshalb auch Unterhaltszahlungen an geschiedene Frauen (mit Kindern) nicht vorsah. Die Bilanz, die sie in der Wendezeit zieht, fördert ein dürftiges Resultat zutage: Mit ihrer Berufsarbeit hat sie sich und ihren Kindern nicht mehr als das Lebensnotwendige gesichert, aber keine materiellen oder anderen Sicherheiten für die Zukunft. Worauf sie nach so vielen Arbeitsjahren zurückblicken kann, sind ihre Kinder als Produkte der spezifisch weiblichen Produktion, die außerhalb und neben der Berufsarbeit geleistet wird.
Anna Schneider hat als Resultat ihrer Berufsarbeit nicht nur einen gewissen materiellen Wohlstand aufzuweisen, sondern auch die Verfügung über Kapitalsorten, die sie ein offenes, optimistisches Verhältnis zu den gesellschaftlichen Veränderungen finden lassen.
Gisela Tarnow wie Anna Schneider haben die Norm der Vereinbarung von Beruf und Mutterschaft praktisch gelebt und sind dabei den Forderungen nach Leistung und Effektivität in beiden Bereichen nachgekommen. Ein Preis, den beide dafür gezahlt haben, ist ein verleugnendes, abwertendes Verhältnis zu ihrem Körper, zu ihren Gefühlen. Insbesondere Anna Schneider berichtet in ihrem Tagebuch mit einem durchaus positiven, stolzen Unterton, wie sie bei starker Erkältung, Erschöpfung oder nach einem Autounfall Schmerzen usw. ignoriert, ihren Körper zu Leistung zwingt. Bei Gisela Tarnow äußert sich dies mehr in einer abwehrenden Haltung gegenüber ihren Depressionen, Heulphasen u.ä. In den ihnen beiden gemeinsamen Zügen des selbstverleugnenden "weiblichen Sozialcharakters" scheinen aber auch die Unterschiede in ihrer sozialen Position auf. Bei Gisela Tarnow ist die vernachlässigende Haltung zu ihrem Körper und seinen Warnsignalen damit verkoppelt, daß sie sich aus finanziellen Gründen vieles von dem

Versagen muß, was eine Frau "weiblich" macht und womit sie sich nach gängigem Verständnis "als Frau" bestätigt.
"Habe mir früher nicht oft etwas geholt, bin jetzt auch sehr nachlässig", konstatiert sie im Anschluß an einen Bericht darüber, wie schick und teuer sich ihre Tochter nach der Währungsunion kleidet. In ihrer höheren Welt geht Anna Schneider einerseits rigider als Gisela Tarnow mit ihrem Körper um, um den männlichen Leistungsnormen Genüge zu tun, andererseits hat sie sowohl das Geld wie das Selbstverständnis, etwas für ihren Körper und seine "weibliche" Gestalt zu tun: In den häufig erwähnten Gängen zum Arzt, zum Friseur, in Konfektionsgeschäfte spricht sie auch die Bedeutung aus, die sie sich vermittelt über einen gesunden, gepflegten (auch leistungsfähigen, weniger genußfähigen[10]) Körper im sozialen Raum gibt.

3. Beiden Frauen gemeinsam ist die stillschweigende, selbstverständliche Akzeptanz traditionaler Muster von "Weiblichkeit", nach denen Frauen helfend und unterstützend für andere, insbesondere für die Familie da sind, für Beziehungen und eine harmonische Atmosphäre zuständig. Beide berichten unisono, wie sie sich um ihre Kinder, Mütter/Schwiegermütter sorgen, wie sie selbstlos für ihre bereits erwachsenen Kinder da sind (ihnen von ihrem knappen Geld borgen oder ihnen Bewerbungen schreiben und zur Post bringen) usw. Sie teilen damit eine Vorstellung der Mehrzahl der Frauen in der ehemaligen DDR, daß sie mit der Berufsarbeit die Verantwortung für die "private" Seite des Lebens behalten. Dieses traditionale Muster konnte sich in der DDR im Habitus der meisten Frauen quer durch alle sozialen Schichten nicht zuletzt deshalb so ungebrochen halten und reproduzieren, weil die patriarchalisch-paternalistische Struktur des politischen Systems auf die lebensweltlichen kulturellen Muster verstärkend wirkte (*Dölling* 1991). Zugleich bedeutet das gemeinsam geteilte traditionale Muster im Kontext seiner politisch-ideologischen Nutzung für die beiden Frauen entsprechend ihrer sozialen Position Unterschiedliches. Für Gisela Tarnow bedeutete die Akzeptanz dieses Musters praktisch Versorgungsleistungen, die fürsorgliche Garantie einer bescheidenen, abhängigen, aber sicheren Existenz durch "Vater Staat". Für Anna Schneider war das mit diesem Muster verkoppelte Postulat der Gleichberechtigung attraktiv, das ihr als Frau den sozialen Aufstieg erleichterte, den sie zudem als Resultat eigener Anstrengung erfahren konnte. Der Gewinn war die Ausweitung subjektiver Handlungsfähigkeit, der Preis die Verpflichtung zu einer stärkeren Identifikation und praktischen Verbindung mit dem politischen System des realen Sozialismus.

4. Beide Frauen verdrängen und verleugnen in diesen Wendezeiten Realität - unterschiedlich aus der Perspektive ihrer Position im alten und im sich neuformierenden sozialen Raum und beide tun dies unter Rückgriff auf Muster aus der symbolischen Ordnung einer Geschlechterhierarchie (Frauen als Opfer/ Verliererinnen, Frauen als das zweite Geschlecht).

Mit diesen Mustern reproduzieren und antizipieren sie aktiv, von sich aus, den Platz, den sie sich als Frauen in dem sich wandelnden sozialen Gefüge geben.

Anmerkungen

1. 55 Frauen und vier Männer haben uns ihre Tagebücher zugesandt. Die SchreiberInnen gehören allen Altersgruppen zwischen 16 und 63 Jahren an, sie verfügen mehrheitlich über ein hohes kulturelles Kapital und viele sind soziale AufsteigerInnen. Nicht zuletzt durch die Umstrukturierungen an den Universitäten und die damit verbundenen Unsicherheiten haben sich die Arbeiten am Forschungsprojekt verzögert, wir hoffen aber, 1993 Ergebnisse vorlegen und veröffentlichen zu können.
2. *Pierre Bourdieu* nimmt für staatssozialistische Gesellschaften die Existenz eines politischen Kapitals als Unterart des sozialen Kapitals an. Er versteht darunter eine Art Kapital, das seinen "Besitzern eine Form privater Aneignung öffentlicher Güter und Dienstleistungen (Wohnungen, Wagen, Krankenhäuser etc.) sichert" und das - an die Kinder "vererbt" - "zur Entstehung regelrechter politischer Dynastien führt, die große Mengen politischen, schulischen und selbst ökonomischen Kapitals akkumulieren". Er sieht in den Besitzern schulischen (kulturellen) Kapitals, die nicht zur politischen Nomenklatura gehören, diejenigen, "die am stärksten zur Ungeduld und zur Revolte gegen die Besitzer politischen Kapitals neigen" und am ehesten in der Lage sind, "die egalitären und meritokratischen Bekenntnisse der Nomenklatura ... gegen sie selber zu wenden". (*Bourdieu* 1991, 37 f.)
3. Topik und Dynamik des sozialen Raumes in historischer Dimension geben auch Aufschluß darüber, welche Prozesse, "Schlüsselereignisse" usw. lebensgeschichtlich wichtig werden konnten.
4. Zum Beispiel danach, wie die Verantwortung von Frauen für die häusliche Reproduktionsarbeit beeinflußt, welche Bedeutung ihr erworbenes kulturelles Kapital für sie selbst und für ihre Umwelt hat.
5. "Im Gesamten läßt sich also nicht von dem weiblichen und dem männlichen Habitus sprechen, sondern höchstens nur von den sozialen Lagen entsprechenden Habitus, die eine je unterschiedliche spezielle weibliche oder männliche Variante annehmen können." (*Erika Bock-Rosenthal* 1990, 38)
6. Und ich bin - ähnlich wie *Beate Krais* - nach kritischer Lektüre des *Bourdieu*schen Aufsatzes über "Männliche Herrschaft" der Meinung, daß der Habitus der Individuen in modernen Gesellschaften Reibungs- und Konfliktflächen enthält, daß er heute die Erfahrungen des Brüchigwerdens der *doxa* selbst schon enthält und "damit der Anstoß zur aktiven Auseinandersetzung mit der *doxa* im Habitus selbst eingelagert (ist)" (*Beate Krais* 1992). Inwieweit dies für die staatssozialistische Variante moderner Gesellschaften zutrifft, wäre zu prüfen. Siehe zu dieser Thematik auch: *Pierre Bourdieu* 1990, *Frerichs/Steinrücke* 1991.
7. Eine Schwierigkeit unseres Forschungsprojekts besteht darin, daß das empirische Material Grenzen hat sowohl durch den kurzen Zeitraum des Tagebuchschreibens, der es nicht zuläßt, durchgängig in der Lebensgeschichte wirkende, modifizierte, brüchig gewordene usw. Muster aufzufinden, als auch dadurch, daß unser Kontextwissen relativ gering ist, auch wenn wir mittels eines standardisierten Fragebogens Daten zum familiären, soziokulturellen Hintergrund der SchreiberInnen erhoben haben. Weitere Grenzen sind durch die Zusammensetzung des Samples durch die Wahl der Tageszeitung, die den Aufruf brachte, sowie dadurch gesetzt, daß die Tagebücher quasi "im Auftrag", für einen fremden Zweck

geschrieben wurden. All diese Faktoren sind bei der Gesamtanalyse der Tagebücher zu beachten.
8. Dementsprechend werden auch positive Dinge, die ihr jetzt möglich sind, ambivalent wahr- und angenommen. Ihre Freude am neuen Farbfernseher für ca 650.- DM, am CD-Player ihres Sohnes, am billigen Kaffee und Sekt mischt sie fast durchgängig mit Begründungen und beinahe Entschuldigungen dafür, daß sie diese Dinge genießt.
9. Dies wird zum Beispiel in der Eingangssequenz ihres Tagebuches deutlich. Dort heißt es: "Ich weiß nicht, wie lange ich schreiben werde, ich wollte es sooft anfangen und habe es dann doch bleiben lassen. Als Kind hat wohl jeder Tagebuch geführt, auch ich. aber später hat einem die Familie dazu keine Zeit gelassen, außerdem hatte man genug Gesprächspartner. Probleme werden sowieso nicht ausgetauscht, aber ein Tagebuchschreiben kam nicht in frage, es sollte ja eigentlich alles mit dem Partner besprochen werden. ich war mit 34 allein, da hätte ich wohl schreiben können. aber so ein Heft kann man vor den Kindern nicht verstecken. also wenn ich jetzt damit anfange, weiß ich nicht, ob ich es lange durchhalte."

Ohne hier die einzelnen Schritte unserer Textanalyse nachzuvollziehen, möchte ich darauf verweisen, daß die Schreiberin mit ihrer intendierten Begründung (für uns), warum sie möglicherweise den angenommenen "Auftrag" nicht zu Ende bringt, ihr unbewußte latente Sinnstrukturen transportiert. Etwa schreibt sie, daß ein Tagebuch während ihrer Ehe *nicht in Frage kam* und verweist damit auf eine von ihr uneingeschränkt akzeptierte, nicht in Frage zu stellende Norm, nach der, wie sie selbst formuliert, "eigentlich alles mit dem Partner besprochen werden soll" (und eine Frau keine Geheimnisse gegenüber ihrem Mann haben und überhaupt als die für die "Atmosphäre" Zuständige keine eigenen Probleme haben darf). Mit dem "eigentlich" weist sie zwar darauf hin, daß die Realität ihrer Ehe dieser Norm nicht entsprach, aber diese Erfahrung hat bei ihr nicht zu einem Befragen, Bezweifeln der Norm geführt. In ihrem Fragebogen gibt sie dann auch "harmonische Ehe und Familienbeziehungen" als wichtigen Wert an und signalisiert mit dem dazu geschriebenen Wort "gescheitert" ein individuelles Versagen gegenüber der Norm. Mit ihrer Begründung, daß die Kinder ihr Tagebuch hätten finden können, macht sie ihre (möglichen) Probleme zu einem Geheimnis, das vor anderen verborgen gehalten werden muß, und sie reproduziert damit u.a. auch die Norm, daß eine Mutter in erster Linie für andere da zu sein hat und daher auch keinen Anspruch auf einen eigenständigen, von anderen respektierten Raum hat.
10. In ihrem Fragebogen läßt sie als einzige die Frage nach dem Wert "das Leben genießen" unbeantwortet.

Literaturverzeichnis

Bock-Rosenthal, Erika (1990): Strukturelle Diskirminierung - nur ein statistisches Phänomen? In: Erika Bock-Rosenthal (Hg): Frauenförderung in der Praxis. Frauenbeauftragte berichten, Frankfurt/New York 11 - 53
Bourdieu, Pierre (1990): La domination masculine, in: Actes de la recherche en sciences sociales 84, 2 - 31
Bourdieu, Pierre (1991): Die Intellektuellen und die Macht. Aufsätze und Interviews. Hg. von Irene Dölling, Hamburg
Dölling, Irene (1991): Über den Patriarchalismus staatssozialistischer Gesellschaften und die Geschlechterfrage im Umbruch, in: Wolfgang Zapf (Hg): Die Modernisierung moderner

Gesellschaften. Verhandlungen des 25. Deutschen Soziologtentages in Frankfurt a. M. 1990, Frankfurt/New York, 407 - 417

Frerichs, Petra; Margareta Steinrücke (1991): Klasse und Geschlecht. Überlegungen zu einem empirischen Forschungsprojekt in den alten und neuen Bundesländern. Vortrag auf der Jahrestagung der Sektion Frauenforschung der Deutschen Gesellschaft für Soziologie Hannover 1991, MS

Krais, Beate (1992): Geschlechterverhältnis und symbolische Gewalt, in: Gunter Gebauer; Christoph Wulf (Hg): Praxis und Ästhetik. Neue Perspektiven im Denken Pierre Bourdieus, Frankfurt a. M. (im Erscheinen)

"Man muß eben det Beste draus machen, Kopp in 'n Sand stecken hilft nischt" - Strategien zur Bewältigung der 'Wende' am Beispiel von zwei brandenburger Facharbeiterinnen[1]

Andrea Lange

Wie erleben und verarbeiten Frauen in den neuen Bundesländern die Auswirkungen der 'Wende' und mit ihr einhergehende soziale Ungleichheiten? Unter dieser Fragestellung wird in diesem Beitrag das Leben von zwei Facharbeiterinnen der früheren DDR betrachtet. Sie heißen hier Frau Ahrens und Frau Behrens; beide sind von Beruf Elektrikerin. Da sich der Beschäftigungsort der beiden Frauen auf Dauer ohnehin nur schwer anonym halten läßt, kann vorweggenommen werden, daß sie im Stahl- und Walzwerk in Brandenburg beschäftigt sind.

Die Umbruchsituation in der ehemaligen DDR hat in der Lebenswelt von Frau Ahrens und Frau Behrens recht deutliche Spuren hinterlassen; welche Veränderungen sie erfahren hat und in welcher Weise sie verarbeitet werden, wird von den beiden Frauen auch vor dem Hintergrund ihres zurückliegenden Lebens reflektiert. Sie geben damit Gelegenheit, in der Bearbeitung einige der Fragen aufzugreifen, denen *Marie Jahoda, Paul F. Lazarsfeld* und *Hans Zeisel* (1975) in ihrer Studie über 'die Arbeitslosen von Marienthal' bereits zu Beginn der dreißiger Jahre nachgegangen sind: "Wie beeinflußt das Lebensschicksal des einzelnen seine Widerstandskraft (...), wie hängt früheres Erleben mit der heutigen Haltung zusammen?" (103)

Anknüpfend daran richtet sich unser Erkenntnisinteresse auf die Frage, welcher Habitus der Alltagspraxis der beiden Frauen zugrundeliegt und wieweit er mit klassen-, milieu- und geschlechtsspezifischen Bewertungsmustern verbunden ist (*Bourdieu* 1982, 277 ff.). Welche Handlungsmuster und Handlungsstrategien folgen daraus für Frau Ahrens und Frau Behrens und wie können sie damit die sozialen Veränderungen der 'Wende' bewältigen?

Dabei soll die Erfahrungsweise der beiden Frauen nicht bestimmten apriorischen Habitus- oder Strategietypen klassifikatorisch zugeordnet werden. Entlang den Argumentationen und dem Selbstverständnis von Frau Ahrens und Frau Behrens sollen die Muster und das Prinzip ihrer Lebensbewältigung vielmehr aufgespürt und auf den Begriff gebracht werden. "Jeder Mensch besitzt Wissen, der Intellektuelle muß nur dabei helfen, es auf die Welt zu bringen - als Geburtshelfer." (*Bourdieu* 1991, 21) Um dies zu tun, greifen wir hier auch auf Erkenntnisse zurück, die die Soziologie sozialer Mentalitäten in der langen Tradition seit *Emile Durkheim, Georg*

Simmel und *Theodor Geiger* bis hin zu *Pierre Bourdieu* und einer für unser Thema besonders aufschlußreichen Studie von *Sighard Neckel* bereitstellt.

Dabei kommt es nicht zuletzt auf die Entdeckung der demokratischen Aufklärungskraft dieser Tradition an: Ihrer Kritik am wissenschaftlichen Blick 'von oben', der im Alltagsbewußtsein der Menschen entweder nur Defizite konstatiert oder es ebenso unreflektiert idealisiert. Der Dialog mit dieser Tradition kann ein Stück weit dazu beitragen, der Schwerkraft des belehrenden akademischen Habitus entgegenzuarbeiten, und stattdessen "(...) zuzuhören, abzuwarten, still zu sein, zuzugucken, Fragen zu stellen, ohne jedoch dem eigenen Wissen abzuschwören. Man müßte sagen: ich bin hier, um Fragen zu stellen, um Verbindungen zwischen den Antworten zu ziehen, um Interpretationen anzubieten (...)." (Ebd., 22)

1 "Alles in der Zeit jut über de Brücke jegang'" - aus den 'Normalbiographien' von Frau Ahrens und Frau Behrens

Erst wenige Tage vor dem Interview[2] mit Frau Ahrens und Frau Behrens im Dezember 1991 war über ihre weitere Zukunft entschieden worden: im Frühjahr 1992 sollten sie, im Alter von 55 Jahren, in den Vorruhestand versetzt werden. Bis zu dieser Gewißheit waren fast eineinhalb Jahre vergangen, in denen die beiden Frauen in einer Beschäftigungsgesellschaft untergebracht waren. Konkret bedeutete diese 'Warteschleife' für sie Kurzarbeit Null bei 63 % ihrer Bezüge. Da das Altersübergangsgeld nach dem Einkommen der letzten drei Monate vor Eintritt in den Vorruhestand berechnet wird, sollten Frau Ahrens und Frau Behrens, dank der Initiative ihres Betriebsrats, nun für diesen Zeitraum noch einmal im Stahl- und Walzwerk eingesetzt werden. Ihre Situation hat in groben Umrissen folgende Vorgeschichte:

Frau Ahrens und Frau Behrens gehören noch zur Aufbaugeneration der DDR. Sie sind beide Jahrgang 1937. Ihre Kindheit fällt in die Kriegsjahre und in die Nachkriegszeit: *"ick wurde schon als Kind zuhause, muß man immer dazu sagen, mußt' ick schon in den schlechten Jahren gleich nach fünfundvierzig für unser Vatern die Socken stricken, mit acht Jahren mußt' ick sowat schon machen (...)"*, erinnert Frau Behrens im Interview. Sie stammt aus einem kleinen Ort nordöstlich von Berlin, ihr Vater arbeitet bei der Reichsbahn, die Mutter ist Hausfrau. - Frau Ahrens wächst bereits in Brandenburg auf, ihre Mutter ist ebenfalls Hausfrau, der Vater Melker.

Als 1949 die DDR gegründet wird, sind die beiden Frauen zwölf Jahre alt und besuchen die Schule. Nach Abschluß der achten Klasse beginnen sie 1951 in einem der größten Industriebetriebe Brandenburgs eine Lehre als "Elektriker"[3]. Frau Behrens verläßt ihren Heimatort und bezieht in Brandenburg ein Lehrlingswohnheim: *"(...) als dat Werk anjefangn hatte, ham die jeworbn und überall ringsrum und war ja damals einundfuffzig gabs ja och schlecht Lehrstellen, dadurch sind wir irgendwie hierher jekomm' durch die Berufswerbung (...) .. und dann sind wir natürlich hier hängengeblieben (...) .. wie det so ist, häng'jeblieben hier, jeheiratet .. Wohnung, Kinder (...)."*

Frau Ahrens und Frau Behrens lernen sich 1951, also als Vierzehnjährige, während der gemeinsamen Berufsausbildung kennen und sie sind seither auch miteinander befreundet, obwohl sie zumeist in verschiedenen Schichten gearbeitet und sich *"nur immer abjelöst"* haben.

In den fünfziger Jahren gründen die beiden Frauen dann ihre eigenen Familien und Existenzen. Ihre Ehemänner arbeiten im gleichen Betrieb wie sie selbst; Frau Behrens heiratet einen Walzwerker, ihre drei Kinder werden zwischen 1958 und 1970 geboren. Frau Ahrens ist mit einem Elektriker verheiratet. Mit 19 Jahren wird sie zum erstenmal Mutter und sie bringt bis 1963 noch weitere fünf Kinder zur Welt. Während der Schwangerschaften bleibt sie nur für kurze Zeit ihrem Arbeitsplatz im Betrieb fern: *"fünf Wochen vorher und sechs Wochen nachher und denn .. sind wir wieder arbeeten jegang'"*. *"Wir ham nie zwischendurch irgendwie uffgehört"*, bestätigt Frau Behrens. Sie selbst hat *"immer Schicht"* gearbeitet, und der Arbeitsplatz der beiden Frauen im Maschinenhaus ist zudem ein *"Lärmschwerpunkt"*. Die Versorgung der Kinder wird mit einem Krippenplatz, später im Kindergarten und Hort garantiert: *"det lief alles automatisch"*.

Seit 1978 hat dann auch Frau Ahrens Schicht gearbeitet, *"solange hab' ich Normalschicht jemacht. Achtundsiebzich warn dann die Kinder so det se .. selbständig warn und .. unser Junge fing denn auch an zu lernen, der letzte, und da hab' ick jesacht, wat soll ick nu Sonnabend Sonntag zuhause sitzen und der Mann geht arbeiten, denn geh ick mit und dann ham wir unsere freien Tage zusamm'. War och besser so, hat mir jut jefalln."*

Nachdem *"alles in der Zeit jut über de Brücke jegang'"* ist und die Kinder schließlich eigenständig und erwachsen sind, können Frau Ahrens und Frau Behrens auch an ihre eigene Zukunft und Alterssicherung denken. Mit Kindern *"war ja dat Geld nu och nich so dicke"* erzählt Frau Behrens. Ihre *"Jüngste is grade man erst 'n halbet Jahr aus'm Haus. (...) Und dann ham wir jedacht, jetz könn' wir noch 'n bissel sparen."*

2   "Wir konnten uns ja nich drauf vorbereiten" - die 'Wende' als biographischer Bruch

Perspektiven der 'Alterssicherung' und Vorstellungen vom Übergang in das Rentenalter schliessen sich hier wie selbstverständlich an, nachdem das Leben der beiden Frauen im großen und ganzen doch bisher so verlaufen ist, wie sie es erwarten konnten: *"also vor 'n paar Jahren ham wir noch jesacht .. also wenn ick denn neunundfünfzig bin, mit sechzich kann man ja in Rente gehn, aber denn freu ick mich doch schon, dat ick jehn kann, hat man da jesacht. (...) Denn kann man sich aber über Jahre so, man hat noch zwei*

Jahre, noch ein Jahr oder denn im Februar da bin ick ja denn weg, da geh ick dann in Rente (...)."

Gegenüber den bisher recht gesicherten Lebenserwartungen werden mit der 'Wende' die Zeitperspektiven und Vorstellungen von 'Normalbiographie' zunächst mehr oder minder schlagartig außer Kraft gesetzt. Kontinuität und Erwartbarkeit werden in nahezu allen Lebensbereichen durch zahlreiche Verunsicherungen abgelöst. - Dadurch, daß ihr Lebenslauf deutlich "um das Erwerbssystem herum organisiert"[4] erscheint, wiegt die Ungewißheit über den bisherigen Arbeitsplatz dabei für Frau Ahrens und Frau Behrens besonders schwer. Im Herbst 1989 sind sie 52 Jahre alt. Um ihre Chancen im Erwerbsleben ist es damit schlecht bestellt. Als sie im Sommer 1990 auf 'Kurzarbeit Null' gesetzt werden, bedeutet dies letztlich auch bereits das Ende ihrer Erwerbsphase.

In diesen Auswirkungen markiert die 'Wende' auch einen biographischen Bruch für Frau Ahrens und Frau Behrens. Er äußert sich nicht zuletzt in ihrer Wahrnehmung, von den Veränderungen im Betrieb vor allem unvorbereitet getroffen worden zu sein: *"aber nu kam det so plötzlich, dat wir gehn mußt'n (...), wir konnten uns ja nich drauf vorbereiten."*

Für das in Kürze abgeschlossene Erwerbsleben wird nun im Interview vor allem auch eine *Bilanz* gezogen. In diese Bilanz gehen auf der einen Seite die erbrachten Leistungen im Betrieb (Abschnitt 3) und geht auf der anderen Seite die dafür erworbene Anerkennung ein (Abschnitt 4). Es stellt sich heraus, daß am Ende die Rechnung für die beiden Frauen nicht aufgeht; ihre Leistungen werden weder finanziell noch symbolisch in erwartbarer Weise honoriert.

3 "War ja eigentlich 'ne schwere Arbeit" - drei Tugenden um die selbstverständlich erbrachten Leistungen für den Betrieb

Frau Ahrens und Frau Behrens verfügen über eine nun etwa 40jährige Berufserfahrung. Dies entspricht auch der Dauer ihrer Betriebszugehörigkeit. Ihr gemeinsamer Rückblick auf die Arbeitsbedingungen und die erbrachten Leistungen verweist dabei insgesamt auch auf eine bestimmte Verknüpfung von drei zentralen Tugenden: des *Selbstbewußtseins*, der *'Betriebsmoral'* und insbesondere der *Bescheidenheit*; diese Bescheidenheit äußert sich hier vor allem auch in einer Auffassung von *Selbstverständlichkeit*, die dem Handeln der beiden Frauen zugrunde liegt.

"Ick bin nu ums ganze Werk umherjekomm', erzählt Frau Ahrens. *"Ich war uff mehreren Stellen, die ersten Jahre war ick inner mechanischen*

Fertigung bei den Installateuren (...) und denn nachher in Haupt- und Hilfsantriebe, das is der Antrieb für's Walzwerk." Dort hat auch Frau Behrens gearbeitet: *"ick war auf einer Schicht, sie war auf der andern Schicht."* Der Arbeitsalltag war durchaus abwechslungsreich; *"überall wo wat kaputt war oder wo wat neu zu legen war"*, wurden die beiden Frauen eingesetzt. Zu ihren insgesamt vielfältigen Aufgaben gehörten *"hauptsächlich eben Wartungsarbeiten, Reinigungsarbeiten (...) und Reparaturen."*

Die Berufstätigkeit ist ganz zweifellos ein *Identität* stiftender Teil im Leben von Frau Ahrens und Frau Behrens. Sie hat ihnen vor allem *"Bestätigung"* bedeutet und nicht zuletzt deshalb wohl *"och Spaß jemacht"*. Dabei hatten die beiden Frauen anfangs keine Vorstellung von ihrem Beruf. *"Also ick muß ehrlich dazu sagen, wir sind damals mit vierzehn schon inne Lehre, dat man da überhaupt noch keen Verstand hatte, wat wir wollten (...)"*. Frau Behrens wurde für die Lehre zur Elektrikerin angeworben, Frau Ahrens sollte selbst wählen: *"da hat man jesacht, 'möchten Se Ankerwickler oder Elektriker?', und wenn ick mir hätte unter Ankerwickler könn' wat vorstell'n (...) aber da konnt' ick mir überhaupt nischt drunter vorstellen, also nehm' ick Elektriker (...) da hat man sich och nischt drunter vorstellen könn' (...) bloß wir ham et nu jelernt und .. warum sollt' ick nu nach der Lehre irgendwo anders hingehen, da hab ick jesacht, 'denn .. bleib' ick eben' (...) naja und da is man bei jeblieben. Mir hat dat ja auch Spaß jemacht."*

Diese pragmatische Herangehensweise ist durchaus typisch für die beiden Frauen; sie arrangieren sich mit ihren Möglichkeiten und entwickeln von da aus *Motivation* und *Initiative*. Ihr Verhältnis zur Arbeit erscheint dabei ganz wesentlich auch durch die "Subjekt-Perspektive" bestimmt, deren Bedeutung *Schumann* u.a. im Kontext ihrer These vom "doppelten Bezug auf Arbeit" unterstreichen; die Subjekt-Perspektive umschließt demnach zwei Interessen, mit "denen sich der Arbeiter" insgesamt "auf seine Arbeit als subjektive und sinnhafte Tätigkeit bezieht" und in denen er "Selbstbestätigung und Selbstbewertung sucht" (1981, 31):

"1. Das Interesse, die eigene Person in die Arbeit einbringen zu können, also das Interesse sowohl an Spielräumen für eigene Interpretationen und Handlungsmöglichkeiten in der Arbeitssituation als auch an der Realisierung der Fähigkeiten, die man sich selber zuschreibt; 2. das Interesse an sozialer Anerkennung in der Erfüllung der von anderen an einen herangetragenen Erwartungen." (562; vgl. *Alheit/Dausien* 1991, 48 ff.)

Frau Ahrens und Frau Behrens beziehen ihr Selbstbewußtsein und Selbstvertrauen aus der *Gewißheit eigener Stärke*, die auf ihren über

Jahrzehnte bewiesenen und anerkannten Fähigkeiten beruht. Daß sie sich vor allem über ihre *Qualifikation* und ihre *Kompetenzen* definiert wissen wollen, zeigt auch ihre Haltung zum Pförtnerdienst, den sie vor Eintritt in den Vorruhestand jetzt noch leisten sollen: *"so anner Wache jetze nich, also det is nich die Vollendung hier. Am Posten jetze hier stehn und det Knöpfchen drücken, damit de Schranke hochloofen tut."* Mit den reduzierten Möglichkeiten, eigene Fähigkeiten einbringen und umsetzen zu können, verspricht diese Tätigkeit den beiden Frauen vergleichsweise wenig Bestätigung, und sie entspricht wohl schon von daher kaum ihrem Interesse.

In ihrem Beruf waren Frau Ahrens und Frau Behrens da weitaus stärker gefordert: *"denn Elektriker is' ja eigentlich auch 'n schwerer Beruf"*, betont Frau Ahrens. *"Na schwere Arbeit, wenn man 'n ganzen Tag uff de Leiter steht, is ja 'ne schwere Arbeit oder wenn man Kabel ziehen muß, Kabel inne Erde legen muß oder nageln muß oder anner Decke arbeiten muß und stemmen muß, is ja 'ne schwere Arbeit, jedenfalls für 'ne Frau, ja. (...) och denn im Maschinenhaus da, war ja eigentlich 'ne schwere Arbeit."* - Unter der Voraussetzung eines guten Betriebsklimas haben die beiden Frauen eine auch für die Funktionsfähigkeit des Betriebs wichtige Selbstverantwortung übernommen. Zwar hat es im brandenburger Stahl- und Walzwerk gewisse Rückstände gegeben; dennoch gehört es zugleich auch zu den modernen Industriebetrieben, die an sich auf verantwortungsbewußte Arbeitskräfte nicht verzichten können. Das Stahl- und Walzwerk hinterläßt heute auch ausgesprochen innovationsfähige Potentiale. (Segert 1992)

Zum guten *Betriebsklima*, dem Arbeitsstolz und Selbstbewußtsein der beiden Frauen hat auch die Gemeinschaft mit Kollegen und Kolleginnen ganz erheblich beigetragen: *"Man is immer unter Leute jewesen"*, der *"janze Zusammenhalt, die janze Kollegenschaft"* waren wichtig: *"in der Beziehung ham wir jut gelebt"*, erzählen Frau Ahrens und Frau Behrens. *"Gucken Se mal, wat ham wir während der janzen Jahre für schöne Veranstaltungen zusamm' jemacht, ob dat mal 'n Rommeeabend war oder wir sind kegeln jegang' oder mal 'n Brigadevergnügen, nech also in der Beziehung ham wir jut jelebt (...)."* Die Ebene kollegialer Beziehungen und Vergemeinschaftungen, die von beiden Frauen häufiger als ein für sie bedeutendes Moment der Erwerbsarbeit betont wird, ist auch Ausdruck gegenseitiger sozialer Anerkennung innerhalb der Belegschaft.

Wenn Frau Ahrens und Frau Behrens über ihren Beruf und die Arbeit im Betrieb sprechen, dann wird nicht allein ihr Selbstbewußtsein deutlich, sondern vor allem auch seine Verknüpfung mit den spezifischen *Wertvor-*

stellungen der beiden Frauen. So erklärt etwa Frau Behrens zwar die Besonderheit des gemeinsamen Arbeitsplatzes: *"in dem Maschinenhaus, da sind die Haupt- und Hilfsantriebe drinne für die Walzstraßen. Also ohne diesem Maschinenhaus läuft nichts."* Sie unterstreicht damit die Bedeutung ihrer Tätigkeit, ihre *funktionale Unentbehrlichkeit*, an einer der 'Schaltstellen' im Betrieb, allerdings eben ohne daraus zugleich auch eine Sonderstellung für sich abzuleiten. Es ist im Gegenteil tatsächlich vielmehr auffällig, wie häufig die Frauen im Interview deutlich machen, daß weder ihre derzeitige Situation noch ihr bisheriges Leben mit allen bereits bewältigten Anforderungen etwas Besonderes bedeuteten. Über ihren beruflichen Alltag sprechen sie ebenfalls primär in einer Weise, die über die eigenen Leistungen eher hinweggeht, als handele es sich um *Selbstverständlichkeiten*, die nicht in den Mittelpunkt gerückt gehörten. Und so entsteht auch im Interview zunächst eine lange Pause, bevor die Frauen dann doch eher noch etwas verständnislos der Aufforderung nachkommen, ein bißchen von ihrer Arbeit zu erzählen: *"... da gibts ja nich viel zu erzähln .. alles wat an Arbeiten anjefalln is und das ham wir denn jemacht (...)."*

Nicht mangelnder Arbeitsstolz und fehlendes Interesse an der eigenen Tätigkeit werden hier zum Ausdruck gebracht, sondern vielmehr genau die bescheidene Auffassung, derzufolge persönliche Leistungen selbstverständlich sind und sie deshalb ebensowenig wie die eigene Person noch besonders hervorgehoben werden sollten. Dieses Verhalten der beiden Frauen beruht auf ihren Zugehörigkeiten zum Geschlecht und Klassenmilieu.

Frau Ahrens und Frau Behrens gehören einem traditionellen Arbeiter- und Unterklassenmilieu an. Dem entspricht auch ihre Selbstverortung. Sie fühlen sich der *"arbeitenden Bevölkerung"* zugehörig und grenzen sich in einem Atemzug von den *"privaten Handwerksmeistern"* der alten DDR ab. *"Ick hätte niemals wollen im Büro sitzen"*, sind sich die beiden Frauen einig. Ihre eigenen Vorstellungen von produktiver Arbeit sind mit denen einer bürokratischen Verwaltungstätigkeit unvereinbar. *"Wir hatten ja 'n großen Wasserkopf"*, lautet dazu ihr Kommentar. Und schließlich: *"Sie haben hier keene Intelligenzleute vor sich (...) det is nur unser Menschenverstand (...)."* In Praxis und Geschmack, Einstellungen und Entscheidungen, folgen Frau Ahrens und Frau Behrens den *realitätsbezogenen Prinzipien* der 'Volksklasse', deren Habitus *Pierre Bourdieu* (1982) als in der 'Entscheidung für das Notwendige' (585 ff.) wesentlich charakterisiert beschreibt.

Im Interview fällt vor allem der hohe Stellenwert auf, den Frau Ahrens und Frau Behrens der *Selbstdisziplin* und insbesondere der *Selbstbescheidung* beimessen. Beides gehört auch zum *Wertesystem der traditionellen Volks- oder Arbeiterklasse.* Individuelle Leistungen werden dabei ebenso stillschweigend erbracht wie auch selbstverständlich bemerkt und anerkannt. Eitelkeiten sind dagegen verpönt. Und ein durch Hervorhebung von Individualität verursachtes Ausscheren wird als Distinktionsversuch sanktioniert; es schadet der Gemeinschaft. Durch Selbstbescheidung und egalitäres statt konkurrenzlichem Verhalten wird hingegen auch das Überleben der Gruppe gesichert. Das von *Bourdieu* so bezeichnete Konformitätsprinzip ist von daher zugleich auch ein *Solidaritätsprinzip.*

Bezogen auf die Bescheidenheit im vorliegenden Fall überschneiden sich offenbar die primär spezifisch *weiblichen Werte* noch mit denen der sozialen Klasse, der Frau Ahrens und Frau Behrens angehören. Und ihr Selbstbewußtsein wirkt in seiner Verknüpfung mit dieser Bescheidenheit vielleicht auch teilweise eher verdeckt - doch es wirkt.

Für ihre im Betrieb erbrachten Leistungen haben Frau Ahrens und Frau Behrens soziale Anerkennung und Bestätigung gefunden. Sie waren deshalb bereit, die insgesamt doch auch kräftezehrenden Bedingungen und Belastungen am Arbeitsplatz zu akzeptieren; dazu gehörten unter anderem der Lärm, die Schichtarbeit und körperlichen Anstrengungen. Selbst die erwähnte Schwangerschaftsregelung (s. o. Kapitel 1) verweist letztlich auf den Einsatz der beiden Frauen im Beruf und für den Betrieb. Und schließlich *"war ja det bei uns hier früher grundsätzlich .. Weihnachten und Feiertage und sonntags ging ja immer durch .. also wurde gearbeitet, auch feiertags."*

Frau Ahrens und Frau Behrens haben sich mit allen diesen Bedingungen arrangiert und sich von daher als anpassungsfähig erwiesen. Andere Möglichkeiten kannten sie nicht, und sie waren auch durchaus zufrieden damit. *"Wir standen immer zur Verfügung",* heißt es im Interview. Mit ihrer so bezeichneten Einsatzbereitschaft wird zugleich das Gefühl der Verbundenheit mit dem Betrieb zum Ausdruck gebracht.

Wenn sich Frau Ahrens und Frau Behrens also als anpassungsfähig oder vielleicht selbst auch als angepaßt erwiesen haben, so geht doch die "Betriebsmoral", die *Pierre Bourdieu* (1982, 606) mit "Konformismus und Fügsamkeit" gleichsetzt, für die beiden Frauen darin allein nicht auf. Weder ein ausgeprägtes Pflichtgefühl noch etwa ein schlichter Gehorsam gegenüber Vorgesetzten geben hinreichende Erklärungen für die Verbundenheit mit dem Betrieb.

Frau Ahrens' und Frau Behrens' *Betriebsmoral* beruht doch wohl primär auf der Anerkennung für ihre eigenen Leistungen und auf der funktionierenden Gemeinschaft mit Kolleginnen und Kollegen; sie ist demnach in ein System von Gegenseitigkeit eingefügt. Diese Betriebsmoral funktioniert dann auch nicht bedingungs- und voraussetzungslos, sondern eben nur solange, wie die beiden Frauen in ihren Leistungen und ihrer Persönlichkeit anerkannt werden.

4 "Knallhart 'rausjeschmissen, ohne 'n Dankeschön" - die Anerkennung erworbener Verdienste

"Aller Verkehr der Menschen beruht auf dem Schema von Hingabe und Äquivalent", schreibt *Georg Simmel* (1983 b, 210) in einem Aufsatz über "Dankbarkeit". Als ein Äquivalent für ihre 'Hingabe', die erbrachten Leistungen, haben Frau Ahrens und Frau Behrens, zumindest vor der 'Wende', soziale Anerkennung erhalten; und sie haben ihre Arbeit im Betrieb doch auch stets bezahlt bekommen. Als sie dann mit Blick auf ihre Alterssicherung *"noch 'n bissel sparen"* wollten, kam ihnen im Sommer 1990 die Kurzarbeit dazwischen: *"naja nu hat man uns 'n Riegel wieder vorjeschob'n"*, kommentiert Frau Behrens. Diese Situation bedeutet nun zunächst einmal sogar finanzielle Einbußen; *"(...) im Moment ham wir ja .. gegenüber denen, die noch drin sind im Betrieb, 'n paar hundert Mark weniger .. bestimmt fünfhundert Mark ham die mehr."* Das persönliche Einkommen der beiden Frauen liegt zum Zeitpunkt des Interviews zwischen 800,- DM und 1.000,- DM monatlich. Im Vorruhestand wird es zunächst in etwa ähnlich bemessen sein; sie erhalten dann 65 % ihres letzten Einkommens.

Frau Ahrens und Frau Behrens hatten 'ursprünglich', d.h. im Rahmen ihrer Erwartungen an eine 'DDR-Normalbiographie', nicht nur mit einem höheren bzw. hundertprozentigen Einkommen für die verbleibenden Berufsjahre gerechnet, sondern auch mit einer gesicherten Existenz im Rentenalter, die ihnen aber derzeit so wenig gewiß erscheint wie eine zumindest doch irgendwie auch angemessene Abfindung. Und dabei *"zähl ick doch schon bald zum Inventar"*, erinnert Frau Ahrens. Für die beiden Frauen ist ihre Situation nicht leicht einzusehen, zumal sie sich für sie nicht selbst entschieden haben. Da bricht dann auch durchaus schon einmal die Zurückhaltung: *"wir wollten da nich raus, wir könn' doch nischt dafür, daß wir nu die ersten war'n, die da gehn mußten."*

Mögen längerfristig auch Einkommensverbesserungen absehbar sein, so ist doch vor allem das Gefühl, nicht mehr erwerbstätig sein zu können, nur schwer zu verarbeiten: *"man wird nich mehr jebraucht"*, heißt es dazu unter anderem im Interview.

Dabei prophezeien Frau Ahrens und Frau Behrens für ihren Beruf eine insgesamt positive Zukunft: *"ick sehe für (...) (Elektriker) gerade für die Männer eigentlich noch 'ne Chance (...) in zwee drei Jahren wird sich gerade für solche Berufe doch irgendwie wieder Arbeit finden"*, meint Frau Behrens. Und Frau Ahrens sieht speziell für die jüngere Generation eine Perspektive: *"die Jugend findet überall wieder Arbeit."* Für sie selbst ist das Erwerbsleben endgültig und unfreiwillig beendet. Nichts geht mehr und nichts zählt mehr; weder ihre Qualifikation noch ihre Erfahrung, nicht die Dauer ihrer Betriebszugehörigkeit und auch nicht ihre zahlreichen Bemühungen um Arbeit im Betrieb durch hartnäckiges Anfragen beim Betriebsrat können daran noch etwas ändern. *"Ick wär' jerne noch arbeiten jegang'"*, bedauert Frau Ahrens.[5] Aber für eine Umschulung, *"da ham se uns auch nich mehr jenomm', die ham jesagt bis fünfundvierzig, also kam' wir nich in Frage und für ABM kam' wir auch nich in Frage, weil da soviel schwere Arbeit bei is."* Sie gehören eben nicht mehr zur Jugend und sie sind keine Männer. Allein aufgrund ihrer *Zugehörigkeit zur Geschlechts- und Altersgruppe* ist ihnen die Chance zu einer eigenständig aktiven Bewältigung und Veränderung ihrer Situation verwehrt.

Wenn sie sich nun schon damit abfinden müssen, in den Vorruhestand versetzt zu werden, finanzielle Nachteile und durch weiterhin ungeklärte Situationen auch bleibende Gefühle der Verunsicherung in Kauf zu nehmen, so haben Frau Ahrens und Frau Behrens doch zumindest noch mit einer *symbolischen Anerkennung* gerechnet. Schließlich liegt im Geld kein erschöpfendes und restloses Äquivalent für die erbrachten Leistungen (*Simmel* 1983 a, 85). Aber auch hier werden die beiden Frauen am Ende enttäuscht.

"Erstmal schon so, so dieses Knallharte, wie man uns hier 'rausjeschmissen hat", erzählt Frau Behrens mit aufgeregter Stimme. Offenbar ist dieses Erlebnis den beiden Frauen noch genau gegenwärtig. *"Von een Tach zum andern hoch zum Abteilungsleiter .. der sitzt da: 'also Sie gehn denn, Sie melden sich da vorne', und fertig war'n se mit uns. Und det nach so viel Jahren, ohne 'n Dankeschön. Jeder Mensch, der normalerweise vierzich Jahre jearbeitet hat, wird vernünftig verabschiedet, wenn er jetz uffhört, ob er in Rente jeht oder sonst dergleichen (...)."*

Frau Ahrens und Frau Behrens fühlen sich ungerecht behandelt und auch persönlich abgewertet, damit in ihrer *Würde* verletzt (*s. Neckel* 1991, 77). Die Art der Darstellung macht allein schon deutlich, daß die Situation bisher nicht verarbeitet werden konnte. *"Also det war, man kann det nich beschreib'n, wer et nich erlebt hat"*, faßt Frau Behrens zusammen. *"Also ick hab' heut noch zu tun mit 'm Schlafen abends (...) also ick hab' sehr zu knapsen jehabt."*

Frau Ahrens und Frau Behrens haben vermutlich doch selten gemeint, ihren Leistungen auch selbst einen besonderen Stellenwert beimessen zu müssen. Sie waren ebenso selbstverständlich wie die Regelung, nach der Leistung in angemessener Weise honoriert wird. Ihren Erwartungen liegt damit auch eine Vorstellung von *Gerechtigkeit* zugrunde, die mit überzogenen Forderungen nichts gemein hat. Frau Ahrens und Frau Behrens orientieren sich so zugleich an den *ungeschriebenen Gesetzen und moralischen Grundsätzen einer 'kollektiven Ordnung'* [6], die aber offenbar gestört ist. - Dadurch, daß bislang selbstverständlich geltende Regeln über gegenseitiges Handeln und insbesondere gegenseitiges Behandeln verletzt worden sind, geraten die beiden Frauen nun selbst in ein *Dilemma*, das auch im Interview zum Ausdruck kommt: Gegen die ihnen widerfahrene Ungerechtigkeit müssen sie einerseits protestieren. Damit aber begeben sie sich andererseits zugleich in eine Situation, die zum *Verstoß gegen die eigenen Normen und die kollektiven Werte der sozialen Gruppe* (Bescheidenheit, Konformitäts- und Solidaritätsprinzip) zwingt und damit *Schamgefühle* auslöst.

In seiner Untersuchung über 'Status und Scham' schreibt *Sighard Neckel*:

"Soziale Deutungsmuster, die durch Herkunft erworben und in sozialen Lagen erhalten oder modifiziert werden, qualifizieren Situationen auch in unterschiedlichem Maße dazu, von den Individuen als Anlässe der Scham überhaupt wahrgenommen zu werden. Da es dem Schämen in jedem Fall zugrunde liegt, ein persönlich angestrebtes Ideal nicht realisiert zu haben, variieren die Beschämungsgründe außer mit den je besonderen Erwartungen, die sich auf unterschiedliche soziale Positionen richten, auch mit den jeweiligen Selbstdeutungen, die in der Gesellschaft auf verschiedene Gruppen und Klassen verteilt sind." (1991, 91)

Wenn Frau Ahrens und Frau Behrens der Forderung nachkommen wollten, sich durch selbsterbrachte Leistungsnachweise auch selbst Anerkennung zu verschaffen, dann müßten sie dafür das individuell Geleistete eigens hervorheben. Dies verursacht ihr Schamgefühl. Ihm kommt "zweifache Bedeutung zu. Als Modus der *Selbstkontrolle*, sich nicht von Affekten, Stimmungen, Nachlässigkeit treiben zu lassen (...), blockiert sie [die Scham] jede illegitime Demonstration von Individualität. Hier fungiert sie als *Wert*, und in diesem Sinne über Scham zu verfügen, stellt eine personenbezogene *Norm* dar. Als Modus der *sozialen Kontrolle*, die jeweils geltenden Verhaltensnormen zu bewahren, verwirklicht sie sich als soziale Angst vor der Ächtung durch die Gruppe. Hier fungiert sie als eine negative *Sanktion* der Abweichung. Das Schamgefühl dient damit der Bewahrung der Ehre in einem doppelten Sinn. Mit der persönlichen Identität desjenigen, der immer schon seine Gruppe repräsentiert, beschützt sie zugleich die kollektiven Werte, die die Gruppe nach innen und außen stabilisieren." (65)

Das Dilemma, einerseits gerechte Anerkennung einklagen zu müssen und andererseits nicht gegen die eigenen Normen und kollektiven Werten der sozialen Gruppen verstoßen zu können, lösen die beiden Frauen im Interview mithilfe einer spezifischen Argumentationsfigur, nämlich durch Vergleiche. Diese Vergleiche werden gezogen zwischen der Vergangenheit und der Gegenwart, der jüngeren und der älteren Generation, den alten und den neuen Bundesländern und nicht zuletzt den jeweils in ihnen lebenden Frauen. Frau Ahrens und Frau Behrens können damit ihre eigenen Verdienste in der Gegenüberstellung mit anderen definieren, ohne sie selbst auf beschämende Weise noch explizit hervorheben zu müssen; diese Vergleichsebene kann daher als ein Hilfsmittel verstanden werden, das primär mit dem Wunsch nach Anerkennung, aber nicht mit der Abwertung anderer Personen oder Gruppen zu tun hat. Und sie ermöglicht es auch, gegenwärtige Situation und zurückliegendes Leben miteinander in Verbindung zu bringen. So liest sich das Interview dann ebenfalls wie eine Argumentation, mit der die Frauen davon überzeugen wollen, daß sie tatsächlich verdient haben, was sie jetzt vermissen. Damit wird zugleich bereits der Teil des verbreiteten Vorurteils über die sogenannten 'Jammer-Ossis' zurückgewiesen, der sich auf angeblich unberechtigt gestellte Forderungen bezieht.

Diese Vorgehensweise auf der Ebene von Vergleichen hilft den beiden Frauen nicht nur, die aktuelle Interviewsituation zu meistern, sondern sie ist gleichzeitig auch Teil ihrer gesamten, über die Situation hinausgehenden *Bewältigungsstrategien*. Frau Ahrens und Frau Behrens verweisen häufig insbesondere auf diejenigen Kolleginnen und zahlreichen anderen 'Betroffenen', denen es ähnlich oder sogar noch schlechter als ihnen selbst ergeht. So wird auch das für sie vielleicht schlimmste Erlebnis dieser Zeit, der "knallharte Rausschmiß" ohne symbolische Anerkennung durch Verabschiedung und "ein Dankeschön", ebenfalls noch in diesen Rahmen gesetzt: *"det ging aber sehr vielen so, det ham se nich nur bei uns so jemacht, ham se in vielen Abteilungen jemacht."* Und Frau Behrens ergänzt: *"in vielen Betrieben ebenfalls, is nich nur bei uns."*

Diese Verweise und die Vergleiche sind im übrigen auch zugleich wieder Ausdruck von Bescheidenheit; durch sie können die beiden Frauen insgesamt einerseits implizit ihrem Bedürfnis nach Kritik und stärkeren Verweisen auf die eigenen Leistungen, andererseits ihren Normen auch explizit gerecht werden. Sie sprechen nicht nur für sich und über persönliche, individuelle Angelegenheiten; ihre Situation wird von ihnen vielmehr selbst als Teil eines *kollektiven Schicksals* erlebt. *"Und überall wo man geht, 'biste schon zuhause?' 'Haste noch Arbeit?' Überall dat selbe, überall (...)."*

Verglichen mit anderen haben Frau Ahrens und Frau Behrens am Ende beinahe noch Glück gehabt; es hätte ja schließlich auch schlimmer kommen können: *"für uns is erstmal jetze Jewißheit, det wir in 'n Vorruhestand gehn könn' und det is wenigstens dat Se überhaupt erstma 'n bissel abjesichert sind. Ansonsten wär'n wir jetz jekündigt word'n, hätt'n zweiunddreissig Monate Arbeitslosenjeld jekriegt und denn hätt'n wir dajestanden und hätten nich' jewußt, wie et weiterjeht. Arbeitslosen*hilfe, *dazu hätten höchstwahrscheinlich die Männer nachher wieder zuviel jehabt, hätten wir nischt jekriegt, also hätten wir janz arm ausjesehn. Und somit sind wir wenigstens so'n bissel .. bis zur Rente sind wir erstmal abjesichert. Wir werden davon keene .. Reise bis nach Florida machen könn', aber zumindest 'n ebend in unsern bescheidenen Rahmen leben wir weiter."*

Frau Ahrens und Frau Behrens signalisieren Bereitschaft, ihre Situation für sich positiv gewendet zu sehen. Dies und ihr Realismus tragen mit dazu bei, daß sie nicht verzweifeln. Solange über ihre Zukunft nicht entschieden war, erzählt Frau Ahrens, *"(konnten) wir uns damit nich abfinden, dat wir zuhause bleiben müssen .. na eben immer unter Leute sind (...)."*

Inzwischen besteht nun für sie Gewißheit, faktisch selbst nichts mehr ändern zu können. Im Vorruhestand, *"dann hört ja dieser janze Krampf irgendwie uff, nech dann sind wir in irgendeen Hafen nu jelandet, 'n zurück gibts davon sowieso nich mehr .. und damit is ebend det Berufsleben abjeschlossen. (...) wenn det Vierteljahr jetze rum is und wir wissen nachher, wat wir haben .. und zu ändern is da nichts mehr dran, da müssen wir denn irgendwie versuchen uns mit dem, wat wir haben, einzurichten".*

Das Wissen um die eigene Machtlosigkeit läßt Frau Ahrens und Frau Behrens nicht resignieren; sie sind nun vielmehr bemüht, sich mit der Situation zu arrangieren. Und schließlich: die Frauen in den alten Bundesländern, die gar nicht erwerbstätig sind, *"ham et och überstand'n".* Daher besteht auch Zuversicht, daß sie den Abschied vom Erwerbsleben bewältigen werden. Durch ihre Trauerarbeit, die Frau Ahrens und Frau Behrens hier leisten, können sie diesen Abschied in ihr Leben integrieren. Ihr Selbstbewußtsein kann sie dabei auch vor den schließlich durchaus denkbaren Gefühlen über eigene Unzulänglichkeiten und persönliches Verschulden ihrer Situation schützen und ihm entgegenwirken. Der Ärger und die Enttäuschung über ungerechte Behandlung und persönliche Herabsetzung allerdings sind damit längst nicht vergessen.

5 "Man is nich mehr sein eigener Herr" - Auswirkungen auf das Familienleben und das Gefühl der Eigenständigkeit

Seit sie auf Kurzarbeit Null gesetzt worden sind, haben Frau Ahrens und Frau Behrens mehr freie Zeit zur Verfügung. Die Umstellung darauf fällt nicht leicht und so ganz zufrieden sind sie bislang auch selbst noch nicht; einerseits vergeht die Zeit schnell und ohne Langeweile: *"wir sind immer auf Achse"*, erzählt Frau Behrens. Andererseits füllt sie das alltägliche Leben zuhause auch nicht aus: *"wenn ich det richtig sagen soll, det weeß ick gar nich zu sagen"*, antwortet Frau Ahrens auf die Frage nach ihrem üblichen Tagesablauf.[7] *"So richtich macht man überhaupt nischt mehr, Vormittag hat man zu tun, dat jeht alles langsamer, man steht später auf, wir frühstücken später, denn is der Vormittag ja kurz bis zum Mittagessen .. naja und am Nachmittag da kommt der eene, da kommt der andere, denn rennt man mal inne Stadt gucken .. aber det is eben wat, wat einem nich so richtich ausfüllt."*

Es fehlen die Anforderungen, die der Beruf an die beiden Frauen gestellt hat. Zugleich war er ein die Zeit und den Alltag wesentlich strukturierender Teil ihres Lebens. Mit dem Beruf verschwindet auch die Klarheit der Grenzen zwischen den Sphären von Arbeit und Freizeit. Immerhin aber wird der Vorruhestand in Bezug auf die freigewordene Zeit keine völlig neuartige Situation für die beiden Frauen bedeuten. *"(...) jetz ham wir uns so langsam dran jewöhnt. Naja natürlich, über 'n Jahr, der Mensch ist 'n Jewohnheitstier (...)"*. Allerdings, erzählt Frau Behrens, *"sind nun denn die Männer nu och noch zuhause, das is 'ne jewaltige Umstellung, jetzt mit eenmal beede zuhause den **ganzen** Tach irgendwie .. (...)."*

Herr Ahrens und Herr Behrens sind beide 60 Jahre alt. Für sie kam das Ende im Betrieb weniger überraschend als für ihre Ehefrauen und letztlich sogar später, als sie es selbst erwartet hatten. Nach 40 Jahren Schichtarbeit sind sie zwar nicht mit ihrem Altersübergangsgeld von DM 820,- monatlich, wohl aber damit zufrieden, *"dat se nu zuhause bleib'n könn'."*

Frau Ahrens und Frau Behrens sprechen vor allem mit Verständnis über ihre Ehemänner: *"naja erstmal isset ja für die Männer och 'ne Umstellung."* Die Beziehungen sind offenbar intakt; die beiden Familien leben in Genossenschaftswohnungen, die häusliche Rollenverteilung ist weitgehend traditionell. Die Frage nach der Beteiligung der Männer an der Hausarbeit amüsiert die beiden Frauen da eher: *"na det is ja grad für uns mal wat .. det reicht für die Männer ja denn gar nich (...) wir ham ja jetzt die Zeit dazu, ham wir ja jetzt."*

Frau Ahrens und Frau Behrens sind in eine offenbar gut funktionierende Gemeinschaft von Familie und Freunden integriert. Bereits die Zahl der eigenen Kinder bedingt die recht großen Familien; hier werden die beiden Frauen nun nicht zuletzt auch zur Betreuung der Enkelkinder gebraucht. *"Nu hat man ja nachher viel Zeit mal die Verwandtschaft zu besuchen (...) und denn, wie je sacht, 'n Bekanntenkreis hat man och, da spielt man mal Karten (...) ansonsten ham wir och zusamm' schon so 'ne Drei-Tagesfahrt gemacht hier zur Mosel und so 'ne Moselfahrt (...) einiget reisen woll'n wir schon noch."*

Die beiden Frauen sind *"immer unter Leute jewesen"* und vermissen bis heute den täglichen Kontakt zu Kolleginnen und Kollegen; sie wollen nicht isoliert sein. Vor allem aber wollen sie auch nicht auf ihre Eigenständigkeit verzichten, und für sich selbst ebenfalls Zeit beanspruchen können. Dafür allerdings müssen sie Strategien entwickeln, da sich die Veränderungen im Leben der Ehemänner nun auch auf das der Frauen auswirken. *"Man is' nich mehr sein eigener Herr"*, sagt Frau Ahrens. *"Nee denk ick nich, man hat immer een am Hacken. Ick geh' jerne mal so durch de Stadt, mach ick ja trotzdem, davon abjesehn, aber ick jeh mal gerne so oder beschäftige mich mal selbst."*

Frau Ahrens und Frau Behrens bewältigen diese Situation, indem sie sich eigene Freiräume entweder selbst schaffen oder auch die gebotenen Möglichkeiten zur freien Wahl der Beschäftigung nutzen. So freut sich Frau Ahrens darüber, daß ihr Ehemann seinen Mittagsschlaf hält: *"(...) freu' ick mich, is mal **'ne Stunde**, wo ick mal **machen kann**, entweder mach ick wat oder mache nischt. Und gucke mal, vielleicht im Fernseh'n det, wat ich sonst nich gucken kann oder wat er nich so jerne sieht, wat ick mir denn uffnehme (...) und det is' mal 'ne Stunde oder zwee Stunden wo ick mal machen kann* *wat ick will. Ansonsten hat man ja .. is man nich sein eigener Herr .. 'morgen muß ich zum Arzt, kommste denn mit?' .. Na jut, denn jeh ick mit .. det is 'ne Sache, die man sonst nich hatte"*, erzählt Frau Ahrens und lacht. Auch die gemeinsame Freundschaft hilft den beiden Frauen: *"ja, doch, och det janze Jahr jetzt, ne. Den Mittwoch ham wir uns immer freijehalt'n, weil wir jetzt ja mittwochs (im Betrieb) immer unterschreiben müssen, dat wir ja überhaupt noch da sind (...) na und der Mittwoch is denn immer unser .. wir meld'n uns denn gleich zuhause ab und dann geh'n wir Kaffeetrinken oder Bummeln"*. *"Treffen wir uns um acht"*, ergänzt Frau Ahrens, *"und denn bleib'n wir zusamm' bis mittags. Gibts viel zu erzähln, dann mach'n wir mal 'n Bummel über 'n Markt oder mal durch de Stadt (...)."*

Umstellungsschwierigkeiten und damit verbundene Unzufriedenheiten, von denen die Frauen erzählen, äußern sich nun zwar auch im Familienleben; doch sind es am Ende einmal mehr die Vergleiche, in denen deutlich wird, daß Frau Ahrens und Frau Behrens mit ihren Familien doch Glück haben und daß sie dies auch wissen. *"Also et gibt in viel'n Familien hab ick jehört schon arge Schwierigkeiten."* Sie erzählen von Familien, die die 'Wende' nicht überstanden haben oder zumindest nicht mehr stabil sind. Ihre eigene Gemeinschaft der Familie und Freunde ist hingegen intakt und erhalten geblieben, sie hat die Folgen der 'Wende' bislang gut überstanden. Wenn nun auch Frau Ahrens und Frau Behrens vielleicht *"immer een am Hacken"* haben, so sind sie doch eigentlich zufrieden und am Ende auch *stolz auf die Familie*: *"wir ham alle 'n jutet Verhältnis irjendwie (...) Kinder ham wir alle erzogen (...) is keener aus der Art jeschlagen."* [8] Durch den Abschied vom Erwerbsleben wird die Familie für Frau Ahrens und Frau Behrens nun sicher einmal mehr zu einem wichtigen Bezugspunkt; und auch der Familienstolz wird vielleicht zukünftig ebenfalls noch deutlicher gespürt und zum Ausdruck gebracht, da der Arbeitsstolz im Betrieb nur in der Erinnerung weiterhin Selbstbestätigung bieten kann.

6 "Is' eben 'ne andere Welt" - auf Distanz zu den alten Bundesländern

Reinhard Kreckel schreibt, daß "(...) kein Weg an der Einsicht vorbei (führt), daß auch die Unterscheidung zwischen 'Ossis' und 'Wessis' selbst als ein askriptives Diskriminierungsmerkmal fungiert: Durch Zugehörigkeit,

Herkunft und Wohnort werden Qualifikationen entwertet und damit Lebenschancen beeinträchtigt. Wir haben es, mit anderen Worten, mit einem *Vorgang der kollektiven Herabsetzung* zu tun, der alle mit dem DDR-Stigma behafteten Personen trifft." (1991, 24)

Auch Frau Ahrens und Frau Behrens fühlen sich von den 'Wessis' nicht akzeptiert: *"(...) und **nichts** wird mehr anerkannt, also irjendwie find' ick det is .. man stempelt uns wirklich alle ab wie dumme Kinder .. und det find ick also nich soo positiv."* Frau Behrens scheint ihren Eindruck hier noch recht vorsichtig und zurückhaltend zusammenzufassen; dies vielleicht auch deshalb, weil ihre Interviewerin ja selbst aus den alten Bundesländern kommt.

"(...) is doch für unsere Seite nich viel Jutet bei rausjekomm'".[9] Diesem 'Wende'-Fazit der beiden Frauen liegen durchaus differenzierte und vergleichende Sichtweisen über die Verhältnisse in der DDR und über die in den neuen Bundesländern zugrunde. Alles zusammen genommen, hatten die DDR und auch die Wende aus der Sicht von Frau Ahrens und Frau Behrens zwei Seiten. Einerseits führen sie selbst die Notwendigkeit von Veränderungen und Umstrukturierung an: *"(...) also det war mir klar, wo die Wende kam, (...) irgendwat muß hier anders werden .. daß et so nich' weiterjehn kann, dat war klar. Wir hätten, wir war'n ja schon in Grund und Boden jewirtschaftet."* Sie beziehen sich hier auch auf ihre persönlichen Erfahrungen und führen verschiedene Beispiele aus dem Alltagsleben in der DDR an.[10]

Auf der anderen Seite sind viele Veränderungen den beiden Frauen aber ebenso unverständlich wie eine pauschale Verurteilung der DDR: *"(...) aber dat nu so **alles** zusammenbricht und überhaupt **nichts**, denn det war ja **soviel Gutes auch** dabei (...) dat janze Soziale, ob dat die Polikliniken oder wat war, ick weeß jar nich, warum man da nu soviel dran auszusetzen hat. War doch 'ne feine Sache."*[11] *"Vieles hätte bleiben können, denk ick och",* pflichtet Frau Ahrens bei. Insgesamt sind die beiden Frauen nicht mit dem Urteil einverstanden, *"dat es nu direkt **schlecht** hier is. Also det würd' ick nich so sehn."*

Frau Ahrens und Frau Behrens fühlen sich auch in ihrem eigenen Lebensentwurf, zumindest in Bezug auf ihre Erwerbstätigkeit, nicht anerkannt: *"is jetz sowieso anders, Frauen woll'n se jetz sowieso nich mehr so, drüben is det wahrscheinlich so det die Frauen zuhause sind, weniger arbeiten (...)."* Die beiden Frauen fühlen an sich den Maßstab westdeutscher Frauen angelegt. Dabei hat sich für sie auch ein Bild gefestigt, in dem die westdeutschen Frauen selbst die Verursacherinnen der eigenen Erwerbslosigkeit sind. Frau Ahrens und Frau Behrens haben diese Ansicht vermutlich im Kontakt mit ihrer Westverwandtschaft entwickelt, auf die sie sich hier auch beziehen. So gesehen, sind die westdeutschen Frauen dann irgendwie auch dafür mitverantwortlich, daß Frau Ahrens und Frau Behrens aus dem Erwerbsleben gedrängt worden sind. *"Wenn man die Frauen von drüben hört, die sag'n 'freut euch doch, daß ihr zuhause seit, arbeiten muß man doch als Frau nich unbedingt'."*

Frau Ahrens und Frau Behrens sind zwar nicht bereit, diese Ansicht zu teilen, aber offenbar doch immerhin dazu bereit, sie zu akzeptieren. *"Bloß .. wir sind det so jewöhnt (...) bei uns waret so, dat jehörte dazu, dat die Frauen arbeiten."*

Das Gefühl, vom 'Westen' nicht anerkannt zu sein, kann schließlich höchstens noch die auch unabhängig von dieser Anerkennung bereits existierende Haltung verstärken, die Frau Ahrens und Frau Behrens selbst gegenüber den alten Bundesländern einnehmen. *"Is' eben 'ne andere Welt"*, sagt Frau Ahrens und bringt damit eine Distanz treffend zum Ausdruck, die nicht erst durch aktive Bewältigungsstrategien im Sinne einer besonderen Anstrengung hergestellt werden muß. *"Man hat ja überhaupt keen Verhältnis mit'nander"*, stellt Frau Behrens fest. Sie hat auch zu DDR-Zeiten ihre Verwandtschaft im 'Westen' nicht besuchen wollen, obwohl sie dazu Gelegenheit gehabt hätte. Und *"ick gloob och jar nich"*, ergänzt Frau Ahrens, *"dat man sich, wenn man nu nach drüben gehn würde, so wohlfühlen würde (...) wir sind hier großjeworden .. für uns isses doch die Heimat hier."*

7 "Man muß eben det Beste draus machen, Kopp in 'n Sand stecken hilft nischt" - Lebens- und Bewältigungsstrategien

Die Strategien, die Frau Ahrens und Frau Behrens zur Bewältigung der 'Wende' und ihren Auswirkungen entwickeln, sind allem voran *realistische Strategien*. Die eigene Machtlosigkeit gegenüber Veränderungen wie zum Beispiel denen des Erwerbssystems setzen sie um in Bereitschaft, sich mit den Gegebenheiten zu arrangieren. Anpassung bedeutet hier die Fähigkeit, die eigenen Chancen und Grenzen realistisch einschätzen zu können. Der Sinn für Grenzen und - damit korrespondierend - ein Lebensziel, das sich nicht einseitig auf die Belange des Erwerbslebens zentriert, sondern

Zufriedenheit vor allem auch im Rahmen der eigenen Gemeinschaft von Familie und Freundeskreis anstrebt, schützen die beiden Frauen auch vor Verzweiflung und Resignation. In *Durkheims* Abhandlung über den anomischen Selbstmord (1990, 273 ff.) im Gefolge wirtschaftlicher Krisen heißt es unter anderem:

"(...) jeder (macht sich) in seiner Lebenssphäre ein ungefähres Bild davon, wie weit sein Ehrgeiz gehen kann, und er trachtet nach nichts, was darüber hinausgeht. Zumindest, wenn er (...) der Kollektivautorität gehorcht, das heißt, wenn seine moralische Geistesverfassung gesund ist, fühlt er, daß er nicht gut noch mehr fordern kann. Damit sind seinen Begierden Ziel und Grenze gesetzt. (...) Diese relative Beschränkung und die Mäßigung, die daraus folgt, bringen es dahin, daß der Mensch mit seinem Schicksal zufrieden ist; (...) Nebenbei ist der Mensch durch all dies keineswegs zur Untätigkeit verurteilt. Er kann danach trachten, sein Leben zu verschönern. Aber wenn er entsprechende Anstrengungen macht und sie schlagen fehl, so wird er dennoch nicht verzweifeln. Denn da er liebt, was er besitzt, und dem, was er nicht hat, nicht mit aller Kraft nachjagt, macht es nichts, wenn das Neue, das er schließlich erstrebt, vielleicht seinen Wünschen und Erwartungen nicht entspricht, es fehlt ihm dann nicht gleich alles. Die Hauptsache bleibt ihm. Das Gleichgewicht seines Glückes ist stabil, weil es begrenzt ist, und einige Enttäuschungen können ihn nicht erschüttern." (284 f.)

Diese Sensibilität für die Werte der Volksklasse wird im übrigen auch bei *Bourdieu* deutlich.[12] *"An und für sich sind wir so'ne Menschen, die .. nich meckern könn', jetzt nich und vorher och nich (...) also unzufrieden sind wir nich, jetz nich und vorher nich"*, heißt es jedenfalls am Ende auch im Interview. Die beiden Frauen bewahren eben selbst in Krisenzeiten die gewohnte Bescheidenheit und Selbstdisziplin als wichtige Voraussetzungen dafür, sich mit auferlegten Beschränkungen zu arrangieren. (Vgl. Durkheim 1990, 293)

Diese Art realitätsbezogener Haltung ist nichts Neues im Leben von Frau Ahrens und Frau Behrens. *"Also ick hab' immer gesacht"*, erzählt Frau Behrens aus den zu DDR-Zeiten mit ihrem Ehemann geführten Gesprächen, *"du mußt nich so weit weg gucken, guck' doch hier, bleib' doch bei uns, wir könn' nu mal nich woanders hin. Man kann sich doch det Leben nich nur schwer machen, um nach irgendwat zu streben, wat sowieso nich geht. (...) Ick' hab immer jesacht, Auskommen ham wir hier, kleenet Auto ham wir och und 'ne Wohnung ham wir und jesund sind wir und mein Gott, 'n Fahrrad um in 'n Wald zu fahr'n, und Wasser ham wir jenuch .. uns hat's jereicht, bin ick ehrlich, also, und is och jetze ick brauch' och .. mein Gott man könnt' sich det Reisen bis nach Spanien schon mal leisten oder wat, bin jar nich so verrückt danach (...)."*

Frau Ahrens und Frau Behrens waren letztlich, trotz kritischer Einwände vor allem zur Versorgungslage und dem "Wasserkopf", mit dem Alltagsleben in der DDR im großen und ganzen doch zufrieden und einverstanden; ihre Möglichkeiten liessen sich mit zentralen und doch bescheidenen Bedürfnissen in Einklang bringen. Mit Einschränkungen konnten sie sich dann auch arrangieren: *"(...) wat sind wir in 'n **Urlaub** jefahr'n, (...) wir war'n immerzu auf Achse .. tja .. wir ham oft die Plätze ebend jenomm', die ebend übrichjeblieben sind, die keener wollte und, wenn 's auch nur innerhalb unserer .. DDR ehemals war, aber zumindesten waren wir raus und da sind wir voll verpflegt worden .. und dat alles für 'n Hundertmarkschein .. ne, weil mehr ham wir doch nich bezahlt. (...) Sie werden 's natürlich von andern hör'n, die sagen, 'wir ham zehn Jahre uff een Ferienplatz jewartet', is' klar, wenn jetz der Juli August kam, und Sie unbedingt anne Ostsee wollten, war natürlich, da ja die Ostsee nich' so groß is' und die janze DDR wollte nu ebend ausjerechnet im Juli August anne Ostsee, war natürlich nich .. aber auf die andern Ausweichplätze (...)."*

In ihrer Bescheidenheit sind Frau Ahrens und Frau Behrens ihren Lebensstrategien und ihrem Habitus treu geblieben. Dies zeigt sich auch im beibehaltenen und praktischen Sinn für das Notwendige in den alltäglichen Entscheidungen (s. *Bourdieu* 1982, 587 ff.) über ihren Lebensstil: *"wobei ick dazu sagen muß, ick habe nich' den Trend mitjemacht wie so viel Nachbarn nebenan und hab' die Möbeln alle rausjeschmissen .. ick habe meine Möbel noch steh'n, ick seh' nämlich da keen Sinn drin. Die sind nich schlecht, die sind .. vielleicht sind se 'n bissel anders wie se drüben jetze sind .. aber ick seh' det nich ein, warum soll ick det Schlafzimmer rausschmeißen, wat so lange **jut** genuch war, also ick .. ick mach' den Trend jedenfalls nich' mit. (...) so manch eener bringt det, nimmt sich **Schulden** noch uff 'm Halse .. und weeß nachher nich, wie er se abzahlen soll. Also so 'n Typ sind wir ebend nu ma nich'"*.

Die beiden Frauen sind offenbar nicht allein anpassungsfähig; sie beweisen hier vielmehr auch ihren *Eigensinn*. Und schließlich erweist sich die Anpassungsfähigkeit auch als durchaus vereinbar mit dem Eigensinn; denn sie versteht sich nicht als Opportunismus, sondern ist ebenfalls bezogen auf die Vereinbarkeit mit dem eigenen Bedürfnis- und Wertesystem. Das vereinte Deutschland erleben Frau Ahrens und Frau Behrens nun als vielfach eben damit nicht vereinbar: Soziale Errungenschaften der DDR sehen sie abgeschafft (z.B. Systeme medizinischer Versorgung und der Kinderbetreuung); Leben und Leistung werden nicht anerkannt. Die ausgebrochenen und andauernden Existenzkämpfe und die zunehmende Konkurrenz bedeuten für die beiden Frauen letztlich auch einen Angriff auf den Zusammenhalt von Familie und Gemeinschaft und damit auch einen Angriff auf die eigenen, im Rahmen von Bescheidenheit und Solidarität, gelebten Vorstellungen.

Die Distanz zum 'Westen' zeigt, daß Frau Ahrens und Frau Behrens auch ihre *Identität gewahrt* haben. Der Bezug auf die eigenen Lebensvorstellungen, Bedürfnisse und Werte bedeutet hier ebenfalls eine realistische Strategie; wie sonst sollten die beiden Frauen im vereinten Deutschland bestehen. So aber sind sie in der Lage, ihr Leben selbst zu meistern und die Auswirkungen der 'Wende' zu bewältigen. Sie benötigen dabei weder Mitleid noch ist die Bezeichnung vom 'Jammer-Ossi' zutreffend; hinter ihr verbirgt sich vielmehr auch berechtigter Protest: Wenn Persönlichkeit, Leben und Leistung nicht anerkannt werden, dann wäre es doch nur verwunderlich, würden die beiden Frauen dies so hinnehmen.

Sighard Neckel (1991, 11 ff.) beschreibt zahlreiche Anlässe für die Schamgefühle, die bei den Menschen in der DDR durch die 'Wende' verursacht wurden oder zumindest verursacht werden konnten. Dazu gehören auch die mit der "Entwertung der eigenen Geschichte" verursachten Gefühle, "die Scham, ein Untertan gewesen zu sein", zusammen mit dem "Wissen darum, auf seine Weise mitgemacht zu haben." (13)

Frau Ahrens und Frau Behrens belegen im Interview, daß sie selbst sich weder ihres Lebens noch dafür schämen müssen, es in der DDR zugebracht zu haben. Sie können eine funktionierende Gemeinschaft und intakte Familie mit 'vorzeigbaren' Kindern vorweisen, in der niemand 'aus der Art geschlagen' ist. Sie verdanken dies nicht zuletzt auch den dafür vorhandenen Lebensumständen sowie ihren eigenen Anstrengungen. Die faktische Erwerbslosigkeit haben sie weder selbst verschuldet noch gewollt. Einzig wirklich beschämend ist für die beiden Frauen, daß sie die Anerkennung für dieses Leben auch noch selbst einklagen sollen. Es bleibt der Bezug auf den eigenen sozialen Ort, an dem ihnen diese Anerkennung nicht fehlt.

Und doch erinnert ihre Situation insgesamt an eine 'Falle', in der Frau Ahrens und Frau Behrens ihre *Stigmatisierung* nur jeweils bestätigen können: Wenn sie sich gegen empfundene Ungerechtigkeit nicht zur Wehr setzen, erkennen sie ihre soziale Ausmusterung als gerechtfertigt an. Sie akzeptieren dann auch, daß persönliche Würde und selbst die Ehre ihrer sozialen Gruppe (77) verletzt werden. Setzen sie sich aber zur Wehr, dann können sie wohl gewiß sein, daß ihnen das Merkmal 'Jammer-Ossi' zugeschrieben wird. Fraglich auch, ob sie in einem dieser beiden Fälle von anderen sozialen

Gruppen und vor allem in den alten Bundesländern überhaupt ernst genommen werden. Zudem laufen sie bei Protest gegen widerfahrene Ungerechtigkeit ebenfalls noch Gefahr, gegen Konformitäts- und Solidaritätsprinzipien des eigenen Klassenmilieus verstoßen zu müssen. Aber schon die persönlichen Normen und Tugenden der Bescheidenheit, Anständigkeit und Selbstverständlichkeit verbieten ihnen, mit den eigenen Leistungen und Verdiensten zu 'prahlen'. Unabhängig davon auch, ob sie nun für die Belange ihrer sozialen Gruppe oder für ihre persönliche Anerkennung streiten, verspricht der Protest schon deshalb wenig Erfolg, weil Frau Ahrens und Frau Behrens faktisch vier Merkmale aufweisen, von denen unter dem Gesichtspunkt sozialer Ungleichheiten jedes allein oft genug schon ausschlaggebend für eine soziale Benachteiligung ist: die Zugehörigkeiten zu bestimmten Geschlechts- und Altersgruppen, zu einem spezifischen Klassenmilieu und zur Bevölkerung des Territoriums der ehemaligen DDR.

Und dennoch: Frau Ahrens und Frau Behrens setzen der Entwertung der eigenen Geschichte auch den *Wert der eigenen Geschichte* und ihres Lebens entgegen. Ihre Machtlosigkeit geht nicht mit dem Gefühl von Unterlegenheit (148) einher, sie bedeutet nicht den Verlust, zumindest nicht den generellen Verlust, des Selbstwertgefühls. Und mit dem Leitmotiv ihres Lebens, das sie variantenreich und auf verschiedenartigste Situationen anzuwenden wissen, beherrschen die beiden Frauen zugleich eine wohl oft genug auch schwierige Überlebenskunst: Frau Ahrens und Frau Behrens finden sich ab, ohne sich aufzugeben.

Anmerkungen

1. Das Interview wurde im Rahmen des Forschungsprojektes 'Der Wandel der Sozialstruktur und die Transformation sozialer Milieus in den neuen Bundesländern' (Vester/von Oertzen/Geiling 1991) durchgeführt und ausgewertet. In diesem Forschungsprojekt, das von der Hans-Böckler-Stiftung und aus dem niedersächsischen Vorab der Volkswagen-Stiftung gefördert wird, arbeiten drei Gruppen zusammen: aus Berlin (Leitung: Irene Zierke), aus Leipzig (Leitung: Michael Hofmann) und aus Hannover (Leitung: Michael Vester). Die ausgewählten Untersuchungsregionen sind Leipzig/Espenhain und Brandenburg. Die Analyse des Interviews mit Frau Ahrens und Frau Behrens und die Fragestellung zeigen einen Ausschnitt aus der insgesamt breiter gefächerten Untersuchung. (Vgl. Vester 1992a, Vester 1992b).

"Man muß eben det Beste draus machen" 139

2. Das Interview mit den beiden Frauen wurde wortgetreu transkribiert und dabei anonymisiert. Die Orientierung an der gesprochenen Sprache ist auch in den wiedergegebenen Auszügen beibehalten. Transkriptionszeichen:
   ..   kurze Pause
   ...   lange Pause
   (...)   Auslassung
   Betonungen sind durch Fettdruck hervorgehoben.
3. Ausschließlich männliche Sprachformen sind in der ehemaligen DDR noch sehr viel häufiger in Gebrauch als in den alten Bundesländern. Sie werden auch von den beiden Frauen durchgängig verwendet.
4. Insoweit gilt auf dem Gebiet der ehemaligen DDR auch für Frauen verstärkt eine grobe Dreiteilung des Lebens in "Vorbereitungs-, Erwerbs- und 'Ruhe'phase". Sie wird bei Martin Kohli aufgrund der Situation in den alten Bundesländern primär für die Männer diskutiert. (Kohli 1986, 184).
5. Diesen Wunsch äußerten auch die arbeitslosen Frauen von Marienthal: "Aber fast in allen Frauenbiographien kommt dann doch der Satz: «Wenn wir nur wieder in die Arbeit könnten.»" (Jahoda/Lazarsfeld/Zeisel 1975, 91) Auch in den Motiven der Frauen findet sich eine Entsprechung; zwar waren die Marienthaler Frauen durch ihre Hausarbeit bereits sehr stark belastet und auch materiell weitaus schlechter gestellt als Frau Ahrens und Frau Behrens; doch wollten auch sie "(...) nicht nur aus materiellen Gründen wieder in die Fabrik zurück; die Fabrik hat ihren Lebensraum erweitert und ihnen soziale Kontaktmöglichkeiten gegeben, die sie jetzt entbehren." (92) (s. hierzu die Abschnitte 2 und 5).
6. Zum Moralbegriff vgl. Emile Durkheim (1976); die Bedeutung der "Autorität des Kollektivs" als "regulative Kraft" wird von Durkheim auch im Zusammenhang mit dem anomischen Selbstmord behandelt (1990, 273 ff.).
7. Diese Äußerung erinnert einmal mehr an die Marienthal-Studie (Jahoda/Lazarsfeld/Zeisel 1975), die schon die Annahme widerlegt, "daß in allem Elend der Arbeitslosigkeit die unbegrenzte freie Zeit für den Menschen doch ein Gewinn sei. (...) bei näherem Zusehen erweist sich diese Freizeit als tragisches Geschenk." (83) Dort sind es die Männer, die ihre Zeit nicht mehr zu verwenden wissen, "(...) die Frauen sind nur verdienstlos, nicht arbeitslos im strengsten Wortsinn geworden. Sie haben den Haushalt zu führen, der ihren Tag ausfüllt. Ihre Arbeit ist in einem festen Sinnzusammenhang, mit vielen Orientierungspunkten, Funktionen und Verpflichtungen zur Regelmäßigkeit." (89) Trotz gebliebener Hausarbeit und einer zumindest groben Zeitstruktur fühlen sich Frau Ahrens und Frau Behrens nicht ausgelastet; die Freizeit ist kein 'tragisches Geschenk', die Beziehung dazu bisher aber doch teilweise noch ambivalent. Dennoch ist die Arbeitslosigkeit für die beiden Frauen, wenn auch schwer, so doch verarbeitbar; sie hat nicht die Anomie zur Konsequenz. Dem wirkt schon die Orientierung auf verschiedene und vielfältige Lebensbereiche entgegen, die einerseits eben wohl vor allem frauenspezifisch ist. Daß außerdem auch die Unterklassen, nicht zuletzt aufgrund ihrer geringen ambitionierten und nicht auf einzelne Lebensbereiche reduzierten Lebensziele, insgesamt weitaus weniger anomiegefährdet sind

als etwa Angehörige freier Berufe oder die wohlhabenden "Privatiers" in den Bereichen von Handel und Industrie, darauf hat bereits Durkheim (1990, insbes. 294 f.) hingewiesen.
8. In den Erzählungen über die Kinder, deren Verhalten und Einstellungen, wird deutlich, daß sie mit den Werten ihrer Eltern und ihrem sozialen Klassenmilieu großgeworden sind; die für ein Leben nach den Prinzipien von Konformität und Solidarität ebenfalls erforderliche Selbstdisziplin, wie sie Frau Ahrens und Frau Behrens ja selbst verkörpern, bedeutete in der Erziehung entsprechend auch Disziplinierung der Kinder: *"Kinder ham wir alle so erzogen, dat se gedrillt war'n uff 'd Jehorchen".*
9. Hier beantworten die beiden Frauen die Frage danach, was sie sich von der 'Wende' erhofft haben. Ihre damaligen Gedanken, Gefühle und Wünsche sind von der nachfolgenden Realität überlagert worden, die auch Enttäuschungen gebracht hat; vielleicht ist daher heute die Erinnerung teilweise 'blockiert': *"mh .. tja, det is schwer zu sagen, ja .. zumindesten ham wir uns det nich so .. jedacht wie et jekomm' is".*
10. So erzählt etwa Frau Ahrens, daß *"man (...) ja .. och in den Jeschäften nischt mehr zu kaufen gekricht (hat), man konnte ja nich mehr kaufen, wat man brauchte, det mußte man ja unter'm Ladentisch kaufen, man mußte ja überall (...) 'ne Bekannte haben, die denn jesacht hat, 'warte mal' und denn mal drunterjefaßt hat und (...) Reparaturen, det war doch schon 'n Ding der Unmöglichkeit, ja, weil et ja nischt mehr gab, es gab kein Material (...) hat man 'nen Waschbecken jebraucht, dat hat man ja nich jekricht. War ja nich möglich. So konnt' et überhaupt nicht weitergehn und det mit unsere Arbeitskräfte hier (...) det is doch hier unsere Büros wurden doch immer voller, det wurde doch da 'ne Baracke und da 'ne Baracke, det ham doch so viel Leute schon in 'n Büro jesessen, wenn man morgens vonner Nachtschicht gekommen ist und hier die Straße runterjegang' ist."*
11. Die beiden Frauen wissen dabei sehr wohl auch um die Bequemlichkeiten, die ihnen die DDR geboten hat; vieles lief eben "automatisch", z.B. bei der Kinderbetreuung und der medizinischen Versorgung; *"(...) denken brauchten wir nich, det denken ham andere für uns übernommen, wurde ja alles vom Staat alles jeregelt"*, konstatiert Frau Ahrens. Mit ihrer Kritik an den Umstrukturierungsprozessen plädieren die Frauen nicht einfach für den Erhalt eigener Bequemlichkeit, sondern gegen einen für sie nicht sinnvollen und nachvollziehbaren Abbau sozialer Errungenschaften. Eigenständiges und eigenverantwortliches Handeln wird von ihnen so auch befürwortet: *"det wird ja nich so verkehrt sein, dat man sich alles alleine ausrennen muß, bloß det is eben für uns unjewohnt."*
12. In der Zusammenführung der charakteristischen Merkmale des Lebensstils der Volksklasse wird bei Bourdieu auch ein Syndrom deutlich: "eine durch die Erfahrung von Mangel, Leiden und Erniedrigung erworbene Weisheit, die in einer ererbten, bis in ihre stereotypen Wendungen hinein dinglichen Sprache lagert, einen Sinn für kameradschaftliches und fröhliches Feiern, für Selbstverwirklichung und praktische Solidarität (dies klingt in den Adjektiven *genießerisch* und *lebensfroh* an, mit denen die unteren Klassen sich identifizieren), kurz alles, was mit einem realistischen (und nicht resignierten) Hedonismus und einem skeptischen (aber nicht zynischen) Materialismus einhergeht, die beide zugleich eine Anpassung an die Existenzbedingungen und einen Schutz vor ihnen darstellen (...)." (1982, 616)

Literatur

Alheit, Peter; Bettina Dausien (1991): Arbeiterbiographien. Zur thematischen Relevanz der Arbeit in proletarischen Lebensgeschichten: Exemplarische Untersuchungen im Rahmen der «biographischen Methode», Bd. 2 der Forschungsreihe des Forschungsschwerpunkts «Arbeit und Bildung», Universität Bremen, dritte, leicht überarb. Aufl.

Bourdieu, Pierre (1982): Die feinen Unterschiede. Kritik der gesellschaftlichen Urteilskraft, Frankfurt a. M.

Bourdieu, Pierre (1991): Die Intellektuellen und die Macht, hg. von Irene Dölling, Hamburg

Durkheim, Emile (1976): Bestimmung der moralischen Tatsache, in: ders., Soziologie und Philosophie, Frankfurt a. M. (zuerst Paris 1924)

Durkheim, Emile (1990): Der Selbstmord, Frankfurt a. M. (zuerst 1897)

Jahoda, Marie; Paul F. Lazarsfeld; Hans Zeisel (1975): Die Arbeitslosen von Marienthal. Ein soziographischer Versuch, Frankfurt a. M. (zuerst Leipzig 1933)

Kohli, Martin (1986): Gesellschaftszeit und Lebenszeit. Der Lebenslauf im Strukturwandel der Moderne, in: Johannes Berger (Hrsg.): Die Moderne - Kontinuitäten und Zäsuren. Soziale Welt, Sonderband 4, Göttingen

Kreckel, Reinhard (1992): Geteilte Ungleichheit im vereinten Deutschland, Beitrag für die Arbeitstagung der DGS-Sektion "Soziale Ungleichheit und Sozialstrukturanalyse" in Freudenberg bei Siegen (23. - 25. Januar)

Neckel, Sighard (1991): Status und Scham. Zur symbolischen Reproduktion sozialer Ungleichheit, Frankfurt a. M.

Schumann, Michael, u.a. (1981): Rationalisierung, Krise und Arbeiter. Eine empirische Untersuchung der Industrialisierung auf der Werft, 2 Bde., Bremen: Zentrale Wissenschaftliche Einrichtung «Arbeit und Betrieb»

Segert, Astrid (1992): Wie ein streitfähiger Betriebsrat entsteht. Metamorphose einer realsozialistischen Arbeitnehmervertretung am Beispiel der Stahl- und Walzwerke Brandenburg GmbH, Berliner Arbeitshefte und Berichte zur sozialwissenschaftlichen Forschung, hg. vom Zentralinstitut für sozialwissenschaftliche Forschung, Freie Universität Berlin

Simmel, Georg (1983 a): Das Geld in der modernen Kultur (1896), in: ders., Schriften zur Soziologie. Eine Auswahl, hg. und eingeleitet von Heinz-Jürgen Dahme und Otthein Rammstedt, Frankfurt a. M.

Simmel, Georg (1983 b): Dankbarkeit. Ein soziologischer Versuch (1907), in: ders. Schriften zur Soziologie. Eine Auswahl, hg. und eingeleitet von Heinz-Jürgen Dahme und Otthein Rammstedt, Frankfurt a. M.

Strittmatter, Franz Josef (1992): Langzeitarbeitslosigkeit im Wohlfahrtsstaat. Zu ihren Auswirkungen auf soziale Systeme und den Verarbeitungsstilen der Betroffenen, Beiträge zur Arbeitsmarkt- und Berufsforschung 157, Nürnberg

Vester, Michael; Peter von Oertzen; Heiko Geiling (1991): Der Wandel der Sozialstruktur und die Transformation sozialer Milieus in den neuen Bundesländern, Forschungsantrag an die Hans-Böckler-Stiftung, Hannover

Vester, Michael (1992a): Milieuwandel und Sozialstruktur in den neuen Bundesländern, in: Hansgünther Meyer (Hg.): Soziologen-Tag Leipzig 1991: Soziologie in Deutschland und die Transformation großer gesellschaftlicher Systeme, Berlin

Vester, Michael (1992b): Die verleugnete und die verwandelte Klassengesellschaft. Die Milieus der sozialen Klassen in Ost- und Westdeutschland, in: Der schwierige Weg zur Arbeiteremanzipation, Festschrift für Adolf Brock, Bremen (im Erscheinen)

Empirie West

Geschlechterverhältnis und Individualisierung:
Von der Ungleichheitsrelevanz primärer Beziehungen

Angelika Diezinger

1 Individualisierung: eine neue gesellschaftliche Anforderungsstruktur

Für die Frage nach dem Verhältnis von Geschlecht und Klasse stellt die These der Individualisierung gesellschaftlicher Integration einen spannenden Perspektivwechsel dar, geht sie doch von folgenden zwei Hypothesen aus: Klassen- und schichtspezifische Modelle der Lebensführung büßen ihre prägende Kraft zugunsten einer institutionenvermittelten Form der gesellschaftlichen Integration ein. Dabei gerät auch die traditionelle geschlechtshierarchische Arbeitsteilung als Basis ungleicher Lebenschancen von Frauen und Männern unter Druck (*Beck* 1983, 1986).

Ich sehe es als offene Fragen, wie weitreichend sich dieser Wandel durchgesetzt hat, wie er auf die Struktur des Geschlechterverhältnisses einwirkt und ob er sich entlang oder quer zu den "alten" Dimensionen sozialer Ungleichheit entfaltet[1]. Ich gehe vor allem auch aufgrund meiner empirischen Erfahrungen[2] weiter davon aus, daß sich die Struktur des Geschlechterverhältnisses, Trennung und Hierarchie, (noch) nicht grundlegend geändert hat. Allerdings sind die Auswirkungen dieser Ursache sozialer Ungleichheit nach Lebensbedingungen unterschiedlich (*Balog/Cyba* 1990).

Auf diesem mehr von Fragen als von Erkenntnissen gespickten Problemfeld erweist sich das Konzept der Individualisierung durchaus als vorteilhaft: Es entscheidet nicht schon theoretisch vor, wie und mit welchem Gewicht Klasse und Geschlecht als kollektive Zuordnungskriterien das Geschlechterverhältnis (noch) strukturieren. Es geht zwar von einer nachlassenden Erklärungskraft beider Kriterien für die soziale Verortung von Frauen aus, ist darin jedoch offen für eine empirische Überprüfung.

Das Konzept der Individualisierung ermöglicht auch, strukturelle und subjektorientierte Perspektiven sozialer Ungleichheit zusammenzuführen: Wenn traditionelle Normen und soziale Bindungen weniger prägend auf Lebensbedingungen und Verhalten von Individuen einwirken, entwickelt sich ein Spielraum für individuelle Gestaltungsmöglichkeiten innerhalb von Strukturen; es entstehen aber zugleich neue Anforderungen: Die Einzelnen müssen nun individuell und mit geringerer Abpufferung durch Familie, soziale und regionale Milieus ihre soziale Integration bewerkstelligen, d.h. die unterschiedlichen, teilweise einander widersprechenden Vorgaben und

Anforderungen verschiedener gesellschaftlicher Teilsysteme zu einem Muster der Lebensführung zusammenführen (*Berger/Hradil* 1990).

In diesem Sinne thematisiere ich Individualisierung in erster Linie als gesellschaftliche Anforderungsstruktur (*Bilden/Diezinger* 1984). Darunter verstehe ich einmal faktische Anforderungen, etwa das, was jemand erfüllen muß, um eine berufliche Laufbahn entsprechend der Bildungsvoraussetzungen, betrieblichen Selektionskriterien etc. einschlagen zu können. Verbunden sind damit auch Normen, d.h. explizite oder implizite Vorstellungen davon, wie etwas gemacht werden soll, was Priorität haben muß, wenn Anforderungen unterschiedlicher Institutionen kombiniert werden müssen. Die Verbindlichkeit der Anforderungen kann in den verschiedenen Teilsystemen durchaus unterschiedlich hoch sein. Erst in der Auseinandersetzung mit solchen Anforderungen zeigt es sich, ob neue Freiräume oder stärkerer Anpassungsdruck für die Individuen entstehen.

Im folgenden will ich zunächst der Frage nachgehen, welche spezifischen Anforderungen dabei an Frauen gestellt werden. In einem zweiten Schritt ist zu klären, wie sich Frauen mit diesen Anforderungen auseinandersetzen. Wenn die Rede von Individualisierung als Freisetzung Sinn machen soll, dann müssen dabei nicht nur unterschiedliche Ressourcen, sondern auch die Interessenlagen der Frauen eigens berücksichtigt werden. Sie können nicht gleichgesetzt werden mit den an sie gestellten Anforderungen bzw. aus ihnen extrapoliert und daher auch nicht vereinheitlicht werden. Sowohl bei den Handlungsressourcen, bei den Interessenlagen wie auch bei der Interessenwahrnehmung ist danach zu fragen, wie soziale Herkunft, generationen- und lebensphasenspezifische Einflüsse differenzierend wirksam werden.

Da das Geschlechterverhältnis sich nicht nur als Strukturzusammenhang, sondern auch in konkreten "Verhältnissen" von Frauen mit Männern, von Frauen mit Kindern entfaltet, wird darüber hinaus wichtig, wie Frauen diese primären Beziehungen gestalten. Gerade dort, wo sich in der Perspektive des Individualisierungskonzepts der Spielraum für individuelle Gestaltung auftut, wird auch das "Gegeneinander der Geschlechter" am spürbarsten erlebt. Dabei zeigt sich meines Erachtens, daß die neuen Anforderungen der "Arbeitsmarkt-Individualisierung" die "überkommenen" gesellschaftlichen Anforderungen an Frauen zwar delegitimieren (*Beck* 1986, 161 ff.), aber die Stabilität der geschlechtshierarchischen Arbeitsteilung bisher nicht entscheidend tangieren.

Es gilt daher, die Perspektive der Individualisierung aus ihrer marktzentrierten Logik zu lösen und auch die geschlechtstypischen Anforderungen, mit denen sich Frauen im privaten Versorgungsbereich konfrontiert sehen, zu integrieren. Im Prozeß der Auseinandersetzung mit diesen Anforderungen werden aber nicht nur Versorgungs- und Arbeitsinteressen wichtig, sondern auch solche persönlichen Wünsche und Bedürfnisse, die sich gerade nicht als Interessen formulieren (und organisieren) lassen: Liebe, Zuwendung, Verbundenheit (*Eckart* 1991). Welche Bilder und Konzepte Frauen selbst von Beziehungen haben, wird daher ebenfalls ungleichheitsrelevant und zwar

Geschlechterverhältnis und Individualisierung 147

sowohl im Hinblick auf die Benachteiligung von Frauen gegenüber Männern[3] als auch im Hinblick auf Differenzierungen zwischen Frauen.

Wenn ich im folgenden von Konzepten spreche, dann nicht, weil ich denke, daß Bilder und Vorstellungen von Beziehungen in ausgefeilten Entwürfen gegenwärtig sind, die nur noch in die Tat umgesetzt werden müßten. Vielmehr möchte ich damit hervorheben, daß es mir mehr um die implizite Struktur der Vorstellungen, Ideale etc. geht, d.h. wie und wo Hierarchie und Gleichheit, Nähe und Distanz, Gemeinsamkeit und Getrenntheit thematisiert werden.

2 Individualisierung von Frauen: eine doppelte Anforderungsstruktur

2.1 Im Sog der Arbeitsmarkt-Individualisierung

Individualisierung von Frauen wird (anders als bei Männern) vornehmlich als Herauslösung aus familienzentrierten und familial gestützten Lebensmodellen dargestellt[4]. Das verändert einerseits ihre Handlungsspielräume in der privaten Lebensführung, bedeutet aber zugleich auch den Verlust überkommener Versorgungszusammenhänge (*Beck-Gernsheim* 1983; *Beck* 1986). Frauen werden in ihrer Lebensgestaltung direkter von institutionellen, vor allem arbeitsmarktvermittelten Chancen abhängig. Dies erzeugt für sie einen starken Anpassungsdruck an ein berufszentriertes Modell der Lebensführung, an ein "männliches" Modell der Lebensführung. Diese Entwicklung ist nicht rückgängig zu machen[5], aber sie wird abgebremst durch die weiterbestehende Verantwortung für die private Alltags- und Erziehungsarbeit.

Die Verallgemeinerung der Arbeitsmarkt-Individualisierung über Geschlechtergrenzen hinweg bedeutet also nicht die Auflösung geschlechtsspezifischer Benachteiligung, sondern deren Pointierung. Das Muster der Arbeitsmarkt-Individualisierung stabilisiert auf Seiten der Männer die berufszentrierte Lebensführung und damit auch die geschlechtshierarchische Arbeitsteilung. Anforderungen und Realisierungsmöglichkeiten klaffen daher für Frauen generell stärker auseinander, sie sind im Vergleich zu Männern größeren Risiken der Lebensführung ausgesetzt (*Beck-Gernsheim* 1983). Die empirischen Untersuchungen der Frauenforschung haben darüber hinaus deutlich gemacht, daß die Verteilung von Chancen und Risiken in diesem Prozeß für verschiedene Gruppen von Frauen sehr unterschiedlich ausfallen kann: Es gibt Gewinnerinnen und Verliererinnen.

Das Zwischenstadium des "nicht mehr" und des "noch nicht", in dem sich Frauen nach *Elisabeth Beck-Gernsheim* (1983) befinden, ist ein Resultat historisch unterschiedlicher Prozesse: Proletarische Frauen z.B. kannten keine Sicherheit familialer Versorgungszusammenhänge und waren im

Vergleich zu bürgerlichen Frauen gleichzeitig Nachzüglerinnen, was die Einbindung in qualifizierte formale Bildungsgänge anbelangt. Schon auf dieser Ebene lassen sich also Unterscheidungen danach treffen, wann individualisierende Entwicklungen bestimmte Gruppen von Frauen erfassen und ob die Freisetzung eine erzwungene oder eine selbstgewollte, ja erkämpfte darstellt. Allerdings kumulieren aktuell diese unterschiedlichen Freisetzungswellen und führen dazu, daß Frauen unabhängig von ihrer sozialen Herkunft, ihrer Bildungsgeschichte und ihrer Generationszugehörigkeit in den Sog der Arbeitsmarkt-Individualisierung geraten. Ungleichheit unter Frauen, nicht nur was die unterschiedlichen materiellen und sozialen Ressourcen, sondern auch, was die Interessenorientierungen anbelangt, kann auf solch unterschiedliche Ausgangslagen zurückgeführt werden.

Diese Perspektive, die Frauen als Nachzüglerinnen im Prozeß der Arbeitsmarkt-Individualisierung sieht und daraus ihre unterschiedlichen Strategien und Interessen herleitet, ist durchaus richtig. Sie nimmt die gesellschaftliche Dominanz dieses Musters der gesellschaftlichen Integration ernst. Sie zeigt vor allem Dingen auch, daß lagenspezifische Dimensionen sozialer Ungleichheit für Frauen eine "neue" Bedeutung als selbsterworbene, und nicht mehr nur als vom Vater oder Ehemann abgeleitete, erhalten. Aber diese Perspektive erfaßt die Schwierigkeiten weiblicher Individualisierungsprozesse nur in einem Defizitmodell: Benachteiligungen für Frauen entstehen, weil und insoweit sie sich nicht an ein berufszentriertes Modell gesellschaftlicher Integration anpassen. Auch soziale Unterschiede unter Frauen werden nur in dem Maße erfaßt, als sie in bezug auf dieses männliche Modell der Lebensführung entstehen.

2.2 Kontrollierte Individualisierung

Innerhalb der Logik dieses marktzentrierten Modells der Integration kann der Frage nicht nachgegangen werden, ob soziale Untergleichheit unter Frauen nicht auch aus unterschiedlichen Ausgangslagen gegenüber "frauenspezifischen" Anforderungsstrukturen entsteht. Damit aber kann auch die Vielfalt der Erscheinungen geschlechtlicher Ungleichheit nicht angemessen erfaßt werden.

Das Bild von Autonomie und Eigenständigkeit, das dem Muster der Arbeitsmarkt-Individualisierung unterliegt, grenzt primäre soziale Bindungen, insbesondere die Verantwortung für andere, aus. Sie erscheinen als Hindernis im Zugriff auf neue Optionen, weil sie individuelle Entscheidungen einflechten in Handlungszusammenhänge mit anderen Menschen. Primäre Bindungen sind jedoch eine notwendige Voraussetzung für die Konstitution von personaler und soziale Identität und damit für die Reproduktion der Gesellschaft. Die Delegierung dieser gesellschaftlich notwendigen "Fürsorge für andere" in den Privatbereich und in die Verantwortung der Frauen bot bisher das Unterfutter für einen Individualisie-

Geschlechterverhältnis und Individualisierung 149

rungsprozeß, in dem neue Gestaltungschancen scheinbar wie in einem Null-Summen-Spiel nur auf Kosten überkommener Bindungen entstehen.

Die Rechnung konnte solange aufgehen, als sie nicht jedem, sondern nur den Frauen präsentiert wurde: Denn das ausgegrenzte, aber notwendige Moment der Bindungen ist "aufgehoben" in einer zweiten, "geschlechtstypischen" Anforderungsstruktur gegenüber Frauen, die ich als "kontrollierte Individualisierung" bezeichnet habe[6]. Damit meine ich eine Form gesellschaftlicher Integration, in der Individualisierung über den Markt durchaus enthalten ist, um die Erosion der familialen Versorgungssicherheit auszugleichen, jedoch nur soweit, als die notwendige Erfüllung privater Alltagsarbeit in Beziehungen und die Beziehungsfähigkeit der Subjekte nicht gefährdet wird. Frauen sollen die Fähigkeit zur eigenständigen ökonomischen Existenzsicherung entwickeln und diese auch als Familienfrau nicht vernachlässigen. Gleichzeitig sollen Verantwortungen, die sich aus familialen Bindungen ergeben, Vorrang haben, obwohl sie keine Langzeitperspektive für die Biographie mehr vermitteln.

Beide Anforderungsstrukturen sind in sich widersprüchlich und thematisieren diejenigen Interessen der Frauen nicht, die eher auf eine Vereinbarung und Gleichbewertung von Autonomie und Bindung gerichtet sind (*Diezinger* 1991).

- Das Muster der Arbeitsmarkt-Individualisierung steht für die Verheißung eines Privatlebens in Eigenregie, scheinbar nur in Abhängigkeit von der eigenen Arbeitsmarktposition. Es basiert auf einem Bild von Autonomie, in dem Bindungen ausgeblendet sind.
- Das Muster der kontrollierten Individualisierung enthält die Möglichkeit der Vereinbarung von Autonomie und Bindung. Doch es priorisiert primäre Bindungen als Verantwortungsbereich von Frauen gegenüber anderen sozialen Integrationserfahrungen und basiert auf einem Konzept von Bindungen, das keine Autonomie für Frauen enthält.

Die Auseinandersetzung mit Individualisierung ist bei Frauen gekennzeichnet durch die Konfrontation mit beiden Anforderungsmustern, dem gesellschaftlich dominanten und dem geschlechtstypischen. So unterschiedlich beide Muster auch strukturiert sind, in beiden werden individuelle Handlungsspielräume legitimiert und gebunden an die eigene Erwerbsarbeit. Und beide basieren implizit oder explizit auf einem Konzept von Bindungen, das Be- und Entlastungen für Frauen und Männer ungleich verteilt. Daher entfalten direkt oder indirekt immer beide Muster ihre biographische Wirkung, auch wenn sie unterschiedliche, lebensphasenspezifische Bedeutung erhalten und Frauen sich in ihrer aktuellen Lebensführung eher an einem der Muster orientieren.

3 Auseinandersetzung mit Individualisierung: Differenzierung und Polarisierung geschlechtlicher Ungleichheit

Die doppelte Anforderungsstruktur und der Widerspruch zwischen Anforderungen und Interessen führen dazu, daß sich die Wirkung der Strukturkategorie Geschlecht innerhalb der Gruppe der Frauen ausdifferenziert und zwar auch dann, wenn sie soziale Lagen teilen. Gerade weil Frauen es mit zwei Anforderungsstrukturen zu tun haben, wirken nicht nur Marktchancen differenzierend, sondern auch soziale Ressourcen, die sich durch die Wahl privater Lebensformen ergeben. Aber nicht nur die Verfügung über materielle und soziale Ressourcen, sondern auch die persönlich-biographischen Konzepte, die handlungsleitend für die Anwendung dieser Ressourcen werden, wirken hier strukturierend und differenzierend. Dies gilt insbesondere für die Gestaltung primärer Bindungen, die in keinem der beiden Muster von Individualisierung als Entlastung und Unterstützung für Frauen konzipiert sind. Vorstellungen von Liebesbeziehungen, von Mutterschaft, von Verantwortung für andere und vor allem von der Selbstanerkennung von Autonomiewünschen in diesen Beziehungen sind hier entscheidend auf die Wahrnehmung von Handlungsspielräumen im Sinne von Chancen-Sehen und -Ergreifen. Im folgenden möchte ich meine Thesen exemplarisch an einigen empirischen Beispielen darstellen.

Weibliche Jugend ist gekennzeichnet als Qualifizierungsphase, als Vorbereitung auf Erwerbsarbeit und die sozio-ökonomische Ablösung vom Elternhaus. Daher steht auch für Frauen in dieser Phase die Auseinandersetzung mit der Arbeitsmarkt-Individualisierung im Mittelpunkt. Daß sie dabei im Vergleich zu ihren männlichen Altersgenossen über geringere Konkurrenzchancen verfügen, gehört zum empirisch gesicherten Wissen um geschlechtliche Ungleichheit. Doch auch eine erfolgreiche Integration ins Erwerbsleben vermittelt ihnen aufgrund der doppelten Anforderungsstruktur nicht die gleichen Handlungschancen: Nicht die Verfügung über ein eigenes Einkommen wird hier zum Schlüssel für ein Leben in Eigenregie, sondern erst der Beweis, daß sie sich selbst versorgen und "niemandem zur Last" fallen, z.B. indem sie einen eigenen Haushalt gründen (*Diezinger* 1991). Dies gilt für ihre männlichen Altersgenossen nicht in dieser Härte (s. auch *Hantsche* 1989).

Im Anspruch der Selbstversorgung taucht das Ausgegrenzte, der Aspekt der Bindungen in einer Weise auf, die Frauen dem Druck zu einer tatsächlich monadischen Existenz aussetzt, um einer zusätzlichen Belastung zu entgehen. Die konkrete Erfahrung, zur Selbstversorgung fähig zu sein, kann nun wiederum unterschiedlich verarbeitet werden. Wird die Norm der Selbstversorgung von den Frauen selbst zum Ausweis ihrer Unabhängigkeit, dann kann die Anpassung an die Arbeitsmarkt-Individualisierung hinterrücks die geschlechtshierarchische Arbeitsteilung stabilisieren. Die eigene Erwerbstätigkeit wird dann nicht als Legitimationsgrund für Wünsche nach Entlastung, nach Unterstützung in der Alltagsarbeit herangezogen. Umgekehrt aber kann die Erfahrung der Fähigkeit zur Selbstversorgung auch die Angst vor Abhängigkeit in Bindungen mindern.

Viel Aufmerksamkeit hat die Frauenforschung den ungleichheitsrelevanten Dimensionen des "weiblichen Lebenszusammenhangs", etwa familienphasenspezifisch unterschiedlichen Belastungen von Müttern und kinderlosen Frauen gewidmet. Auch die schichtspezifischen Ungleichheiten, etwa in den privaten Gestaltungsmöglichkeiten bei der Kinderbetreuung, sind empirisch gut belegt (z. B. *Krüger u.a.* 1987). Unterschiedliche Handlungsspielräume von verheirateten Müttern, alleinerziehenden Müttern, Frauen in nicht-ehelichen Lebensgemeinschaften oder Singles zeigen sich auch in meinem Sample. Diese Unterschiede aufgrund der privaten Lebensform sind den Frauen auch deutlich gegenwärtig, weil sie teilweise an den eigenen Erfahrungen in anderen privaten Lebensformen festgemacht werden können.

Lagenspezifische, lebensphasen- und lebensformspezifische Dimensionen geschlechtlicher Ungleichheit werden nun noch einmal differenziert durch Beziehungskonzepte. Während materielle Ressourcen (wie das Familieneinkommen) und soziale Ressourcen (Lebensformen, Zugang zu Betreuungseinrichtungen und soziale Netzwerke) die Reichweite der Optionen bestimmen, beeinflussen Beziehungskonzepte, wie etwa das der sozialen Mutterschaft, die Ausschöpfung der gegebenen Handlungsmöglichkeiten: Dies zeigt sich deutlich z.B. an zwei alleinerziehenden Frauen aus meiner Studie: Beide stammen aus Arbeiterfamilien, verdienen ihren Lebensunterhalt als angelernte Verkäuferinnen. Auch das Betreuungsarrangement ist das gleiche: Beide bringen ihr Kind während der Arbeitszeit in eine Krippe. Und dennoch verfügen sie über unterschiedliche Handlungsspielräume: Sie haben die biographischen Erfahrungen in Erwerb und Beziehungen, die in dieser Lebensform mündeten, zu unterschiedlichen Bildern von Mutterschaft, Eigenständigkeit als Frau, Partnerschaft verarbeitet. Während eine der Frauen das Ideal der selbstlosen Mutter verinnerlicht hat, um damit die Vaterlosigkeit des Kindes zu kompensieren, sieht die andere in ihrer Lebensform gerade die Chance, ihre Alleinverantwortung für das Kind aufzubrechen, auf Institutionen zurückzugreifen und ihr Engagement für das Kind vom Standpunkt ihrer eigenen Interessen her zu definieren.

Wie die Einbettung in Bindungen und deren Gestaltung die Zuteilung und Ausschöpfung von Lebenschancen beeinflußt und welch geschlechtsspezifisch unterschiedliches Gewicht sie dabei erhalten, hat *Maria Rerrich* (1990) im Hinblick auf die innerfamiliale Verteilung von Ungleichheit deutlich gemacht. Gemeinsame Ressourcen können für den einen primär mehr Lebensqualität, für die andere primär mehr Arbeit bedeuten. Daher ist es nicht verwunderlich, daß bei jungen Frauen, die in Paarbeziehungen leben (ob mit oder ohne Trauschein, mit oder ohne Kinder), die Meinung vorherrscht: Männer haben es besser im Leben als Frauen, erwerbstätige Frauen besser als Hausfrauen, kinderlose Menschen besser als Eltern (*Brigitte/DJI* 1988)[7].

Ein Wechsel von Beziehungsformen und -konzepten kann zu entscheidenden Veränderungen in der sozialen Verortung von Frauen führen. Für die Scheidung als Veränderung in der Lebensform und als Neustrukturierung der Verantwortlichkeit für andere hat dies vor allem *Doris Lucke* (1990) aufgezeigt. Jenseits der Veränderungen der sozialen Lage ist es jedoch auch wichtig, ob Frauen das Scheitern von Beziehungen zum Anlaß für die Revidierung ihrer Beziehungskonzepte nehmen oder nicht. *Margrit Brückner* (1987) hat dies eindringlich am Beispiel von Frauen geschildert, die sich aus ehelichen Gewaltbeziehungen lösen wollen und dies unabhängig von äußeren Lebensumständen nur dann schaffen, wenn sie ihre Autonomieinteressen in Bindungen selbst anerkennen.

Die Erfahrung der Re-Integration in den Arbeitsmarkt allein, das zeigen Beispiele geschiedener oder getrenntlebender Frauen aus meinem Sample, kann ohne eine solche Neuorientierung auch zur Falle werden: Wenn die Durchsetzung eigener Interessen gegenüber Partnern und Kindern wieder nur durch den Ausweis ökonomischer Selbständigkeit legitimiert wird.

4 Bewegungen im Privaten

Private Beziehungen und Bindungen, ob als Paarbeziehungen oder als Elternbeziehungen, sind ungleichheitsrelevant und zwar geschlechtsspezifisch unterschiedlich[8]. In ihren dominanten Formen stabilisieren sie das herrschende Geschlechterverhältnis, weil sie für Männer Fürsorge mit Kontrolle, sprich Autonomie, für Frauen Fürsorge mit Verantwortung und Ein- bzw. Unterordnung verbinden. Das Moment der Bindungen differenziert demnach auch soziale Lebenschancen unter Männern, je nach dem, ob und inwieweit sie in ihren Bindungen diese Entlastung (noch) erhalten.

Denn im Prozeß der Erosion tradierter Normen und Lebensformen sind Bindungen selbst gestaltbar geworden. Daher scheint es mir wichtig, bei Fragen der Veränderung des Geschlechterverhältnisses gerade auch die Bewegungen im Privaten zu berücksichtigen. Inwieweit weichen Frauen in ihren Beziehungskonzepten vom Muster der kontrollierten Individualisierung ab? Wie weitreichend ist dieser Wandel und worauf richtet er sich?[9]

Das Machtgefälle im Beziehungsmodell der kontrollierten Individualisierung drückt sich in der ungleichen Verteilung von Verantwortlichkeit für die Beziehungen und der ungleichen Anerkennung individueller Interessen in den Beziehungen aus: Frauen müssen mehr für die Beziehung tun, sich mehr mit dem Standpunkt des dominierenden Mannes identifizieren, sich mehr in ihn hineinfühlen. Die mangelnde Gegenseitigkeit der Leistungen und Anerkennung diskreditiert jene Interessen der Frauen, die nicht in der Fürsorge für andere aufgehen. Indem das Funktionieren der Beziehung zur Sache der Frau wird, ist damit zugleich die Aufgabe verbunden, dieses Gefälle von Macht und Anerkennung auszubalancieren, z.B. durch den Versuch, Ansprüche auf Selbstverwirklichung in die Erwerbssphäre zu verlagern.

Die Konzepte von Frauen decken sich nicht mit diesem Muster, entsprechen ihm aber in wichtigen Teilen. Bei den von mir interviewten Frauen stellen sie ein Amalgam aus überkommenen patriarchalen Mustern von Frauenleben und emanzipativen Ansprüchen dar. Das Ungleichgewicht zwischen Mann und Frau wird kaum relativiert. Die erotische Anziehungskraft des starken Mannes wie der Wunsch nach emotionaler Geborgenheit sind offensichtlich deutlich kodiert durch Macht- und Dominanzstrukturen und wirken stabilisierend, während die Erwartung der ökonomischen Versorgungssicherheit schon weitgehender aufgegeben wurde. Emanzipative Ansprüche drücken sich eher in einer selbstbewußteren Balance von Nähe und Distanz, von Gemeinsamkeit und Eigenständigkeit aus. Daraus ergeben sich auch neue Ansprüche der Frauen an das Verhalten ihrer Männer in Beziehungen, vor allem was die selbsttätige Übernahme gemeinsamer Verantwortung oder die sichtbare Anerkennung der Frau als Person mit eigenständigen Interessen anbelangt. Sie schwanken zwischen dem Streben nach Gleichheit und dem Bild starker Arme, in denen sie sich geborgen fühlen (van Stolk 1990, 28).

Die Interdependenz im Geschlechterverhältnis führt dazu, daß Veränderungen in den Beziehungskonzepten von Frauen zu "Männerproblemen" werden können. Die Ungleichheit im Geschlechterverhältnis wirkt sich aber deutlich im Sinne einer geringeren Veränderungsbereitschaft aus (*Metz-Göckel/Müller* 1986, *Brigitte/DJI* 1988) und zeigt sich auch darin, daß die Richtung der Veränderungen in den Beziehungsbildern von Männern eine andere ist. Neben dem Festhalten am status quo finden sich Spurenelemente einer egalitäreren Haltung (*Metz-Göckel/Müller* 1986, *Brigitte/DJI* 1988), aber auch Hinweise auf eine noch stärkere Entpflichtung der Männer von Verantwortlichkeit für andere (*Sinus* 1985).

Die Figuration des "harmonischen Ungleichgewichts" zwischen Mann und Frau (*van Stolk/Wouters* 1987, 136 ff.) wird auch bei Frauen nicht einfach durch ein anderes Muster allmählich ersetzt, vielmehr löst es sich in verschiedene Muster mit unterschiedlichen, meist widersprüchlichen Gewichtungen von Hierarchie und Gleichheit, Fürsorge und Eigenständigkeit auf.

Zumindest zu Beginn der achtziger Jahre lag in jüngeren Altersgruppen (Frauen zwischen 15 und 20 Jahren) das quantitative Übergewicht beim konventionellen Beziehungsmodell, das die Enge und Ausschließlichkeit einer männlich dominierten Beziehung betont. Daneben existierte ein Muster tiefgreifender Verunsicherung, in dem Angst vor emotionaler Abhängigkeit dem Wunsch nach einer "reibungslosen" Beziehung zu einem "überlegenen" Mann gegenübersteht. Schließlich zeigte sich ein Unabhängigkeitsmodell, in dem Beziehungen als Freiraum zur Entfaltung der Person begriffen werden, als Gestaltungsraum, in dem auch Konflikte ausgetragen und gleichgewichtige Arbeitsteilung praktiziert werden sollen (*Sinus* 1985).

Diese unterschiedlichen Bindungskonzepte von Frauen bezeichnen als persönlich-biographische Ressourcen individuelle Veränderungs- und

Stabilisierungspotentiale innerhalb des bestehenden Geschlechterverhältnisses. Sie stoßen nicht nur auf eher gegenläufige Tendenzen bei den Männern, sondern beschreiben auch unterschiedliche Handlungsspielräume von Frauen.

Bei den Versuchen der Individualisierung in Bindungen fehlen den Frauen weitgehend institutionelle Stützen, sie sind auf ihre persönlich-biographischen Ressourcen zurückgeworfen (s. auch *Beck-Gernsheim* 1992). Daher erscheint geschlechtliche Ungleichheit aus der Perspektive von Bindungen individualisiert und damit eines Teils ihrer politischen Brisanz beraubt. Im Sog der Individualisierung kann die Erfahrung sozialer Ungleichheit unter Frauen deutlicher werden als die Erfahrung der Diskriminierung gegenüber Männern. Das, was einigen Frauen möglich wird, wird zum Maßstab für alle Frauen und damit auch zum Bewertungskriterium für die "Gleichheit der Geschlechter". "Richtige" oder "falsche" Entscheidungen, d.h. Dimensionen individuellen Verhaltens werden als ursächlich für die unterschiedlichen Lebenssituationen wahrgenommen. Dies gilt vor allem in Übergangsphasen zwischen verschiedenen gesellschaftlichen Institutionen, etwa Bildungssystem und Erwerbssystem, zwischen unterschiedlichen privaten Lebensformen, beim Balancehalten zwischen Erwerbssystem und Familie.

Vor diesem Hintergrund können Erfahrungen im Sog der doppelten Individualisierung zu Polarisierungen in den Interessenlagen der Frauen führen und zugleich Anknüpfungspunkte für unterschiedliche Interpretationen sozialer Ungleichheit und individuelle Strategien bieten. Was sich für gut ausgebildete und beruflich arrivierte Frauen als privater Freiraum darstellt und daher erhalten werden soll, entpuppt sich für diejenigen, die nicht von der Bildungsexpansion profitierten, die am Arbeitsmarkt von Rationalisierung bedroht, aber auf Erwerbstätigkeit angewiesen sind, als riskante Zumutung. Die Bindungskonzepte bieten in ihrer Widersprüchlichkeit Anknüpfungspunkte für Stategien der Restauration tradierter Lebensformen wie der Entwicklung neuer Lebensformen.

5 Zur Ungleichheitsrelevanz von Beziehungskonzepten

Die Perspektive der Individualisierung *aus* Bindungen kann ergänzt werden um die Perspektive der Individualisierung *in* Bindungen, ohne daß dies zu einer Personalisierung sozialer Ungleichheit führt. Bei der Frage, inwieweit Beziehungskonzepte Ungleichheit im Verhältnis der Geschlechter zueinander, aber auch Ungleichheit unter Frauen stabilisieren oder verändern, dürfen lagen- und milieuspezifische Dimensionen sozialer Ungleichheit nicht vernachlässigt werden. Es gibt nämlich genügend empirische Hinweise darauf, daß die Verteilung und die Entstehung verschiedener Beziehungskonzepte offensichtlich abhängig ist von sozialstrukturellen Aspekten.

Je geringer das Bildungsniveau befragter Frauen, desto eher neigen sie dem tradierten Muster zu oder zählen zu den Verunsicherten (*Sinus* 1985).

Geschlechterverhältnis und Individualisierung

Ein ähnlicher Zusammenhang zeigt sich auch in einer Repräsentativ-Befragung junger Paare: Höheres Bildungsniveau, niedriges Alter, unabhängigere Lebensform (z.B. nicht-eheliche Lebensgemeinschaft), Berufstätigkeit und Kinderlosigkeit begünstigen ein emanzipativeres Selbstbild der Frauen und ein ebensolches Frauenbild ihrer Partner (*Brigitte/DJI* 1988, 45 ff.). Die Milieuabhängigkeit (wenngleich keine Milieuentsprechung) bestimmter Typen von Paarbeziehungen betonen *Burkart/Kohli* (1989), wobei sie deutlich machen, daß Herkunfts-, Bildungs- und Berufsmilieu unterschiedliche Wirkungen entfalten können. Dies gilt vor allem für biographische Erfahrungen des Wechsels von regionalen Milieus, des Bildungsaufstiegs und beruflicher Einbindung.

Konzepte von Bindungen bilden sich nicht nur in der Auseinandersetzung mit gesellschaftlichen Stereotypen von Liebe, Partnerschaft, Mutterschaft, sondern vor allem mit konkreten Beziehungserfahrungen in den Herkunftsfamilie (*Bilden u.a.* 1981) und im Lebensverlauf (*Diezinger* 1991). Die Milieuabhängigkeit bestimmter Formen der Paarbeziehung läßt vermuten, daß wir es auch bei der "Wahl" privater Lebensformen mit der Wirkung sozialstruktureller Aspekte zu tun haben (*Burkart/Kohli* 1989).

Aufgrund dieser Befunde erscheint es mir sinnvoll, zunächst auf der Ebene der Beziehungskonzepte anzusetzen und nicht bei den Lebensformen: Es ist naheliegend, daß es bei der Frage um Individualisierung in Bindungen nicht nur um eine Auseinandersetzung mit gesellschaftlichen Anforderungen geht, sondern auch um eine Veränderung des eigenen Selbstbildes. Dann erst läßt sich entziffern, wie individuelle Konzepte und Deutungen nicht nur die Wahrnehmung sozialer Verhältnisse, sondern auch das Verhalten darin beeinflussen. Es wird nicht vorausgesetzt, daß die aktuell gelebten Beziehungen den Konzepten und Wünschen entsprechen, vielmehr kann die Diskrepanz zwischen Zielen und Verhalten etwas über die Reichweite individueller Gestaltungsmöglichkeiten und über ungleiche Chancen der Durchsetzung aussagen. Dabei wird die Art und Verfügbarkeit von Strategien bedeutsam, die es Frauen (und Männern) mehr oder weniger leicht machen, die Realität ihrer Beziehungen ihren Wünschen anzugleichen. Auch hier deuten qualitative Ergebnisse darauf hin, daß milieuspezifische und kulturelle Traditionen wirksam werden (*Swidler* 1986), die durchaus auch Veränderungen in den Orientierungen konterkarieren können (*Hochschild* 1990).

Angesichts der Überlegung von *Stefan Hradil* (1992), daß sich Handlungsgefüge (wie etwa private Lebensformen) schneller wandeln als institutionalisierte Elemente der Sozialstruktur, stellt sich die Frage, ob Frauen es im Individualisierungsprozeß vor allem mit einem "institutional lag" zu tun haben, das durch die Bewegungen im Privaten, durch Anders--Leben und Nachleben, sichtbar wird und auf das gesellschaftlich reagiert werden muß. Umgekehrt lassen die empirischen Befunde auch die Hypothese zu, daß sich das herkömmliche Muster der geschlechtlichen Ungleichheit tief in die Persönlichkeitsstruktur von Frauen und Männern eingesenkt hat und daher vom sozialen Wandel weniger schnell und durchgreifend erfaßt wird (*Chodorow* 1985, *Elias* 1987).

In den Beziehungskonzepten, die in einem geschlechtstypischen Sozialisationsprozeß "unter die Haut" in die Psyche eingehen, könnten milieuspezifische "Kindheitsmuster" wirksam bleiben, die in anderen Erfahrungsbereichen schon viel stärker abgeschliffen wurden. Über die Nähe der Beziehungskonzepte zur persönlichen Identität, über die "Fesseln der Liebe" (*Benjamin*) könnte das überkommene Geschlechterverhältnis eher tradiert werden als über die in Bewegung geratenen Formen geschlechtshierarchischer Arbeitsteilung.

Anmerkungen

1. Weil dies für mich noch nicht geklärt ist, verzichte ich bewußt auf den Plural des Begriffs "Geschlechterverhältnis", wie er auch im Titel dieses Readers verwendet wird.
2. Ich beziehe mich dabei auf eine qualitative Panelstudie, die die Entwicklungsverläufe erwerbsloser Hauptschülerinnen zum Gegenstand hatte: 1978/79 führten wir mit 52 aktuell erwerbslosen Mädchen im Alter von 15-20 Jahren halbstrukturierte Interviews. Mit 29 von ihnen sprachen wir rund 1 1/2 Jahre später eine zweites Mal (Diezinger u.a. 1983). Dreizehn der jungen Frauen konnte ich rund 9 Jahre nach dem ersten Interview noch einmal interviewen. Ihre Lebenswege sind damit vom Eintritt in den Arbeitsmarkt bis in die Mitte des dritten Lebensjahrzehnts retrospektiv rekonstruierbar (Diezinger 1991).
3. In der konkreten Gestaltung von Beziehungen werden auch die "Männerbilder" von Bindungen bedeutsam, die Frage, inwieweit und worin sie mit denen der jeweiligen Frau übereinstimmen (Hochschild 1990)
4. Damit wird implizit unterstellt, daß ihre Klassen- oder Schichtlage vorher durch den sozialen Status des "Haushaltsvorstandes" (Vater oder Ehemann) gekennzeichnet war.
5. Es sind nämlich vor allem Veränderungen jenseits des Arbeitsmarktes, die zu dieser Entwicklung beitragen: Mutterschaft wird angesichts der Verlängerung der Lebenserwartung zu einer vorübergehenden Lebensphase, wird tendenziell zur Wahl, läßt sich in anderen Lebensformen als in der traditionellen Familie verwirklichen. Die Ehe bietet keine Garantie für lebenslange materielle Versorgung. Hausarbeit verliert die Anbindung an außerhäusliche Milieus und wird zur isolierten Familienarbeit.
6. Diesen Begriff hat Johanna Beyer geprägt.
7. Allerdings erscheint es mir wenig weiterführend, wie dieser Sachverhalt in der Studie "psychologisiert" und damit individualisiert wird: als Ausdruck von "Geschlechterneid" und Vorherrschen von "männlichen" Orientierungen nicht nur bei denjenigen, die zu den als schlechter dargestellten Gruppen gehören, sondern auch bei den Frauen, die erwerbstätig und kinderlos sind (Brigitte/DJI 1988, 11) . Das strukturelle Problem der unterschiedlichen Lebenschancen, das von den befragten jungen Paaren (denn die Männer urteilen ebenso wie die Frauen) klar benannt wird, wird so nur verniedlicht.
8. Ich werde mich im folgenden auf Konzepte von Beziehungen zwischen Frauen und Männern beschränken und die gesellschaftlich mindestens ebenso wichtigen Konzeptionen von Mutterschaft, Vaterschaft bzw. gemeinsamer Elternschaft ausklammern.
9. Ich konzentriere mich hier auf die Beziehungskonzepte der Frauen, weil angesichts der unterschiedlichen Anforderungsstrukturen im Individualisierungsprozeß der Druck der Veränderung von Frauen ausgeht.

Literaturverzeichnis

Balog, Andreas; Eva Cyba (1990): Geschlecht als Ursache von Ungleichheit. Frauendiskriminierung und soziale Schließung, Forschungsbericht Nr. 266 des Instituts für Höhere Studien, Wien

Beck, Ulrich (1986): Risikogesellschaft. Auf dem Weg in eine andere Moderne, Frankfurt a. M.

Beck-Gernsheim, Elisabeth (1983): Vom "Dasein für andere" zum Anspruch auf ein "Stück eigenes Leben", in: Soziale Welt, 34, 3, 307 - 340

Beck-Gernsheim, Elisabeth (1992): Arbeitsteilung, Selbstbild und Lebensentwurf. Neue Konfliktlagen in der Familie, in: KZfSS, 44, 2, 273 - 291

Berger, Peter, A.; Stefan Hradil (1990): Die Modernisierung sozialer Ungleichheit - und die neuen Konturen ihrer Erforschung, in: Diess. (Hrsg.): Lebenslagen, Lebensläufe, Lebensstile, Sonderband 7 der Sozialen Welt, Göttingen,

Bilden, Helga; Angelika Diezinger (1984): Individualisierte Jugendbiographie? Zur Diskrepanz von Anforderungen, Ansprüchen und Möglichkeiten, in: Zeitschrift für Pädagogik, 30, 2, 191 - 207

Bilden, Helga; Angelika Diezinger; Regine Marquardt; Kerstin Dahlke (1981): Arbeitslose junge Mädchen. Berufseinstieg, Familiensituation und Beziehungen zu Gleichaltrigen, in: Zeitschrift für Pädagogik, 27, 5, 677 - 695

Brigitte/DJI (Hrsg.) (1988): Kind? Beruf? Oder beides? Hamburg

Brückner, Margrit (1987): Die janusköpfige Frau. Lebensstärken und Beziehungsschwächen, Frankfurt a. M.

Burkart, Günter; Martin Kohli (1989): Ehe und Elternschaft im Individualisierungsprozeß: Bedeutungswandel und Milieudifferenzierung, in: Zeitschrift für Bevölkerungswissenschaft, 15, 4, 405 - 426

Chodorow, Nancy (1985): Das Erbe der Mütter. Psychoanalyse und Soziologie der Geschlechter, München

Diezinger, Angelika (1991): Frauen: Arbeit und Individualisierung, Opladen

Diezinger, Angelika; Regine Marquardt; Helga Bilden; Kerstin Dahlke (1983): Zukunft mit beschränkten Möglichkeiten. Entwicklungsprozesse arbeitsloser Mädchen, 2 Bde., München

Eckart, Christel (1991): "Wissen wir, was wir verlieren, wenn wir gewinnen?" (Hannah Arendt). Erfahrungen von Frauen mit dem herrschenden Verständnis von Erfolg im Beruf, in: ERfolg - SIEfolg - Verlagerungen in einem altem Konfliktfeld, Tutzinger Materialie Nr. 69, Tutzing, 38 - 51

Elias, Norbert (1987): Vorwort., in: Stolk; Wouters (1987)

Hantsche, Brigitte (1989): Schritte zur Aneignung des eigenen Lebens. Stellenwert, Definition und Realisierungsmöglichkeiten von Selbstbestimmungsmöglichkeiten und Selbstbestimmungsbestrebungen junger Frauen und Männer der '60er'Generation, in: Müller; Schmidt-Waldherr (Hrsg.): FrauenSozialKunde, Bielefeld, 163 - 185

Hochschild, Arlie Russel (1990): Der 48-Stunden-Tag. Wege aus dem Dilemma berufstätiger Eltern, Wien/Darmstadt

Hradil, Stefan (1992): Die "objektive" und die "subjektive" Modernisierung, in: Aus Politik und Zeitgeschichte, B 29 - 30, 3 - 14

Lucke, Doris (1990): Die Ehescheidung als Kristallisationskern geschlechtsspezifischer Ungleichheit, in: Berger; Hradil (Hrsg.), (1990), 363 - 385

Metz-Göckel, Sigrid; Ursula Müller (1986): Der Mann, Weinheim

Rerrich, Maria S. (1990): Ein gleich gutes Leben für alle?, in: Berger; Hradil (Hrsg.), (1990)

Sinus (1985): Jugend privat. Verwöhnt? Bindungslos? Hedonistisch?, Opladen

Stolk, Bram van (1990): Der Staat als Ernährer, in: Diskussionspapier 8-90, Hamburger Institut für Sozialforschung, Hamburg

Stolk, Bram van; Cas Wouters (1987): Frauen im Zwiespalt. Beziehungsprobleme im Wohlfahrtsstaat, Frankfurt a. M.

Swidler, Ann (1986): Culture in Action: Symbols and Strategies, in: American Sociological Review, 51, 273 - 286

Eine gesellschaftliche Großgruppe formiert sich: Verschärfung sozialer Ungleichheit für Frauen durch Nicht-Verheiratet-Leben

Ulrike Martiny

In Frage steht, ob und gegebenenfalls wie soziale Ungleichheit im Geschlechterverhältnis verschärft bei der Gruppe von Frauen auftritt, die ein Leben als Nicht-Verheiratete führen, und wie deren Interessenwahrnehmung und Bedürfnisse nach persönlichem Rückhalt mit ihren verfügbaren Ressourcen und mit ihrer rechtlichen Lage korrespondieren. Ist zu vermuten, daß die Hierarchisierung der Geschlechterdifferenz mit anderen Produktionsweisen sozialer Ungleichheit einhergeht, insbesondere mit der Politik, Lebensformen nach solchen mit ehelich geordneten primären Beziehungen von solchen ohne eheliche Vermittlung zu unterscheiden? Und weiter: Trifft zu, daß der Personenstand als rechtsverbindliches Merkmal für das Gewähren oder Vorenthalten von Ansprüchen auf zentrale, in der Gesellschaft aber nur begrenzt verfügbare materielle Ressourcen besonders markant die Gruppe unter den Frauen ungleich stellt, die nicht durch die Institution der Ehe individuell in ihren primären Beziehungen gesellschaftlich integriert ist?

Der Anlaß für diese Fragen ergab sich im Anschluß an ein Forschungsprojekt über "die Lebenssituation alleinstehender Frauen", das im Auftrag des Bundesfrauenministeriums die soziale und rechtliche Lage sowie die Selbstwahrnehmung nicht verheirateter Frauen zum Thema hatte und kürzlich von uns abgeschlossen wurde.[1] Gegenstand ist die bereits rein statistisch große Gruppe an nicht verheirateten Frauen zwischen 25 und 65 Jahren, d. h. 3,9 Millionen von den insgesamt 7,9 Millionen nicht verheirateten Frauen jeglichen Alters ab 25 aufwärts, die 1990 allein in den Altländern der Bundesrepublik leben. Es geht also nicht vorwiegend oder sogar ausschließlich um Alleinerziehende, sondern um ein wesentlich größeres Aggregat: die nicht verheirateten unter allen Frauen, ob sie nun Mütter sind oder nicht, ob Kinder mit ihnen zusammenleben oder nicht und wie alt auch immer diese Kinder sind. Ledige ohne Kinder, die allein leben, gehören mit zu der in Frage stehenden Gruppe.

Mein Beitrag legt das Schwergewicht auf empirische Ergebnisse, dargestellt in der Form von Politik-Kritik. Dabei baut er auf einer Konzeptions- und Instrumentenentwicklung, einer Mikrozensus-Sekundäranalyse und sozio-biographischem Datengewinn und Interpretationen durch mich auf, bezieht aber auch Ergebnisse themenzentrierter Einzelfallanalysen und der Rechtsanalyse ein, die meine KollegInnen verfaßt haben. Der Beitrag kann aber auch als ein Beispiel für die Auseinandersetzung soziologischer, rechtlich informierter Frauenforschung mit Neuland in der Theorie und

Methode von Sozialstrukturanalyse gelesen werden. Was dies betrifft, geht er über die abgefaßte Studie hinaus.

Politiken des Unterscheidens zwischen Verheiratet-Leben und Nicht-Verheiratet-Leben von Frauen handeln von langfristig wirksamen Verteilungs- und Institutionalisierungsungleichheiten und deren Durchsetzungschancen im Lebenslauf. Damit wird *soziale Ungleichheit und Lebenslauf* zu einem Leitthema der Analyse und Politik-Kritik.

Abstrakt betrachtet setzen die Politiken, die aus Geschlechterdifferenzen soziale Hierarchien konstruieren, an der Heterogenität sozio-kultureller Differenzierungsprozesse an, die das Verhältnis von Geschlecht und Klasse unter Individualisierungsbedingungen der gesellschaftlichen Integration annimmt. Die kulturelle Selbstverständlichkeit zweigeschlechtlicher Konstruktionen bei gleichzeitiger formeller gesetzlicher Gleichstellung der Geschlechter setzt hierfür eine weitreichende Ausgangsbedingung.

Das Rahmenthema "soziale Ungleichheit im Geschlechterverhältnis" enthält zwei hier gleichermaßen interessierende Aspekte: die im Lebensverlauf aufscheinende soziale Ungleichheit individueller Ressourcen und Lebenschancen sowie die Frage nach der empirischen Existenz realer gesellschaftlicher Großgruppen. Ich betrachte die Gesamtgesellschaft der Bundesrepublik Deutschland als fortgeschrittene kapitalistische Staatsgesellschaft, in der ein Gemenge aus einander teilweise überlappenden sozialen Klassen, sozialen Milieus und individualisierten Soziallagen anzutreffen ist. Die empirisch möglichen Formen der mikro- bzw. makrosozialen Strukturierung gesellschaftlicher Ungleichheit haben darin als kleinste Analyseeinheit das Individuum und dessen Ungleichheit der Lebenschancen.

Untersucht wird eine der prinzipiell offenen empirischen Fragen, die sich ergeben, wenn das Individuum als unmittelbar zur Gesellschaft gedacht werden muß (*Reinhard Kreckel* 1992, 222 f.). Konkret geht es um eine räumlich und historisch begrenzte empirische Analyse des Mischungsverhältnisses von Klasse und Geschlecht, konzentriert auf eine (zumindest) statistische Großgruppe, der eventuell auch Anzeichen für eine sich formierende gesellschaftliche Großgruppe eigen sind. Im Blickpunkt stehen politische Klassifikationsakte, die Frauen - nach Geschlecht und Personenstand - in die öffentliche und die Privatssphäre einbinden. These ist, daß in dem Mischungsverhältnis von Klasse und Geschlecht dem Personenstand eine für alle Frauen ihre Klassenlage (um in der Begrifflichkeit zu bleiben) entscheidend prägende Wirkung zukommt. Unsere Studie ermöglicht, diese These zu illustrieren, wenn nicht im Ansatz zu prüfen.

Insbesondere stößt auf unser Interesse, in wie erheblichem Umfang in verschiedenen Bereichen der persönlichen Lebensführung, auch wenn sie jenseits der privaten, vom Statistischen Bundesamt immer noch "Familienstand" genannten Sphäre liegen, politisch verbindliche Unterscheidungen mit Platzzuweisungsfunktion weiter noch nach dem Personenstand ausgerichtet sind. Diese Unterscheidungen fassen die gesellschaftliche Einbindung verheirateter, lediger, geschiedener und verwitweter Frauen rechtlich bindend. Sie sichern sie mit Machtdispositiven ab und setzen sie alltäglich mit langfristigen Folgen ins Werk.

Vermutet wird daher: Geschlechterdifferenz wird derart in Geschlechterhierarchie umgemünzt, daß die für Frauen im Lebensverlauf in zentralen Aspekten des Ressourcenzugangs kontinuierlich greifenden sozialen Ungleichheitskonstruktionen - etwa im Bereich von (Aus-)Bildung, Positionierung in der Berufssphäre, sozialer Sicherung - durch Klassifikationsakte des Nicht-Verheiratet-Lebens noch zusätzlich verschärft werden. Dies zu diskutieren, halte ich für eine historische wie aktuelle Aufgabe politischer Soziologie und Biographieforschung.

Ob diese These für Individuen zutrifft und ob gegebenenfalls Gemeinsamkeiten einer Großgruppe nicht verheirateter Frauen herausgebildet werden, ob weiter sogar Anzeichen einer Bewußtheit dieser komplexen Zusammenwirkungen darauf hindeuten, daß sich eine gesellschaftliche Großgruppe formiert, ist prinzipiell empirisch zu klären. Noch sind zwar Theorie und Methoden der Sozialstrukturanalyse hierzu meiner Einschätzung nach nur sehr bedingt in der Lage. Das Folgende kann daher nur als explorativ begriffen werden und muß auf seine Grenzen als Drittmittelprojekt verweisen.

Die eingangs genannte These wird empirisch geprüft: zum einen anhand einer Sonderauszählung des *Statistischen Bundesamts* nach einem in der Studie in Beratung durch das Bundesinstitut für Bevölkerungsforschung entwickelten Tabellenprogramm für die Daten des Mikrozensus 1987, zum anderen vor dem Hintergrund einer selbst erstellten Auswahl soziobiographischer Interviews und deren Interpretation.

Das Geschlechterverhältnis als neben der Machtasymmetrie von Kapital und Arbeit zweites grundlegendes ungleichheitsbegründendes Strukturmerkmal wird in der systematischen Verknüpfung dieser beiden strukturellen Gegensätze als Grundlage für die Analyse der gesellschaftsinternen Ungleichheitsverhältnisse begriffen. Das grundlegende Problem hierbei ist - es fällt leicht, *Eva Cyba* (in diesem Band) darin zuzustimmen, - ob und wenn ja, in welcher Weise durch Frau-Sein sich gegenwärtig eine Homogenität der sozialen Lage, also des Zugangs zu Lebenschancen, sozialen Gütern und Lebensformen konstituiert, an der kollektive Identitäten und Interessen anknüpfen können.

Im Folgenden werden die Ausgangsthesen in drei Aspekte aufgefalt: Die konkrete historisch-biographische Form verschärfter sozialer Ungleichheit von Frauen im Nicht-Verheiratet-Leben, deren politisch-rechtliche Basis und die Bedeutung, die eine zunehmende Mobilisierung von Frauen jeglichen Personenstands für Gleichheitsnormen, die im meritokratischen System für den Zugang zu den Ressourcen Bildung, Beruf und Einkommen gelten, im Besonderen für nicht verheiratete Frauen annehmen kann.

1 Von der Negation zur Beachtung: Die eigenständige soziale Existenz von Frauen

Wie die soziale Existenz von Ehefrauen beschaffen ist, hat familien- wie gesellschaftspolitisch zunehmend Interesse auf sich gezogen. Die Vereinbarkeitsproblematik berufstätiger Ehe- und Hausfrauen hat arbeits- wie sozialpolitisch staatliches Handeln herausgefordert. Doch Frauen, die nicht den Mehrheitsstatus einer Ehefrau haben - ein statistisches Aggregat von immerhin rund 7,9 Millionen ab dem Alter von 25 Jahren in Westdeutschland - sind bisher schon allein sozialstatistisch nicht als eine Gruppe begriffen worden. Sie sind politisch bis auf die Kriegerwitwen und die jungen Singles unbeachtet geblieben. Sie gelten nicht als eine Gruppe, weil sie anscheinend nichts Markantes gemeinsam haben.

Hier wird eine Klärung von Gemeinsamkeiten unter nicht verheirateten Frauen unternommen. Diese Klärung rückt die Freiwilligkeit und Konstanz von Nicht-Verheiratet-Leben und die gesellschaftliche Gleichstellung von Frauen mit Männern und von Nicht-Verheiratet-Leben mit Verheiratet-Leben argumentativ in den Mittelpunkt. Die soziale Existenz wird in diesem Vorgehen nicht aus einer Identifizierung durch Abgrenzung und der Negation anderer Existenzformen hergeleitet. Dennoch soll nicht unterschlagen werden, daß dieser Zugang (noch?) im uns von den Frauen geschilderten Fremdbild dominiert und auch das Selbstbild insbesondere von Witwen stark prägt.

Allerdings scheint vorsichtiger Optimismus als Arbeitshypothese nicht verkehrt: *Lerke Gravenhorst* (1983) hält das Alleinstehen von Frauen für den "Anfang von Entwürfen und Gestalten des Lebens, die den subjektiven Interessen von Frauen nach Unabhängigkeit, Gleichheit und Anerkennung ihrer Besonderheit besser entsprechen". Sie hofft, daß die Möglichkeit, allein und selbständig zu leben, neue Maßstäbe schafft für das Zusammenleben von Frauen und Männern.

Alleinstehen kann demnach heißen, auf sich selbst gestellt zu leben - materiell wie selbstreflexiv im Selbstverständis. Dies hieße, auf besondere Weise zugleich vergesellschaftet zu sein und Individualisierung zu praktizieren. Die privaten Lebensumstände derart auf sich Gestellter und Verwiesener beinhalten einerseits ein hohes Maß an Individualisierung als Chance und Aufgabe. Andererseits wird der primäre persönliche und der weitere soziale Rückhalt (*social support*) durch ein Sich-Vernetzen mit ansprechbaren Personen um so wichtiger, je geringer die institutionalisierten Formen sozialer Einbindung sind.

1.1 Größenverhältnisse - Zugang mit politischen Implikationen

Die Hälfte der 60 Millionen Menschen umfassenden Bevölkerung Westdeutschlands ist weiblich. Davon ist jede zweite Frau ab 25 Jahren aufwärts verheiratet, also insgesamt 15 Millionen Frauen. Unter den über 25-jährigen nicht verheirateten Frauen (es sind 1990 insgesamt 7,9 Millionen) ist ein Anteil von 4 Millionen im Rentenalter von 65 Jahren und mehr, 1,3 Millionen sind Mitfünfzigerinnen bis Mitsechzigerinnen (55 - 65 Jahre), 1,4 Millionen sind mittleren Alters von 35 bis 55 Jahren und 1,2 Millionen schließlich sind 25 bis 35 Jahre jung. (*Statistisches Bundesamt* 1990). Also sind immerhin 3,9 Millionen junge Frauen und Frauen mittleren Alters bis 65 Jahre nicht verheiratet. Die 4 Millionen nicht verheirateten Frauen, die über 65 Jahre alt sind, werden im Folgenden ihrer besonderen Altersproblematik halber nicht eigens berücksichtigt.

Anders gesagt: Von acht Mädchen und Frauen jeglichen Alters sind vier verheiratet und vier nicht. Von diesen vier nicht-verheirateten sind wiederum zwei unter 25 Jahre alt und noch ledig (ohne daß dieses eine besondere Bedeutung hat, da das Heiratsalter junger Frauen in den alten Bundesländern im Zeitraum 1950 bis 1987 um 23 bis 25 Jahre streut). Jede dritte der vier Nicht-Verheirateten ist 65 Jahre und älter. Für diese im Rentenalter Stehenden ist eine besondere Altersthematik bestimmend. Die vierte und letzte unter den Nicht-Verheirateten hat ein Lebensalter von 25 bis 65 Jahren. Von diesen weder ganz jungen noch ganz alten Personen und von der verzeitlichten Geschlechterpolitik, die nicht allein die Geschlechterdifferenz, sondern auch Personenstandsdifferenzen hierarchisiert, handelt der Beitrag.

Die Bedeutung nicht verheiratet lebender Frauen für die gesamte Sozialstruktur wird noch zunehmen, ist doch mit der Bevölkerung der ehemaligen DDR nicht allein ein erheblicher Anstieg ihres Gesamtanteils verbunden, sondern die derart Hinzuaddierten machen die eventuelle Formierung einer gesellschaftlichen Großgruppe politisch brisant. Sie haben mit dem Verschwinden ihres Staates das institutionelle Gefüge ihrer Erwerbs- und Reproduktionssphäre und die dort gewachsenen Politiken samt deren rechtlich vorgeschriebenen Machtdispositiven verloren. Sie stehen, mit den Nachwirkungen der alten Gesellschaftsordnung auf ihre Lebenschancen, nun unausweichlich in Auseinandersetzung mit der in Westdeutschland gewachsenen Ordnung.

Bisher aber ist in der alten Bundesrepublik die 3,9 Millionen starke Gruppe nicht-verheirateter Frauen weder demographisch, soziologisch, ökonomisch, rechtlich oder gar politisch, also weder von ihrer sozialen Lage noch von ihrem Selbstverständnis und ihrer Handlungsfähigkeit her als eine Gruppe begriffen worden. Dies dennoch konzeptionell anzulegen und bis in eine Neugruppierung des Mikrozensus hinein für Ressourcenverteilungen und an sozio-biographischen Daten zu plausibilisieren, ist jedoch hier die Absicht.

Die statistische Gruppe von 3,9 Millionen nicht-verheirateter Frauen zwischen 25 und 65 Jahren führt also eine soziale Existenz als Nicht-Verheiratete. Dies bedeutet, demographisch gesehen, daß diese Frauen teils Kinder aufgezogen haben, teils nicht oder noch damit befaßt sind. Sie sind zwar keine jungen Erwachsenen mehr, aber sie sind auch keine Gruppe, für die durchgängig Alter- und Ruhestandsfragen bereits prägend wären. In der Lebenslaufperspektive bedeutet dies, daß nach biographischen Weichenstellungen in jungen und mittleren Erwachsenenjahren für die Großgruppe Richtungsänderungen und veränderte Dynamik in einzelnen Strängen ihres Lebenslaufs eingesetzt haben. Diese Veränderungen nehmen im Verlauf der folgenden Lebensjahrzehnte bis 65 zunehmend klarer Kontur an. Die Schwierigkeit, diese Ergebnisse noch zu revidieren, wird ebenfalls zunehmend deutlicher, beispielsweise die Auswirkung von Berufsunterbrechungen im Fall einer Scheidung für solche Frauen, die sich anläßlich ihrer Heirat ihren eingezahlten Rentenanteil auszahlen ließen.

Werden diese Nicht-Verheirateten zwischen 25 und 65 Jahren unterteilt in 10-Jahres-Gruppen, so zeigt sich, daß unter den jüngeren von 25 bis 35 Jahren die Ledigen mit einem Anteil von Dreiviertel überwiegen. Unter den Frauen mittleren Alters von 35 bis 55 Jahren (d. h. also nach Beendigung der generativen Phase) sind nahezu gleich hohe Anteile ledig und geschieden. Die 55- bis 65-jährigen sind knapp zur Hälfte Witwen. Entsprechend bietet es sich an, Fragen an die Familien-, Scheidungs-, Witwen-, Single- und Jugendforschung zu richten, um jeweils nach Spezialerklärungen zu suchen.

Doch dieser mögliche Weg wird hier nicht eingeschlagen. Vielmehr wird die Großgruppe zuerst auf Gemeinsamkeiten hin betrachtet. Die Frage, ob und gegebenenfalls wie eine Verschärfung sozialer Ungleichheit von Frauen durch Nicht-Verheiratet-Leben zustandekommt, wird auf die Gesamtheit junger Frauen ab 25, Frauen mittleren Alters und älterer Frauen bis 65 Jahren bezogen.

1.2 Verbesserte Analyse-und Interpretationschancen: vortheoretisch wie vormethodisch gerät ein Konsens in Bewegung

Die These, die soziale Existenz von Frauen sei weitgehend von Statusinkonsistenz geprägt, so daß jegliche Standortbestimmung von Frauen in der Sozialstruktur erschwert, wenn nicht unmöglich sei, hat im letzten Jahrzehnt viel von ihrer Selbstverständlichkeit eingebüßt. Aber nicht allein sind Klassen- und Schichtungsdiskussionen unter dem Anspruch, auch Individuen und nicht mehr allein in ihrem Sozialstatus angeblich homogene Familien in Sozialstrukturanalysen zu verorten, komplexer geworden. Auch seitens der Frauenforschung hat im Zuge der "gender and class"-Debatte die Bereitschaft zugenommen, über selbstreferentielle Analysen hinauszugehen (*Petra Frerichs, Margareta Steinrücke* 1991).

Inzwischen werden erprobte analytische Vereinfachungen in der Theorie zur Sozialstrukturanalyse relativiert. Der Anschein inkonsistenter Differenziertheit, der eine Statusbestimmung von Frauen angeblich verhindert, wird als ein Reflex von Theoriebildung kenntlich, genauer gesagt als vortheoretischer Konsens. Der Konsens bestand darin, die doppelte gesellschaftliche Einbindung von Frauen und die politischen Prozesse der gesellschaftlichen Trennung und Hierarchieproduktion, die hieran anknüpfen, wenig zu beachten.

Die Theorie der Formation von Klassen, Schichten und gesellschaftlichen Großgruppen, aber auch feministische Theorie und Frauenforschung geben in der laufenden Debatte wechselseitig "Vereinfachungen" auf, die auf vortheoretischem Konsens beruhten. So konnte die Grundlagendiskussion in Bewegung geraten. Zugänge wie der vorliegende profitieren davon (*Ulrike Martiny* 1972, 1991).

Um zwei zentrale Momente herauszugreifen: Was die systematische Auslassung von Frauen in westlichen Sozialstrukturtheorien und -analysen betrifft, die bis in die achtziger Jahre hinein als selbstverständliche Arbeitsersparnis praktiziert worden ist, so hat die Relativierung familiensoziologischer Theoreme, insbesondere von Familienzyklus-Annahmen, die der Schichtungs- und Mobilitätsforschung ihr vorgeblich gesichertes Wisses über "die Familie als kleinste Analyseeinheit" und über "homogene Bedingungen für alle Haushaltsmitglieder" vorgegeben hatten, inzwischen zu Theoriediskussionen geführt, die Frauenforschungskritik zunehmend aufnehmen.

Andererseits nimmt in der Frauenforschung eine Reflexion methodologischer Positionen langsam wieder zu. Hinzukommt: Das Interesse an einer Theorie der Sozialstrukturanalyse in feministischer Absicht hat zugenommen. Im Zuge einer rechtlich informierten Frauenforschung kommt der gesellschaftspolitischen und rechtspolitischen Analyse größeres Gewicht zu (*Ute Gerhard* 1987, *Doris Lucke* 1991).

Für das methodologische Vorgehen im Forschungsprozeß, für Entwicklung und Einsatz einzelner Methoden und die Ergebnispräsentation besteht aber noch ein Konsens, daß Frauenforschung nicht allein in ihren Theorie-Innovationen, sondern auch im Methodischen beansprucht, das Besondere von Frauenforschung ins Werk zu setzen. (Diese Kritik ist auch Selbstkritik). Dies hat dazu beigetragen, daß eventuelle Gemeinsamkeiten mit wissenschaftlichen Methoden etwa der Schichtungs- und Mobilitätsforschung oder der Demographie, bis in die Verwendung quantitativer Methoden der Plausibilisierung einzelner Zusammenhangsannahmen hinein, in der Frauenforschung ein Schattendasein fristen.

Eine der wenigen Ausnahmen stellt die im Rahmen des VASMA-Projekts von *Angelika Willms-Herget* entwickelte Analyse über die Integration der Frauen in den Arbeitsmarkt (1985) dar. Ansonsten hat Frauenforschung großenteils auf Repräsentativität (etwa einer Zensuserhebung) ebenso bewußt verzichtet wie auf andere Standards herkömmlicher Wissenschaftlichkeit jenseits interpretativer Sozialforschung - zumindest in der Außendarstellung. Interpretative Sozialforschung mit qualitativen Methoden ist nach wie vor ihr bevorzugtes Feld, insbesondere die Biographieforschung. Entsprechend kommen auch theoriegeleitete sozialstrukturelle Fragestellungen nur marginal in den Blick (mit wenigen positiven Ausnahmen wie in der Studie über Entwicklungsprozesse arbeitsloser Mädchen von *Angelika Diezinger*, *Regine*

Marquardt, Helga Bilden und *Kerstin Dahlke* (1983) und in Arbeiten von *Christel Eckart, Helgard Kramer, Ursula Jaerisch*, beginnend mit "Frauenarbeit in Familie und Fabrik" (1979)). Dies ist allerdings vermutlich nicht unerheblich den Arbeitsbedingungen von Frauenforschung geschuldet (*Angelika Wetterer* 1989).

Gefragt ist ein neuer methodologischer Konsens in der Frauenforschung. Beispielsweise lassen sich die folgenden Seiten auch als eine Antwort auf die Frage lesen, ob die "harten Fakten" (*Maria Mies* 1978) quantitativer Verfahren, wie sie die 1 %-Stichprobe der Bevölkerung im Mikrozensus liefert, die (meiner Meinung nach noch weitgehend implizite) Methodologie von Frauenforschung transzendieren oder ob sie nicht, wie ich meine, unter spezifischen Bedingungen auch Fragestellungen von Frauenforschung dienstbar gemacht werden können.

Unterstützend wirkt sich hierfür erstens das zunehmende Interesse an advokatorischer Sozialforschung auf Seiten von Frauenforschung aus. Dies Interesse motiviert etwa, sich durch den Einbezug amtlicher Statistik zentrale Analysemöglichkeiten zu erschließen, die auch politischen, umsetzungsorientierten Praxiserwartungen gegenüber hinreichend Aufforderungscharakter haben (können). Zweitens, behaupte ich, ist die Aufbereitung und Analyse von Massendatensätzen auf dem Hintergrund von Frauenforschungskonzepten sehr wohl dazu in der Lage, Schieflagen in Klassifikationen und Leerstellen in den Datensätzen zu identifizieren. Sind Forschungsmittel gegeben, so kann weiter auch gelingen, derartige unter Umständen tiefgreifende Mängel durch die eigene Produktion theoriegeleiteter Empirie kenntlich zu machen und eventuell im Ansatz zu korrigieren.

Doch über Selbstansprüchen sollen nicht die realen Schwierigkeiten verniedlicht werden. Sozialforschung hat sich etwa in diesem Fall mit den impliziten gesellschaftstheoretischen Annahmen amtlicher Statistik auseinanderzusetzen. Aufgabe ist, eine auf völlig anderen politisch-rechtlichen Setzungen beruhende Befragung, als deren umfangreichste für die Bundesrepublik überhaupt sich der Mikrozensus des Statistischen Bundesamts anbietet, mit dem Hintergrund von Frauenforschung zu versehen und deren umgruppierte Daten entsprechend argumentativ einzubinden. Einen Vorzug hat dieses Vorgehen sicherlich: Die komplexen Kategorisierungen, die damit erforderlich werden, lassen nicht allein Unbeachtetes auf Frauenseite in seiner politischen Formung kenntlich werden. Sie geben auch für die Männerseite neuen Einsichten Raum, soweit bisher blinde Flecken im Wissen über die soziale Existenz von Frauen mit verhindert haben, daß auf Männer bezogen neue Fragen gestellt werden.

2 Zugang zu Gemeinsamkeiten im Nicht-Verheiratet-Leben von Frauen - Forschungsgegenstände ohne Tradition

In der neueren Diskussion zum Einbezug von Frauen in die Sozialstrukturtheorie und -analyse blieb bislang wenig beachtet wie - neben Fragen von *dual career families* und *cross-class families*, also Fragestellungen im Ansatz an verheiratete Frauen und deren Relation zum Ehemann - die sanktionierte Eheförmigkeit primärer Beziehungen mit der gesellschaftlichen Bedeutungszuschreibung von Geschlechtszugehörigkeit im Besonderen für die Frauen verschränkt ist, die eben nicht Teil eines Ehepaars sind. Dieser Forschungsgegenstand hat keine Tradition. Er handelt von Politiken des Unterscheidens gegenüber weiblichen Einzelnen und den Machtdispositiven dieser Politiken. Die Lebenslaufforschung der letzen anderthalb Jahrzehnte hat unter dem Stichwort "Institutionalisierung des Lebenslaufs" (*Martin Kohli*) konzeptionell die Analyse derartiger Prozesse vorbereitet.

Die Leitannahme der Untersuchung setzt an der Verschränkung sanktionierter Eheförmigkeit mit geschlechtsspezifischen Ungleichheiten an.

> Alleinstehende Frauen sind, soweit sie sich nicht im Rentenalter befinden, ganz überwiegend erwerbstätige Frauen ohne verbindliche Ansprüche aus einer Lebensgemeinschaft mit einem oder einer anderen Erwachsenen. Sie können ihre materielle Sicherung von ihren persönlichen Beziehungen trennen. Mit dieser Möglichkeit, Gefühle und Geld auseinanderzuhalten, gewinnen sie eine soziale Nähe zu dem Verhaltensrepertoire, das bisher Männern traditionell zustand. Die Frage ist, wie sie davon Gebrauch machen.

Mit dieser offenen Leitannahme sind zwei Desiderate benannt: Die materielle Eigenständigkeit und die Eigenständigkeit im Eingehen und Lösen primärer Beziehungen, unabhängig davon, wovon die materielle Existenz bestritten wird. In Frage steht, ob Frauen beide Desiderate verwirklichen können, ohne daß sie hierfür die für Männer als normal geltenden Wege gehen müssen und wie gegebenenfalls damit eine Normalität eigener Art entsteht. Haben als nicht verheiratet lebende Frauen eine Alternative dazu, sich dem anzupassen, was an Mobilität und Flexibilität derzeit von Männern erwartet wird, die auf dem Arbeitsmarkt ein Leben lang erfolgreich tätig sein wollen? Machen Lebenszusammenhang und Lebensverlauf in der Bewußtheit von Lebensbilanzen deutlich, daß in der sozialen Existenz dieser Frauen mehr oder auch anderes geschieht, als daß eine Arbeitsmarkt-Individualisierung nachgeholt wird, die Männergenerationen in lebenslanger Sozialisation für und durch Erwerbsarbeit ihnen bislang voraus hatten? Wird dies auch von seiner massenhaften Verbreitung her derart bedeutend, daß die Theorie der Sozialstrukturanalyse dies zu beachten hätte?

Im Folgenden werden die politischen Perspektiven erläutert (2.1), die Lebensverlaufsperspektive methodisch aufgefaltet (2.2) sowie die leitenden

Untersuchungsfragen anhand einiger Ergebnisse skizziert (2.3). Den Schluß bilden Überlegungen zur politischen Kritik (3).

2.1 Machtdispositive über die Reproduktionsphäre fundieren Politiken

Die gesellschaftliche Stellung der Frau ist mit ihrer besonderen Einbindung in die öffentliche und in die Privatsphäre gegeben. Diese Einbindung hat Konsequenzen für die Gleichzeitigkeit des Zusammenhangs verschiedener Lebensbereiche wie auch für die Abfolge von Lebensphasen in der Biographie. Die neuere Frauenforschung klärt insofern Denk- und Zählvoraussetzungen etablierter Sozialforschung, als sie die besondere Einbindung von Frauen in die öffentliche und Privatsphäre zur Grundlage ihres Forschungszugangs macht. Mit rechtlich vorgeschriebenen Machtpositiven wird über den Einsatz von Politiken per Klassifikationsakt verfügt. Allerdings können die rechtlich vorgeschriebenen Regelungen durch die daran Beteiligten geändert werden, wenn dies politisch durchzusetzen ist. Dies nun eben steht jenseits des wissenschaftlichen Diskurses politisch in Frage.

Maßnahmen der Datenerfassung in der Sozialstrukturanalyse und politische Einflußnahmen bauen bisher noch in bewußter Nichtbeachtung der besonderen gesellschaftlichen Einbindung von Frauen auf Denkkonstrukten auf, die den Zusammenhang der öffentlichen mit der Privatsphäre zerreißen und damit insbesondere jegliche sozialstrukturelle Analyse der sozialen Existenz von Frauen erschweren, wenn nicht sogar verunmöglichen.

Die Komplementarität von privat und öffentlich, Reproduktion und Produktion wird in den herrschenden Denkgewohnheiten derart hierarchisiert, daß das Nicht-Ökonomische an der Reproduktionssphäre, d. h. vor allem der soziale Raum, in dem persönliche Beziehungen gedeihen, im Privaten, und zwar vor allem im Privaten von Ehen, gehalten bleibt. Die Auswirkungen dieser Art gesellschaftlicher Einbindung wird für die gesellschaftliche Großgruppe besonders deutlich, die im Alltag nicht derart eingebunden ist. Dies sind die Nicht-Verheirateten, in unserem Fall die Frauen unter ihnen.

Die hierarchische Unterordnung der privaten unter die öffentliche Sphäre hat tiefgreifende Auswirkungen. Diese Auswirkungen wiederum werden in der Erwerbssphäre ökonomisch manifest und damit in amtlicher Statistik datenmäßig erfaßt.

In dieser Verkehrung sind die Auswirkungen auch zum Gegenstand der Sonderauszählung geworden. In unseren sozio-biographischen Interviews hingegen wird die besondere Einbindung von Frauen in die materielle Existenzsicherung und ihre Art privater Lebens- und Haushaltsführung von vornherein konstitutiv für die Auswahl. Hierbei bricht vor allem die Frage auf, wie weit die besondere Einbindung in die öffentliche und private

Sphäre, die die soziale Existenz nicht verheirateter Frauen ausmacht, eine soziale und rechtliche Gleichstellung mit ehelichen Lebensformen genießt. Diese Frage wird zum Angelpunkt der Untersuchung.

Die hierarchische Unterordnung der privaten unter die öffentliche Sphäre erstreckt sich mit auf die Personen, daß aus der privaten Sphäre einen erheblichen Teil ihrer Identität beziehen. Dieses sind in unserer Gesellschaft nahezu ausschließlich die Frauen - und zwar auch Frauen, für die diese Identitätssphäre nicht ehelich ausgestaltet ist. Auch die als nicht-verheiratet lebenden Frauen sind in ihrer Identitätskonstruktion mehr berührt durch die Unterordnung der Reproduktionssphäre als Männer. Ihre Sozialisation als Mädchen und Frauen beinhaltet diese Sphäre auf Dauer in aktiver Orientierung, während Jungen und Männer eher passiv darauf orientiert sind (*Christel Eckart* 1990).

Im Bereich der privat gehaltenen Arbeit für Haushalt, Erziehung und Pflege, mit der gesellschaftliche Aufgaben erfüllt werden wie die Sorge für Kinder, Alte und Kranke, übernehmen unseren Ergebnissen zufolge nicht-verheiratete Frauen in ihrer privaten Sphäre gesellschaftliche Aufgaben, die ihnen einen Schutz vergleichbar dem Schutz von Ehen rechtlich-institutionell geben sollten. Die öffentlich geregelten Bereiche staatlicher Daseinsvorsorge sind eminent von diesen privat gehaltenen Arbeits- und sozialen Beziehungsbereichen mit geprägt. An der für nicht-verheiratete Frauen nicht über Ehen organisierten Privatsphäre wird sogar besonders deutlich, wie sehr das Erfüllen gesellschaftlicher Aufgaben im privaten Bereich das Funktionieren der öffentlich geregelten Bereiche erst ermöglicht.

Der Personenstand gilt zwar als Privatsache. Aber er bleibt es nicht. Sondern: Der Personenstand reguliert den Zugang zu strukturellen materiellen Ressourcen. Die These, daß es eine Hierarchie der staatlich verfügten materiellen Existenzsicherung nach Personenstand insbesondere auf Frauenseite gibt, zu prüfen, bedeutet im einzelnen zu prüfen, ob unter Frauen diejenigen, die verheiratet sind, bezogen auf rechtmäßige Ansprüche an knappe Ressourcen, materiell auf der höchsten Stufe stehen, gefolgt von den verwitweten, den geschiedenen und den ledigen Frauen, und dies mit Männern analog differenziert, zu vergleichen. Die These handelt nicht davon, wie Frauen sich gegebenenfalls auch gegen derartige Verteilungs-Machtdispositive einen eigenen Sozialstatus "erobern", obwohl gerade dies im soziobiographischen Teil unserer Studie zentral Raum einnimmt.

2.2 Die Lebensverlaufsperspektive in der Anlage der Untersuchung

Die Lebensverlaufsperspektive ermöglicht, sowohl lebenszeitlich wirksamen Institutionalisierungsprozessen im Nicht-Verheiratet-Leben nachzugehen als auch Bedürfnisse und Interessen thematisch werden zu lassen, von denen her das Nicht-Verheiratet-Leben beispielsweise als gewollt und der Konsolidierung wert verstanden werden mag. Damit wird eine Fragestellung zu

Ein-Personen-Haushalten und Singles weitergeführt, über die *Erika Spiegel* (1986) unter den Gesichtspunkten Freiwilligkeit und Dauer erste Überlegungen angestellt hat. Institutionalisierungsprozesse und Selbstwahrnehmung werden gleichermaßen focussiert. Soziologische Biographieforschung steht von daher zwischen Mikro- und Makro-Soziologie (*Wolfram Fischer-Rosenthal* 1990, 11 - 32).

Die Lebensverlaufsperspektive wird in der Untersuchung konzeptionell wie methodisch grundlegend. Dies geschieht in den drei empirischen Zugängen je spezifisch im Ansatz an der historisch-biographischen Differenzierung von Altersgruppen: 1. Die Umgruppierung der Mikrozensusdaten unterscheidet mit vier Alterskohorten grob nach Phasen im chronologischen Lebenslauf. 2. Die Interviewten-Auswahl ist auf eine Ergebnisähnlichkeit der Soziobiographie in drei entsprechend geschnittenen Altersgruppen angelegt. 3. Die Rechtsanalyse schließlich unterlegt diesen Altersgruppen eine nach Frauengenerationen differenzierende Analyse der lebenszeitlichen Auswirkungen rechtlicher Regelungen. Dabei wird davon ausgegangen, daß die rechtlichen Einzelregelungen auf jedem der einschlägigen Rechtsgebiete für Individuen zu einer Gesamtausstattung mit rechtlichen Regelungen gerinnen. Diese Gesamtausstattung wird für Frauengenerationen im Zusammenhang von historischem Ablauf und Lebensverlauf wegweisend.

Für die empirischen Zugänge bedeutet dies eine je differente Akzentuierung: Die Neugruppierung der Stichprobendaten erfolgt mit dem Ziel, gleichermaßen die materielle Existenzsicherung wie die private Existenzgestaltung zu analysieren. Beide werden als prinzipiell gleichwertig betrachtet. Immanent wird nach Allein- und Zusammenleben differenziert, darunter nach fünf Altersgruppen sowie nach Personenständen. Alle Angaben werden zum Vergleich ebenfalls für Männer ausgewiesen.

Die qualitative Analyse ist so angelegt, daß einige Besonderheiten, die unabänderlich auch noch die Reinterpretation der Mikrozensus-Befragung aus der Sicht von Frauenforschung beeinträchtigen, gezielt im Datengewinn von Einzelfallanalysen und Deutungsmusteranalysen pariert werden können. Sie hat vor allem die aktive Gestaltung des Nicht-Verheiratet-Lebens durch die Frauen selbst zum Thema, ihre Innensicht institutioneller Arrangements und die Bedürfnisse und Interessen, die sie selbst zum Ausdruck bringen. Dieser Untersuchungsteil setzt mit einer mehrfach geschichteten Auswahl an Interviewten an, wobei eine zum Interviewzeitpunkt erreichte strukturelle Ergebnisähnlichkeit nach konzeptionell aussagefähigen Merkmalen der Lebensführung und des Lebenslaufs auswahlentscheidend war. Auf dieser Folie kann das lebensgeschichtliche Leitfaden-Interview ansetzen.

Die Rechtsanalyse wiederum trägt für beide Zugänge, zentriert auf den Personenstand von Frauen, für Lebenszusammenhang und Lebensverlauf einschlägige rechtliche Festlegungen und deren Wirkung zusammen, insbesondere von Sanktionierungen des Verbleibs und des Wechsels von

Personenstand auf den verschiedensten Rechtsgebieten von "Rand-Familienrecht".

2.3 Ausgewählte Bestimmungsmomente von sozialem Status und Mobilität in der Lebensspanne - Konkretisierungen im Blick auf nicht verheiratete Frauen

Im Folgenden stehen Konkretisierungen zur Diskussion, mit denen zwischen Ergebnissen von Frauenforschung, eigenem daraufhin angelegten Datengewinn und Rezeption von Daten des Mikrozensus pragmatisch ein Weg gebahnt worden ist, um sozialen Status und Mobilität in der Lebensspanne im Blick auf nicht verheiratete Frauen zu untersuchen.

Wie eingangs erwähnt, gehe ich davon aus, daß die Analyse des Mischungsverhältnisses von Geschlecht mit dem Gemenge aus einander teilweise überlappenden sozialen Klassen, sozialen Milieus und individualisierten Soziallagen künftig kategorial wie methodisch komplexer Lösungsansätze bedarf. Unsere Fragestellung kann dazu beitragen, diese Komplexität selektiv, von einem besonderen Mischungsverhältnis der beiden grundlegenden ungleichheitsbegründenden Strukturmerkmale her, zu veranschaulichen.

Systematisch betrachtet wird den politischen Bewegungsmomenten für die Konstruktion eines besonderen unter den oben apostrophierten Mischungsverhältnissen nachgegangen. Um dies zu plausibilisieren, wird "entmischt", wird auch Komplexität reduziert - allerdings vor dem Hintergrund von Frauenforschungsprioritäten. Folgende Überlegungen zu der Soziogenese von Status und zur Mobilität in der Lebensspanne von Frauen sind hierbei leitend:

1. Angenommen, die persönlichen Bindungen haben für die Lebensführung von Frauen eine weitreichende Bedeutung neben den anderen Komponenten des Lebenszusammenhangs wie der unzweifelhaft auch zentral wichtigen materiellen Existenzsicherung (worauf eine lebhaft geführte Diskussion in der Frauenforschung hinweist - *Jessica Benjamin* 1990), und angenommen, diese Bedeutung bleibt dem Sozialstatus von Frauen nicht äußerlich und läßt ihn nicht unbeeinflußt, so kann eine Statusklärung vermutlich mit guten Aussichten auf eine empirisch fruchtbare Klärung an eben diesem Bindungsaspekt ansetzen. Damit geht die Analyse von Dimensionen (etwa: *social support*) und gesellschaftlich bereitstehenden Formen zur Realisierung persönlicher Bindungen aus, die für sich genommen (im Folgenden) noch näher zu bestimmen sind. Das Zusammenspiel gesellschaftlicher Formen, in denen persönliche Bindungen verwirklicht werden, mit den Statuskomponenten der meritokratischen Triade von Beruf, arbeitsmarktabhängigem Einkommen und Bildung hat im graduell-quantitativen vertikalen Gesellschaftsbild der herkömmlichen Schichtungsforschung keinen Platz.

Hinzukommt: Die Analyse kann sich nicht auf dieses Zusammenspiel allein beschränken. Vielmehr ist von der Projektfragestellung her unabdingbar, die Analyse auch auf arbeitsmarktexterne Statuskomponenten zu erweitern. Hierfür wird die Kritik aufgegriffen, daß eine Beschränkung der Ungleichheitsforschung auf die Produktionssphäre unzulässig ist - wie die Ausschlußkriterien vom Arbeitsmarkt Alter, Gesundheit, Geschlecht und Nationalität deutlich machen (*Reinhard Kreckel* 1992, 282). Diese Ausschlußkriterien wirken zudem bis in die Produktionssphäre hinein (so im Falle des zeitweisen Ausschlusses vom Arbeitsmarkt in Folge normativ verfestigter geschlechtsungleich verteilter Reproduktionsarbeit und im Falle von Vergeschlechtlichung der Arbeitsmarktungleichheit) und bewirken dort Verstöße gegen das meritoraktische System. Weiter werden über die Produktionssphäre hinaus die staatlichen Transfereinkommen, der private Unterhalt sowie Einkommen aus privatem Eigentum und aus selbständiger Arbeit zu wichtigen Ressourcen, deren Zusammenspiel mit persönlichen Bindungen einbezogen werden soll, da Frauen insgesamt und auch die nicht verheirateten unter ihnen ohne diese Ressourcen nur rudimentär in ihrem Status begriffen werden können.

An den persönlichen Beziehungen anzusetzen und deren Relevanz für den Status zu klären, hat für unsere Untersuchung daher - dies sei im Vorgriff gesagt - bedeutet, zwei gesellschaftlich bereitstehende Formen der Verwirklichung von Dimensionen der persönlichen Beziehungen zentral zu untersuchen: die Institutionalisierungen, die für die primären unter den persönlichen Beziehungen eingegangen werden und dann kenntlich werden im Personenstand, sowie die Haushaltsführung im Privaten, das heißt die Formen des Zusammen- oder Alleinwohnens mit/ohne Kind(er) und mit/ohne andere Erwachsene im Haushalt. Wie relevant persönliche Beziehungen für die gesellschaftliche Ordnung sind und wie Frauen auf das Praktizieren der persönlichen Beziehungen hin gesellschaftlich markiert werden und ihnen entsprechend in der Gesellschaft Status zukommt, wird deutlich, wenn beide Verwirklichungen, die real koexistieren, auf ihr Zusammenspiel und auf die gesellschaftliche Wertschätzung dieses Verhältnisses hin betrachtet werden. Dies kommt nicht allein in der gesellschaftlich privat gehaltenen Sphäre der Reproduktion zum Ausdruck, sondern tritt auch verkehrt in ökonomisch relevanten Daten hervor (etwa in Erwerbsbeteiligung nach Wochenarbeitsstunden oder in erworbenen Anrechten auf soziale Sicherung).

2. Bestimmungsmomente für den sozialen Status auszuwählen und zu konkretisieren ist weiter eine Aufgabe, die von der Prämisse der Frauenforschung ausgeht, daß die Teilhabe an der im Privaten gehaltenen Sphäre prinzipiell gleichwertig ist zu der Teilhabe an der öffentlich sichtbaren Sphäre von Gesellschaft (etwa in Form von Erwerbsarbeit und anderer Beteiligung an Öffentlichkeit) und daß die Grenzziehung zwischen beiden Sphären erklärungsbedürftig ist - insbesondere in ihren politischen Implikationen für daraus entspringende und angeblich hinzunehmende

gesellschaftliche Ungleichheit in der Statuszuweisung an Individuen, die in diesen Sphären engagiert sind.

Hinzutritt 3. aus der Lebenslaufperspektive die Einschätzung, daß eventuell vorhandene Statusmobilität in der Lebensspanne beachtet werden kann und daß deren Erscheinungsformen durch eine differenzierende Betrachtung nach Alterskohorten Konturen gewinnen. Dabei wird davon ausgegangen, daß die Diskussion um Statuswandel und Statuswechsel bisher - trotz zunehmender Offenheit für die Beiträge von Frauenforschung - überwiegend noch deren Beiträge additiv hinzunimmt statt ihre Denkmuster einer möglicherweise grundlegenden Revision zu öffnen. In Frage steht entsprechend nicht nur, ob der Sozialstatus von Frauen in der Lebensspanne mehr im Wandel begriffen ist als der von Männern. In Frage steht auch, wie weit Annahmen über den Ausnahmecharakter intragenerationeller Mobilität in herkömmlicher Schichtungsforschung nicht die Wahrnehmung solcher Prozesse erschweren oder sogar verstellen - etwa die Wahrnehmung möglicher Plastizität des sozialen Status in der Lebensspanne oder die Wahrnehmung von sich nach dem Nachlassen traditioneller Sozialbindungen um einen neuen Kern gesellschaftlichen Selbstverständnisse formierender gesellschaftlicher Großgruppen.

Auf die skizzierten Ansprüche und Kritik folgt nun der Schritt, Einblick in die pragmatischen Lösungen zu geben, die daraufhin entwickelt worden sind. Ich beginne mit der Bedeutung persönlicher Beziehungen für die Statusklärung in den beiden empirischen Zugängen und gehe anschließend mit einer Skizze von Untersuchungsergebnissen auch auf die Punkte 2 und 3 meiner Überlegungen ein.

Die Bedeutung persönlicher Beziehungen für die Klärung des Status wird in den Auswahlvorgaben für die Interviews, im Leitfaden-Lebenslaufinterview und in den Auswahlvorgaben für die Umgruppierung der Mikrozensusdaten (durchgängig verwendet im Kopf der 37 Tabellenprogramme) beachtet. Dies geschieht nach differenten, jedoch kompatiblen Dimensionen (s. weiter unten). Von dieser Grundstruktur her wird in der Mikrozensus-Sekundäranalyse die Qualität der Teilhabe von Individuen an arbeitsmarktabhängigen Ressourcen, an privatem Unterhalt und an öffentlichem Transfereinkommen sowie an Einkommen aus Eigentum und aus selbständiger Arbeit erfaßt, wird nach Dimensionen von Bildung, Aus- und Fortbildung differenziert und die Ressourcen sozialer Sicherung dargestellt. Von dieser Grundstruktur her wird in den Interpretationen der soziobiographischen Interviews unter anderem nach den Themen Bildung, Beruf und soziale Sicherung gesondert in der Lebenslaufperspektive paraphrasiert und interpretiert. Beide Zugänge werden über die Perspektive der Lebensspanne in Form einer Differenzierung nach Alterskohorten integriert.

Zu beiden Zugängen möchte ich noch einige Einzelheiten anführen, um plausibel zu machen, welche Art der Konkretisierung gefunden worden ist.

Die Auswahl für die 48 sozio-biographischen Leitfaden-Interviews ist in der Lebensverlaufsperspektive derart angelegt, daß eine Vergleichbarkeit mit den Altergruppierungen der Mikrozensusdaten gegeben ist. Ausgewählt wurden nicht verheiratete Frauen aus drei Altersgruppen (25 bis unter 35 Jahre, 35 bis unter 45 Jahre und 45 bis 65 Jahre alt). Diese Altersgruppen werden differenziert nach ihrem Balance-Halten zwischen der materiellen Existenzsicherung während des erwerbsfähigen Alters und der privaten Existenzgestaltung im Wohnen und Haushalten. Dabei wird von der jeweiligen faktischen und normativen gesellschaftlichen Anforderungsstruktur für Frauen ausgegangen, die in den jeweiligen gesellschaftlichen Teilbereichen herrscht (*Ulrike Martiny* 1979, ähnlich *Helga Bilden/Angelika Diezinger* 1984). Entsprechend sind in der Lebensspanne Strukturdiskrepanzen zwischen derartigen gesellschaftlichen Anforderungsstrukturen dem Individuum zum Balance-Halten zugeschoben. Dies analysiert und kritisiert zu haben, ist meiner Ansicht nach ein Verdienst von Frauenforschung. Die private Seite der sozialen Existenz wird im Kontext mit der öffentlichen, vor allem der beruflichen Existenz betrachtet.

Beachtet wird somit das Wechselspiel zwischen privatem Zusammenwohnen und Haushalten einerseits und andererseits der materiellen Existenzsicherung im Rahmen von Erwerbsarbeit und/oder dem Verfügen über öffentliche und/oder private Transferzahlungen (inklusive den nicht durchgesetzten Anrechten darauf). Im Ergebnis entsteht ein Spektrum von 16 Konstellationen, das auf eine dreifach geschichtete Auswahl in drei Alterskohorten-Varianten zurückgeht.[2]

Der Personenstand wird nicht zum Auswahlkriterium genommen. Dies hätte eine Bedeutsamkeit des Personenstands festgelegt und unterstellt, die zu klären gerade die Absicht war. (im Nachhinein betrachtet ist die Verteilung nach "ledig, geschieden, verwitwet" nahezu ausgewogen ausgefallen.)

Dieser Untersuchungsteil ist darauf zugeschnitten, die Ressourcenanalyse des Mikrozensus mit Prozeßrekonstruktionen aus der Sicht der Subjekte zu unterlegen und um Dimensionen zu erweitern, die auch umgruppierte Mikrozensusbefragungsdaten nicht erhellen können. Die Darstellung der derart gewonnenen Ergebnisse tritt im Folgenden zwar hinter der Ressourcenanalyse zurück, doch ist dies dem hier ausgewählten Thema und nicht der Fruchtbarkeit der Ergebnisse zuzuschreiben.

Die nach den Projektfragestellungen in 37 Tabellenprogrammen umfassend ausgeschöpfte Sonderauszählung deckt die 1987 routinemäßig fortgeschriebenen jährlichen Statistiken ab. Dies sind die Haushalts- und Familienstatistik, die Statistik zu Stand und Entwicklung der Erwerbstätigkeit, zu Bildung und Ausbildung und zur sozialen Sicherung. Diese prinzipiell allgemein zugänglichen Grunddaten, in denen Frauen wie Männer mit bestimmten Merkmalskombinationen erfaßt worden sind, stellten die jüngst verfügbare repräsentative Datenbasis dar, und zugleich die größte Stichprobenerhebung der amtlichen Statistik. Aufgrund des Umfangs der Grundgesamtheit, der Größe und Ausschöpfung der Stichprobe und des periodischen Charakters der Erhebung erweist sich der Mikrozensus als eine zentrale Datenquelle für die Sozialforschung (*Peter H. Hartmann* 1989). Allerdings wird diese Quelle bisher wenig genutzt.

Für die Zwecke der Untersuchung werden in der Mikrozensus-Befragung vier Themenbereiche unterschieden: die Haushaltszusammensetzung und die Beziehungsposition eines jeden in der Befragung erfaßten Individuums darin sowie drei die Individuen näher charakterisierende Dimensionen. Dies sind die Dimensionen Bildung und Berufsausbildung, Fortbildung und Umschulung (1), Dimensionen von Erwerbstätigkeit und Erwerbslosigkeit (2) sowie Dimensionen der sozialen Sicherheit (3). Diese Dimensionen enthalten Daten zur Teilhabe von Individuen an knappen gesellschaftlichen Ressourcen.

Das Nicht-Verheiratet-Leben von Frauen, der Status dieser privaten Lebensführung und die gesellschaftlichen Beiträge, die von Frauen ausgehen, die ein derartiges Leben auf längere Sicht hin führen, werden in der Sekundäranalyse primär auf die Teilhabe an Ressourcen in diesen Dimensionen hin analysiert. Ziel ist, durch die konzeptionell geleitete Neugruppierung der Daten Ergebnisse zu erlangen, die den Konzepten der amtlichen Statistik nicht unmittelbar aufliegen, sondern deren teils implizite gesellschaftstheoretische Annahmen auf dem Hintergrund von Frauenforschung trotz des grundsätzlichen Vorbehalts argumentativ einbinden.

Die Sonderauszählung erfaßt die Individualdaten haushaltsbezogen. Maßgeblich ist letztlich die Bevölkerung am Familienwohnsitz (ohne Ausländerinnen und Ausländer). In einigen Punkten wird eine Distanzierung von den Originalbegriffen und den üblichen Darstellungsmodi des Mikrozensus vorgenommen. Dies betrifft die Begriffe "Alleinstehende" und "Kind". Beide Begriffe werden weiter gefaßt.[3]

Der Bereich des Haushalts, in dem das generative Verhalten als Determinante der Größe und Alterszusammensetzung erhebliche Bedeutung hat, wird in einen Interpretationszusammenhang gebracht mit dem Aspekt sozialer Sicherheit. In der sozialen Sicherung wirkt sich das generative Verhalten ebenfalls aus, und zwar in reverser Beziehung - soweit Kinder aufzuziehen die lebenslange Verfügbarkeit für Erwerbsarbeit beeinträchtigt. Diese generativ geprägten Bereiche rahmen sozusagen die Datenkomplexe von Bildung und Ausbildung und zu Merkmalen von Erwerbstätigkeit und Erwerbslosigkeit ein. Bildung und Berufsausbildung, Fortbildung und Umschulung werden als intermediärer Bereich begriffen. Auf der Basis der im Haushalt möglichen Wiederherstellung und Entwicklung von Arbeitsvermögen und Personen (also umfassender Reproduktion) werden darin im Sinne einer Investition in die künftige Lebensspanne per Zertifikat Voraussetzungen geschaffen, und zwar für berufliche Einmündung und Verbleib ebenso wie für das Nutzen sozialer Sicherung im Anspruchsfall.

In der Erwerbstätigkeit von Frauen wirkt sich ihr Mehr an Reproduktionsaufgaben im Zusammenwohnen beeinträchtigend aus, allerdings positiv beeinflußt durch ein Mehr an Bildung und Ausbildung für Frauen jüngerer Alterskohorten. Im Bereich der versicherungspflichtigen Erwerbstätigkeit schlagen sich weiterhin zeitliche Abläufe nieder, die von den Konstrukten des Normalarbeitsverhältnisses und der männlichen Normalbiographie abweichen, und nehmen kumulativ mit zunehmendem Alter Form an in Defiziten im Bereich der nicht abgeleiteten sozialen Sicherung (*Charlotte Höhn* 1988).

Mit Leitfaden sind diese vier Themenbereiche derart aufeinander bezogen, daß möglichst dem weiblichen Lebenszusammenhang und dem Lebensverlauf als einem Intergrationsmusterr der Datenbasis Konturen gegeben werden. Im Folgenden werden zentrale Leitfragen-Ergebnisse zusammengefaßt.

Die erste Leitfrage zielt ab auf Personenstandsunterschiede im Geschlechtervergleich und auf Unterschiede im Allein- oder Zusammenleben. Die Ergebnisse legen nuancenreich offen, daß Personenstand für Männer kaum Ressourcenverteilungen differenziert. Hingegen treten für Frauen erhebliche Differenzen hervor, die das Vorhandensein von Kindern im Haushalt noch einmal mediatisieren. Personenstand wäre demnach nicht ein mehr oder weniger antiquiertes Unterscheidungsmerkmal für alle in der Gesellschaft, sondern ein Merkmal, das gezielt zwischen Frauen Unterschiede stiftet. Für die nicht verheirateten Frauen stellt sich das Zusammenwohnen mit nichtverwandten Erwachsenen im Haushalt als altersabhängig, das heißt auf jüngere und mittlere Erwachsenenjahre beschränkt, heraus.

Die zweite Leitfrage bündelt positive Langzeitwirkungen von Personenstand für Frauen mit Blick auf die individuelle Teilhabe an Ressourcen und kontrastiert diese mit ausbleibenden Langzeitwirkungen: Vom Ergebnis im Alter her gesehen sind die Ledigen und die Witwen erheblich sorgenfreier gestellt als die Geschiedenen. Geschiedene verfügen nur in Ausnahmefällen über ein abgeleitetes Renteneinkommen aus ihrer Ehezeit. Wenn sie Kinder aufgezogen und Erwerbsarbeit unterbrochen haben, werden sie Einbußen in ihrer Versicherungsbiographie haben, die sich im Alter als ökonomische Einbuße bemerkt macht (*Walter Kiel* 1987, 262 ff.). Die bisherige gesetzliche Berücksichtigung von Kindererziehungsarbeit bringt hier keine durchschlagende Besserung. Dies wird an den von den Frauen genannten Einkommenshöhen und sonstigen Einkommensquellen aus staatlichem Transfereinkommen, privatem Unterhalt und Einkommen aus Eigentum und selbständiger Arbeit deutlich. Unter den Nicht-Verheirateten insgesamt stehen sich die Witwen noch am besten.

Insbesondere im Alter zeigt sich damit, daß die These von der Hierarchie nach Personenstand nicht aus der Luft gegriffen ist. Ökonomisch ist diese Hierarchie herbeigeführt durch die besondere Bevorzugung der Ehe - bis zum Tod des einen Ehepartners. Es verwundert daher nicht, daß die ökonomische Lage der Verwitweten denen der Verheirateten ähnelt, wobei die Verwitweten allein über die Verwendung ihrer Ressourcen entscheiden können.

Zwischen ledigen und geschiedenen Frauen bestehen größere Unterschiede als zwischen verwitweten und verheirateten, was ihre Versorgung im

Alter angeht. Allerdings: Während Ledige durch eigene und Witwen durch angeheiratete Anwartschaften eindeutig den weiteren Verlauf ihrer materiellen Sicherung antizipieren können, ist dies für Geschiedene wie für Verheiratete erheblich weniger eindeutig, insbesondere dann, wenn sie für einige Jahre keine berufliche Normalbiographie nachweisen können. Sie sind dann für die Einschätzung ihres Alters und des Alters ihrer Qualifikation angewiesen auf Entwicklungen am externen Arbeitsmarkt, denen sie durch eine Veränderung der eigenen Qualifikationen nur bedingt entsprechen können. Damit wird die negative Sanktionierung ihres mittleren Lebensalters nach längerer Ehedauer im Neurekrutierungsfall noch verstärkt. Dies weist Parallelen auf zum Angewiesensein auf eine Ehe, deren Entwicklung und Bestand ebenfalls durch Anstrengungen der Ehefrauen allein auch nur bedingt zu stabilisieren sind.

Positive Langzeitwirkungen auf die verläßliche Teilhabe an Ressourcen für die eigene materielle Existenzsicherung sind demnach erheblich verläßlich für ältere ledige und im Alter verwitwete Frauen. Zwar bestehen im Alter zwischen verwitweten und verheirateten weniger Versorgungsunterschiede als zwischen ledigen und geschiedenen Frauen. Doch die verheirateten ähneln den geschiedenen Frauen in der deutlich geringeren Verläßlichkeit, mit der ihr Lebensunterhalt in ihrer verbleibenden Lebensspanne weiterfließen wird, denn auch die Verheirateten können noch zu Geschiedenen werden.

Die dritte Leitfrage der Sonderauszählung ist auf das Allein- und Zusammenwohnen und auf das Zusammenleben der Person mit Kindern konzentriert und auf damit einhergehende Charakteristika im Erwerbs- und Lebensunterhaltsbereich. Demnach sind Alleinerziehenden-Haushalte von Männern nur in Ausnahmefällen registriert, wobei dann eine volle Erwerbstätigkeit des Familienvorstandes und ein verhältnismäßig hohes Einkommen gegeben sind. Die Alleinerziehenden-Haushalte von Frauen unterscheiden sich davon durch eklatant weniger Erwerbseinkommen, das nur z. T. durch Teilzeitarrangements zu erklären ist.

Es wurde bereits erwähnt, daß in den im Mikrozensus-Datensatz detailliert registrierten Dimensionen von Beruf, Einkommen und Besitz für Frauen nach dem Personenstand durchgängig eine größere Streuung signalisiert ist als für Männer. Hierzu trägt die Alterssegregation für Frauen eine besondere Schärfe bei. Eine weitere Verschärfung derartiger Ungleichheitskontraste wird in den Auszählungen sichtbar, wenn speziell das Nicht-Verheiratet-Leben älterer geschiedener Frauen und von Frauen betrachtet wird, die Mütter in Mehr-Kinder-Ein-Eltern-Familien sind. Diese Risiken lassen sich dahingehend resümieren, daß die nicht-verheirateten im Vergleich zu den verheirateten Frauen zwar häufiger Arbeitslosengeld und -hilfe beziehen, aber erheblich geringere Rentenzahlungen als verheiratete Frauen erhalten. Die Mehr-Kinder-Ein-Eltern-Familie mit weiblichem Haushaltungsvorstand befindet sich demnach in einer besonderes prekären Lage.

Für die letztgenannte Leitfrage ziehe ich den Bogen zu Ergebnissen aus dem soziobiographischen Teil der Studie: Entscheidend für die Soziogenese von Armut nicht-verheirateter Frauen ist demnach der gescheiterte Versuch, eine herkömmliche arbeitsteilige Ehe zu führen. Dieses Scheitern begründet die Sozialhilfebedürftigkeit von Frauen. In Einzelfallanalysen der sozialstaatlichen Absicherung von allgemeinen Lebensrisiken wird überdeutlich, daß die traditionelle Trennung der Sozialpolitik in Arbeitspolitik und Armutspolitik und die Subsumierung von Familienrisiken unter die Armutspolitik zu Lasten der Frauen geht, insbesondere zu Lasten derjenigen, deren Haus- und Pflegearbeit nicht durch abgeleitete Sozialversicherungsansprüche honoriert wird. Gleichzeitig wird deutlich, daß das System der Sozialhilfe keine angemessene Hilfe zur Selbsthilfe, d. h. zum Übergang zu ökonomischer Selbständigkeit zu vermitteln vermag (*Barbara Ketelhut* in *Martiny/Voegeli* 1993).

3 Verschärfung sozialer Ungleichheit im Geschlechterverhältnis durch die Hintertür traditioneller Verteilungspolitiken

Die Verschärfung sozialer Ungleichheit im Nicht-Verheiratet-Leben in der Lebenslaufperspektive ist immer wieder auf das Unterscheiden-Können zwischen Lebensformen von Frauen an Hand ihres rechtsverbindlichen Personenstands und die daran anknüpfenden traditionellen gesellschaftlichen Verteilungspolitiken gestoßen. Hinzukommt - dies zeigen die Sonderauszählungsergebnisse deutlich - für Frauen eine größere Stratifizierung nach dem Lebensalter in daraufhin sich abzeichnenden Haupteingangs- wie Hauptverbleibsbereichen am segregierten Arbeitsmarkt.

Am Untersuchungsbeginn stand die Frage, ob Unterschiede nach Personenstand inzwischen antiquiert sind. Sollte statt dessen allein nach der Form des Allein- oder Zusammenwohnens gefragt werden? Beides wurde geprüft. Zusammengefaßt gesagt, legen die Ergebnisse nun nahe, daß eine Verschärfung der Unterschiede nach Personenstand im Lebensverlauf die erheblich wahrscheinlichere Alternative für Frauen ist, die als Nicht-Verheiratete leben, als etwa ein Verschwinden der sozialen und rechtlichen Arrangements im Ressourcenzugang, die über den Personenstand institutionalisiert sind. Denn: Zwar ist die abnehmende Verbindlichkeit ehelich geordneter Lebensformen demographisch wie im Verständnis nicht-verheirateter Frauen selbst vielfach dokumentiert. Doch die Rigidität der rechtlichen Arrangements wird insbesondere an den rechtspolitischen Regelungen deutlich, die im Rand-Familienrecht, insbesondere im Steuerrecht, für einige der Frauengenerationen langfristig Wirkung gezeigt haben. Der Kanon von Anspruchsvoraussetzungen ist anhand des Denkmusters von der männlichen Normalbiographie mit lebenslanger Verfügbarkeit für Erwerbsarbeit normiert worden. Die individuellen Ansprüche an materielle Existenzsicherung aus öffentlichen Mitteln müssen, um erfolgreich geltend gemacht werden zu können, kompatibel sein mit diesem Kanon von Anspruchsvoraussetzungen. Auf Grund mangelhafter Teilnahme an Erwerbstätigkeit können Frauen die Anspruchsvoraussetzungen, beispielsweise des Arbeitsförderungsgesetzes, häufig nicht erfüllen.

In der Logik der Zuteilung öffentlicher Transfereinkommen sind sie daher zu deren Bezug nur begrenzt oder gar nicht berechtigt bzw. fallen dem Bundessozialhilfegesetz anheim, da sie aus dem Rentenrecht und dem AFG nach dessen immanenter Logik herausfallen und Frauenerwerbslosigkeit stabil hoch bleibt, ehelicher Versorgungsausgleich vertraglich ausgeschlossen wird und im Rentenrecht aktive Elternschaft nur marginal Anspruchsvoraussetzungen schafft, fallen alleinstehende Frauen durch die Maschen dieser institutionellen Regelungen hindurch bis auf die "Hilfe zum Lebensunterhalt" des Bundessozialhilfegesetzes (BSHG), ohne daß dies die soziale Gerechtigkeitsvorstellung über materielle (Un)gleichheit in der Existenzsicherung von Mann und Frau bisher breit auf den Plan gerufen hat. Bei Geschiedenen und Verwitweten sind dies Verteilungspolitiken, die noch weitgehend traditionellen Arbeits- und Familienpolitiken verhaftet sind. Die Ledigen werden von diesen Verteilungspolitiken immer noch darauf festgelegt, daß bei ihnen die Statuspassage der Eheschließung fehlt. Derartige Arbeits- und Familienpolitiken werden der alltäglichen Lebensführung nicht- verheirateter Frauen nicht gerecht.

Die Analyse der Politiken für die Regulierung der Erwerbs- und der Reproduktionssphäre legt daher folgende Überlegung zu den empirischen Ergebnissen nahe (*Martiny/Voegeli* 1993):

Die an Personenständen anknüpfenden Politiken hierarchisieren insbesondere die Lebenschancen von Frauen. Der Mikrozensus-Sekundäranalyse zufolge ist eine Gleichstellung im Zugang zu zentralen Ressourcen von Einkommen, von (Aus-)Bildung in Erwachsenenjahren und sozialer Sicherung, also weit über staatliche Transferzahlungen hinausgehend, insbesondere dann nicht gegeben, wenn Frauen geschieden sind. Ein Wechsel vom Verheiratet- zum Nicht-Verheiratet-Leben impliziert erhebliche, teils irreversible Folgelasten für die Jahre danach.

Von den sozio-biographischen Interviews her sind die Antworten mehrdeutiger: In der Interessenwahrnehmung anläßlich geschilderter Konflikte, die im Nicht-Verheiratet-Leben dann mit institutionellen Arrangements aufzutauchen pflegen, wenn Ansprüche geltend gemacht werden, wird viel an vorenthaltener Gleichstellung mit Verheirateten deutlich. Doch die Lebensbilanzen im Verlauf von Narrationen legen nahe, daß die Interviewten - bis auf die Witwen - in ihrem Nicht-Verheiratet-Leben überwiegend keine Episode, sondern eine Lebensform sehen.

Freiwilligkeit und Konstanz als Bestimmungsmomente von Nicht-Verheiratet-Leben gehen unseren Ergebnissen zufolge verschiedene Verbindungen ein. Vier Selbstbilder nehmen Konturen an: das Alternativlos-Alleinstehen, das Im-Wartestand-Alleinstehen, das Gewollt-Alleinstehen ohne erkenntlichen Willen, dies zu ändern, und das Alleinstehen derer, die sich befristet, während der derzeit andauernden Lebensphase, in dieser Lebensform aufhalten wollen. Der Schluß scheint nicht übertrieben, daß Nicht-Verheiratet-Leben durchaus auch als eigene Folie von Normalität konsolidiert wird, nicht als bloßes Ersatzarrangement für eine Ehe.

Bei ihrem Versuch, selbstbestimmt in ihren persönlichen und öffentlichen, also auch ihren beruflichen Beziehungen zu leben, sind die nicht-verheirateten Frauen jedoch einer doppelten Diskriminierung ausgesetzt: der generellen Diskriminierung von Frauen auf dem Arbeitsmarkt und der Diskriminierung von Nicht-Verheiratet-Leben gegenüber Verheiratet-Leben von Frauen im Bereich ehezentrierter Familienpolitik bis in die Steuer- und Sozialpolitik hinein.

3.1 Ehepolitik als andere Arbeits- und Familienpolitik

Den nicht-verheirateten Frauen ist gemeinsam, daß sie in der herrschenden Meinung über die gesellschaftliche Verteilungsgerechtigkeit dennoch als Verheiratete begriffen werden, d. h. als vormals oder künftig oder nur kurzfristig gerade Nicht-Verheiratete. Sind sie nun nur "eine Heirat weit" (*Peter A. Berger* 1990) von diesem Zustand entfernt?

Die Ehe ist als Fixpunkt institutionalisierter privater Arrangements finanziell und moralisch wirksam - auch für die nicht-verheiratet Lebenden. Je weniger deren eigene Entscheidung an der Art und Weise kenntlich ist, wie sie in den Zustand gekommen sind, nun als Nicht-Verheiratete zu leben, um so höhere moralische Wertschätzung und materielle Anspruchsvoraussetzungen sind ihnen gewiß. Je deutlicher aber ihr Personenstand eine bewußte Ablehnung eheförmig geordneter persönlicher Beziehungen vermuten läßt (also: ledig, geschieden), um so konsequenter werden sie entfernt gehalten von den positiven Nachwirkungen einer Ehe in Form privater Transferzahlungen und abgeleiteter Versorgungsansprüche.

Die Ehe ist sowohl Moralunternehmung des Staates als auch Verteilungsregulativ von Ressourcen. Die Bevorzugung der Ehe tritt rechtlich im Steuer- und Sozialrecht hervor. Nicht das Familienrecht selbst, sondern das Randfamilienrecht wird daher in der sich entwickelnden Rechtstatsachenforschung im Rahmen von Frauenforschung (*Doris Lucke* 1991) vor allem der Kritik unterzogen.

Das verdeckte Ineinandergreifen rechtlicher Regelungen aus verschiedenen Rechtsbereichen kann bei einer ganzheitlichen Betrachtung des weiblichen Lebenszusammenhanges exemplarisch sichtbar gemacht werden - vor allem dann, wenn die im Lebensverlauf kumulierte Wirkung auf Frauen beobachtet wird. Disparitäten in der Lebenslage durch die Bevorzugung eines, nämlich des ehelichen, Personenstands, nehmen im Lebensverlauf sukzessive Formen an. So wird die Ungleichverteilung von Ressourcen im Geschlechterverhältnis, die für Frauen im Lebensverlauf eskaliert, durch die

Negativwirkung der Eheförderung auf nicht-verheiratete Frauen (und deren Kinder) wirkungsvoll ergänzt.

Es kommt in der" Familienpolitik als anderer Arbeits- und Sozialpolitik" (*Karin Jurczyk* 1990), reguliert über den öffentlich sichtbar registrierten Personenstand, zu einem Zusammenspiel der beiden Verlaufslinien von Ressourcenverteilung nach Ehenorm und der Norm lebenslanger Erwerbsarbeit in Form eines sogenannten Normalarbeitsverhältnisses.

Die Ehe ist bedeutsam für die unsichtbare Reproduktionsarbeit von Frauen für den Ehemann und eventuelle Kinder und für den privilegierten Erhalt und die Weitergabe privaten Eigentums in ehebezogen organisierten Übergaberegelungen (Erbrecht). Damit entfalten Ehen eine erhebliche gesellschaftliche Bedeutung für die bisher nicht statistisch erfaßte Arbeitsform der Hausarbeit, die im Vertrauen auf einen Ausgleich materieller Ressourcen zwischen den Ehegatten und unter Verzicht auf eventuell statt dessen zu erzielendes Erwerbsarbeitseinkommen immer noch - dies ist eine Binsenwahrheit von Frauenforschung- überwiegend auf Frauenseite erbracht wird. Die neuere Frauenforschung gibt jedoch auch Evidenz dafür, daß eine ehelich ausgeglichene Verteilung von Zeit, Geld und Raum zwischen Mann und Frau nicht länger postuliert werden kann, da dies den sozialen Tatsachen offenbar nicht entspricht (*Maria Rerrich* 1990).

Aus der Scheidungsforschung ist inzwischen hinlänglich bekannt: Im Falle der Eheauflösung sind nicht privater Ausgleich, sondern Individualisierung und Finalisierung der Ehefolgewirkungen das Ziel der rechtlichen Regelungen. Zielvorgabe ist, sozial- wie arbeits(markt)politische Eingriffe und über das Eheende hinausreichenden Ehegattenunterhalt zurücktreten zu lassen gegenüber einer faktischen Motivierung auch der Mütter kleinerer Kinder für eine möglichst umgehende Erwerbsarbeitsaufnahme (*Martiny/ Voegeli* 1988).

Die Statuspassagen Scheidung und Verwitwung, und zwar biographiebezogen auf die finanziellen Einschnitte im Zugang zu Ressourcen der Ehezeit, die mit dieser Passage eingeleitet oder unterlassen werden, und die langfristig kumulativen Verarbeitungseffekte, die Folge dieser wegweisenden Entscheidung sein können, werden im Datengewinn unserer Interviews deutlich. Die Individualisierung nach Scheidung bringt demnach nicht allein die Quittung für anscheinend häufig in Ehezeiten unterlassene Äquivalenzsetzungen zwischen den doppelten Engagements von Frauen in der Produktions- und Reproduktionssphäre mit dem einseitigen Engagement von Männern in der Produktionssphäre zum Ausdruck. (Diese Asymmetrien werden inzwischen in ökonomischen Modellen in Lebenslaufperspektive monetär beziffert). Ebenso bedeutet die Individualisierung nach Scheidung neben dem ökonomischen bösen Erwachen auch ein Scheitern der Lebenslaufplanung, die aus dem Kontinuitäts- und Gegenseitigkeitsversprechen in einem öffentlichen und rechtlichen Akt Geltung bezogen hatte. Damit bedeutet, die Institution Ehe aufzugeben auch eine erhebliche sozio-emotionale Umorientierung, eine grundsätzlich veränderte Wertschätzung - nicht so sehr von primären Beziehungen als solchen als doch von deren gesellschaftlicher Überformung. Dies wiederum kann dem Bedürfnis nach Handlungsentlastung zuwiderlaufen (*Ilona Ostner/Jutta Fandler* 1992).

3.2 Eine gesellschaftliche Großgruppe formiert sich?

Es spricht einiges dafür, die Frage, wie weit von einer sich formierenden gesellschaftlichen Großgruppe nicht-verheirateter Frauen gesprochen werden kann, nicht schnell abzutun. Die Frage stand bereits in der Diskussion, als der Verband alleinstehender Frauen die Untersuchung 1984 initiierte. Der nun vorliegende Bericht kann in seinem mikro- und makrosoziologischen Zugang, den er seinem Biographieforschungsansatz verdankt, diese Frage zumindest präzisieren. Ich möchte dies anknüpfend an die Individualisierungsdiskussion versuchen und damit zugleich eine Zusammenfassung geben. *Angelika Diezinger* versteht Individualisierung (in ihrem Beitrag in diesem Band) als das Sich-heraus-Lösen aus historisch vorgegebenen Sozialbindungen bei gleichzeitiger Ausdifferenzierung von Ungleichheitsbereichen. Ich füge aus unserer Projektdiskussion hinzu: Eine derartige Individualisierung vollzieht sich für Frauen nach zwei Mustern: nach dem gesellschaftlich dominanten der Arbeitsmarkt-Individualisierung und nach dem weniger bekannten Muster zunehmender individueller Gestaltung der privaten nahen, insbesondere der primären, Beziehungen, dem Konsequenzen-Ziehen aus gescheiterten derartigen Beziehungen. Insbesondere Frauen sind in ihrer hohen Wertschätzung persönlicher Beziehungen bereit, trotz bleibender Risiken in ihrer häufig labilen Integration in den Arbeitsmarkt, gescheiterte primäre Beziehungen aufzugeben, auch wenn diese ehelich institutionalisiert sind und dies mit materiellen Verlusten einhergeht. Dies bestätigen die hohen Anteile der von Frauen eingereichten Scheidungen und die geringere Wiederverheiratungsneigung geschiedener Frauen im Vergleich zu geschiedenen Männern.

Zwischen beiden Formen der Individualisierung besteht allerdings ein Spannungsverhältnis. Denn Anpassung an Arbeitsmarkt-Individualisierung vernachlässigt das Moment der Bindungen, und das Beharren auf einer größeren Offenheit und Gestaltbarkeit der privaten Lebensbedingungen berücksichtigt oft nicht die Voraussetzungen für materielle Unabhängigkeit. Auch geht der Prozeß des Sich-Freisetzens aus traditionellen Normen und Abhängigkeiten für Männer wie Frauen zwar einher mit einer Rücknahme direkter rechtlicher Diskriminierungen der nicht auf eine Ehe hin orientierten Lebensformen. Die gesellschaftliche Realität und speziell das juristische Normgefüge zeigen jedoch, daß der Prozeß der Gleichstellung aller Lebensformen mit der Ehe noch nicht abgeschlossen ist und daß Frauen dies stärker in einer sozialen Ungleichheit von Ressourcen auszutragen haben als Männer.

Forderungen nach der praktisch politischen Einlösung formaler Gleichheit enthalten Veränderungsdruck. Im Kern geht es um eine eigene Folie für Normalität. Die besteht in dem gesellschaftlichen Bewußtsein von Frauen über ihre selbstbestimmte, nicht-ehelich und nicht aus einer Herkunftsfamilie abgeleitete Existenz. Die soziologische Einsicht, daß das, was Menschen für real halten, in seinen sozialen und politischen Konsequenzen auch real ist, gehört auch in diesen Zusammenhang. Freiwilligkeit und Dauerhaftigkeit im Allein-Leben machen aus dem Übergangsphänomen eine Lebensform. Ob und wie dies gelingt, hat unseren Ergebnissen nach entscheidend damit zu tun, wie die Frauen den Raum für Eigenes und für enge persönliche Beziehungen gestalten, wie ihnen äußere Vernetzungen in Freundschaften, Bekanntschaften und mit Verwandten gelingen und ob sie eine dauerhafte ökonomische Existenzsicherung durch Berufsarbeit sich aufbauen und erhalten können.

Bis in die sozialstrukturelle Analyse geschlechtsspezifischer Ungleichheit hinein ist daher zu berücksichtigen: Familie und Erwerbstätigkeit sind nicht für Frauen und Männer gleichermaßen wichtige Komponenten des Lebensverlaufs. Dies hat auch für nicht-verheiratete Frauen markante Erscheinungsformen. Unsere Untersuchung zeigt, daß letztlich eine eigenständige, dauerhafte, ökonomische Sicherung nur durch kontinuierliche qualifizierte Erwerbstätigkeit möglich ist. Nicht-verheiratete Frauen laborieren an den Folgen der Vereinbarkeitslösungen, die sie für Erwerbs- und Familienarbeit in früheren Lebensphasen zu finden gehofft haben. Ökonomisch erweisen sich diese Folgen zunehmend als irreversibel, wenn nicht politisch gestaltet wird, was bisher als privates Risiko von Frauen galt. Unsere Untersuchung zeigt, daß für viele Frauen die Ehe im Gegensatz zur Bedeutung, die ihr gesellschaftlich zugeschrieben wird, die eigene ökonomische Sicherung nicht nur nicht garantiert, sondern behindert.

Unsere Untersuchung hat Alleinerziehende und Frauen ohne Kinder gleichermaßen berücksichtigt. Damit wird kenntlich, daß Abweichungen von der Norm eines lebenslangen Normalarbeitsverhältnisses nicht allein durch das Aufziehen von Kindern, sondern häufig auch für Frauen ohne Kinder durch die Versorgung und Pflege kranker Angehöriger und nahestehender Personen herbeigeführt wird. Das Nicht-Verheiratet-Leben bedeutet, daß Frauen ohne eheliche Bindung ebenso Kinder aufziehen und sich in ihren persönlichen und sozialen Beziehungen tatkräftig engagieren wie verheiratete Frauen auch. Die hinter der bestehenden typisierenden Familienpolitik stehende Vermutung, daß jedes Ehepaar potentiell Elternpaar ist, und daß jede nicht-verheiratete Frau auf Mutterschaft verzichtet, entbehren offensichtlich zunehmend der demographischen Grundlage.

Die Lebensform des Nicht-Verheiratet-Lebens, insbesondere bei Frauen, erhält daher eine für die Gesellschaft wachsende Bedeutung. Die Sozialstrukturtheorie ebenso wie die rechtliche Fundierung von Politikansätzen sollten daher versuchen, die in allen Lebensformen für die Gesellschaft erbrachten Leistungen gleichermaßen zu beachten. Für die staatlichen Sozial-

und Familienpolitiken heißt dies, daß sie konsequent Bezug nehmen sollten auf individuelle Leistungen und Bedürfnisse, unabhängig vom Personenstand. Spielen bisher der Personenstand und die Haushaltsform eine wesentliche Rolle für die Gewährung von Leistungen und Vergünstigungen im Sozial- und Steuerrecht, so sollte unserem Vorschlag nach nur das individuelle Einkommen und die individuellen Belastungen mit Unterhalts- und sonstigen Pflichten für die Gestaltung von Transferleistungen maßgebend sein. Unvereinbar damit wären z. B. das Ehegattensplitting, das gegenwärtig kinderlose Ehegatten ungerechtfertigt begünstigt und den finanziellen Spielraum für effektive Hilfe für diejenigen Haushalte nimmt, die nicht auf einer Ehe aufbauen, aber mit gleichen familiären Pflichten belastet sind. Das trifft insbesondere auf alleinerziehende Frauen zu.

Die Verschärfung sozialer Ungleichheit für Frauen durch Nicht-Verheiratet-Leben führt zu einem Verlust von Lebenschancen, wenn die Integration von Erwerbs- und Reproduktionsarbeit in der individuellen Biographie nicht von derartigen universalistischen Politikansätzen her gestützt wird. Politiken, die das Normalarbeitsverhältnis als Leitbild haben und damit die geschlechtsspezifische Trennung von Erwerbs- und Hausarbeit mit Notwendigkeit verfestigen, destabilisieren die Lebensform des Nicht-Verheiratet-Lebens in gleicher Weise, wie es an der Ehe als Idealvorstellung orientierte Politiken tun. Der Horizont der Normalität von Arbeitsmarkt- und Familienpolitik ist im Zuge gesellschaftlicher Entwicklungen in der Bundesrepublik - und darüber hinaus im EG-weiten Raum - soweit aufgebrochen, daß ein Beharren auf der traditionellen Kompatibilität normativer Setzungen nicht mehr auf stillschweigende Handlungskonformität vertrauen kann. Vielmehr greift ein Diversifizierungsprozeß, der von diesen Institutionen wegführt.

Die Theorie der Sozialstrukturanalyse, insbesondere der Sozialstrukturanalyse von Frauen, steht daher vor der Aufgabe, an Fragen wie der nach der Verschärfung sozialer Ungleichheit durch Nicht-Verheiratet-Leben Konzepte und eine Methodologie weiterzuentwickeln, die diese gesellschaftlichen Entwicklungen auf den Begriff bringen und klären, wie weit die Interessenwahrnehmung von Frauen selbst konstitutiv wird für die gesellschaftliche Gleichstellung von Frauen mit Männern und der Gleichstellung der hier diskutierten Lebensformen mit der Ehe.

Anmerkungen

1. *Martiny, Ulrike/Voegeli, Wolfgang* (1993): Frauen - auf sich gestellt. Zur rechtlich-sozialen Lebenssituation alleinstehender Frauen. Forschungsbericht im Auftrag des BMFJ.
   Autorinnen und Autoren sind: *Marlis Bredehorst, Jürgen Bruhn, Barbara Ketelhut, Annelies Kohleiss, Ulrike Martiny, Sigrid Meier, Domenica Rode* und *Wolfgang Voegeli*.
   Die Arbeit entstand an der Hochschule für Wirtschaft und Politik, Hamburg.

Eine gesellschaftliche Großgruppe formiert sich 185

2. Für die im Privaten gehaltene Seite wird jeweils das Allein- oder Zusammenleben und das dem entsprechender Haushalte untersucht. Dafür wird danach unterschieden, ob die Interviewte mit oder ohne Kind/er zusammenlebt bzw. lange zusammengelebt hat, und - zusätzlich -, ob sie lange mit Erwachsenen im Haushalt zusammengewohnt hat bzw. zusammenwohnt (Kohabitation wird nicht einbezogen).
Für die Kennzeichnung der Teilhabe an der öffentlichen Sphäre werden, ausgehend von der Ausprägung der Erwerbssphäre als deren zentraler Komponente, vier Muster an Bedingungen für die Existenzsicherung während des erwerbsfähigen Alters unterschieden. Es sind dies zu gleichen Teilen:
Erstens Sekretärinnen und Sachbearbeiterinnen, die als mittlere Büroangestellte tätig sind und in der Regel eine Bürolehre, evtl. eine betriebliche Weiterbildung und Umschulung absolviert haben, um die entsprechende Arbeitsposition in mittleren Lebensjahren zu erreichen. Sie arbeiten 24 Stunden in der Woche.
Die zweite Gruppe hat eine wissenschaftliche Hochschule oder Fachhochschule abgeschlossen und arbeitet in einem Normalarbeitsverhältnis oder als Selbständige in Vollzeit bzw. die Betreffenden haben vor Erreichen der Altersgrenze derart ihren Beruf ausgeübt. Diese beiden erstgenannten Gruppen unterscheiden sich von den folgenden beiden in der Weise, daß ihre Erwerbstätigkeit existenzsichernd ist.
Hingegen sind die Frauen der dritten Gruppe im Niedriglohnbereich in Frauensegmenten des Arbeitsmarktes tätig. Sie haben entweder ein Normalarbeitsverhältnis oder eine Teilzeittätigkeit auf Dauer im Bereich von Verkauf, medizinisch-technischem Assistenzberuf, im Dienstleistungsbereich oder in der Nahrungsmittelindustrie bzw. sie waren vor ihrem Rentenbezug in derartigen Bereichen tätig. Sie haben in der Regel eine längere Berufsausbildung (zumeist eine Lehre abgeschlossen).
Die vierte und letzte Gruppe befindet sich kurz- und mittelfristig in prekärer materieller Lage. Die Frauen sind entweder erwerbslos, in einer Arbeitsbeschaffungsmaßnahme, im Sozialhilfebezug oder sie beziehen Erziehungsgeld. Einige von ihnen haben außerdem geringfügige Beschäftigungsverhältnisse. Von ihrer Ausbildung her ist die Gruppe ausgesprochen heterogen.
3. Unter Alleinlebenden werden entsprechend der Definiton des Statistischen Bundesamtes Einzelpersonen plus Zwei-Generationenhaushalte mit alleinerziehendem Haushaltungsvorstand verstanden. Als Zusammenlebende werden Ein-Generationenhaushalte plus Haushalte ohne gradlinig Verwandte plus Mehrpersonenhaushalte definiert. Damit werden Ehegattenhaushalte und nichteheliche Lebensgemeinschaften ebenso einbezogen wie Haushalte, die andere familienfremde Personen einschließen (wie Wohngemeinschaften).
Die Sonderauszählung nimmt in einigen Punkten eine Distanzierung von den Originalbegriffen und üblichen Darstellungsmodi des Mikrozensus vor. Unter den Alleinstehenden werden die Ledigen, die nicht mit Kindern zusammenleben, mit einbezogen. Weiter wird die Stellung von Kindern zum Haushaltungsvorstand für so wichtig gehalten, daß die Altersbegrenzung für Kinder auf 18 Jahre, die in Mikrozensusveröffentlichungen ansonsten gilt, fallengelassen wird. Somit werden alle mit Eltern zusammenlebenden Kinder erfaßt, auch wenn sie bereits selbst erwachsen sind und beispielsweise mittlere Lebensjahre erreicht haben. Damit werden Aussagen über intergenerationelle Wohnzusammenhänge und gemeinsames Wirtschaften erlaubt, die neue Einblicke in die Existenz von Frauen und erwachsenen, weiter im Haushalt wohnenden Kinder ermöglichen.

Literaturverzeichnis

Benjamin, Jessica (1990): Die Fesseln der Liebe. Psychoanalyse, Feminismus und das Problem der Macht, Basel

Berger, Peter A. (1990): Ungleichheitsphasen. Stabilität und Instabilität als Aspekte ungleicher Lebenslagen, in: Peter A. Berger; Stefan Hradil (Hg.): Lebenslagen, Lebensläufe, Lebensstile, Soziale Welt, Sonderband 7, Göttingen, 319 - 350

Bilden, Helga; Angelika Diezinger (1984): Individualisierte Jugendbiographie? Zur Diskrepanz von Anforderungen, Ansprüchen und Möglichkeiten, in: Zeitschrift für Pädagogik, 30, 2, 197 - 207

Diezinger, Angelika; Regine Marquardt; Helga Bilden; Kerstin Dahlke (1983): Zukunft mit beschränkten Möglichkeiten. Entwicklungsprozesse arbeitsloser Mädchen, 2 Bde., München

Eckart, Christel (1990): Der Preis der Zeit. Eine Untersuchung der Interessen von Frauen an Teilzeitarbeit. Frankfurt/New York

Eckart, Christel; Ursula Jaerisch; Helgard Kramer (1979): Frauenarbeit in Familie und Fabrik. Eine Untersuchung über Bedingungen und Barrieren der Interessenwahrnehmung von Industriearbeiterinnen. Frankfurt/New York

Frerichs, Petra; Margareta Steinrücke (1991): Klasse und Geschlecht. Überlegungen zu einem empirischen Forschungsprojekt in den alten und neuen Bundesländern, Hannover

Fischer-Rosenthal, Wolfram (1990): Von der "biographischen Methode" zur Biographieforschung: Versuch einer Standortbestimmung, in: Peter Alheit; Wolfram Fischer-Rosenthal; Erika M. Hoerning: Biographieforschung. Eine Zwischenbilanz in der deutschen Soziologie. Werkstattberichte des Forschungsschwerpunkts Arbeit und Bildung Nr. 13, Bremen

Gerhard, Ute (1987): Gleichheit ohne Angleichung. Frauen im Recht, München.

Gravenhorst, Lerke (1983): Alleinstehende Frauen, in: Frauenhandlexikon, hg. von J. Beyer, F. Lamott, B. Meyer, München, 16 f.

Hartmann, Peter H. (1989): Der Mikrozensus als Datenquelle für die Sozialwissenschaften, in: ZUMA Nachrichten, Nr. 24, Mannheim, 6 - 25

Höhn, Charlotte (1988): Der Beitrag der Bevölkerungswissenschaft zur Politikberatung. Materialien zur Bevölkerungswissenschaft. Bundesinstitut für Bevölkerungsforschung, Wiesbaden

Jurczyk, Karin (1990): Familienpolitik als andere Arbeitspolitik. Wie die Arbeitskraft der Frauen verfügbar gehalten wird und was die Männer davon haben. Werkstattberichte des Forschungsschwerpunkts Arbeit und Bildung, Universität Bremen, Band 9

Kiel, Walter (1987): Der Aufbau von Rentenanwartschaften. Eine empirische Untersuchung über die Versicherungsverläufe der erwerbstätigen Bevölkerung, Frankfurt/ New York

Kreckel, Reinhard (1992): Politische Soziologie der sozialen Ungleichheit, Frankfurt a. M./ New York

Lucke, Doris (1991): Das Geschlechterverhältnis im rechtspolitischen Diskurs. Gleichstellungsdiskussion und gesetzgeberischer "double talk". Schriftenreihe des Instituts für empirische und angewandte Soziologie (EMPAS), Bremer soziologische Texte, Universität Bremen

Martiny, Ulrike (1972): Zur Soziogenese von Erwerbsverlauf und Beschäftigungsdeprivilegierung weiblicher Arbeitskräfte. Ein interkultureller Vergleich der Bundesrepublik Deutschland und Frankreichs, 2 Bde., Institut für sozialwissenschaftliche Forschung, München

Martiny, Ulrike (1979): Brüche und Konflikte in Berufsbiographien, in: Beiträge zum Soziologentag in Berlin, ad hoc Gruppe Biographieforschung, Berlin 1979

Martiny, Ulrike; Annegret Kulms (1980): Die soziale Auseinandersetzung um Arbeitsbelastungen aus dem Zusammenhang von Erwerbs- und Hausarbeit in Frauenlebensgeschichten. Arbeitspapiere der Sektion Frauenforschung in der DGS (Hg.), Dortmund

Martiny, Ulrike (1991): Frauenforschung und soziologischer Theoriekanon. In: Fabianke, Ruth/Kahlert, Heike (Hg.), Frauen in der Hochschullehre: auf der Suche nach neuen Lehr- und Lernformen, Hamburg

Martiny, Ulrike; Wolfgang Voegeli (1988): Die Ehe endet - die Beziehungen bleiben. Familienkonflikte und Scheidung, in: Deutsches Jugendinstitut (Hg.): Wie geht's der Familie? Familienhandbuch, München, 179 - 188

Martiny, Ulrike; Wolfgang Voegeli (1993): Frauen - auf sich gestellt. Zur rechtlich-sozialen Lebenssituation alleinstehender Frauen, Forschungsbericht im Auftrag des BMFJ

Mies, Maria (1978): Methodische Postulate zur Frauenforschung: Dargestellt am Beispiel der Gewalt gegen Frauen, in: Beiträge zur feministischen Theorie und Praxis, Heft 1, München

Rerrich, Maria (1990): Alle Familienmitglieder sind gleich, nur sind manche etwas gleicher als andere - über Ungleichheitserfahrungen im familialen Alltag, in: Peter A. Berger; Stefan Hradil (Hg.)

Ostner, Ilona; Jutta Fandler (1992): Späte Ehe. Projektantrag, Zentrum für Sozialpolitik, Universität Bremen

Spiegel, Erika (1986): Neue Haushaltstypen. Entstehungsbedingungen, Lebenssituation, Wohn- und Standortverhältnisse, Frankfurt/New York

Statistisches Bundesamt (1990): Statistisches Jahrbuch, Wiesbaden

Wetterer, Angelika (1989): Soziologinnen-Enquête. Arbeitssituation, Berufsverläufe und Selbstverständnis von Sozialwissenschaftlerinnen unter besonderer Berücksichtigung der Arbeitsbedingungen im Bereich der Frauenforschung, Gesamthochschule Kassel

Willms-Herget, Angelika (1985): Frauenarbeit. Zur Integration der Frauen in den Arbeitsmarkt, Frankfurt/New York

Forschungsprobleme

Frauen im sozialen Raum. Offene Forschungsprobleme bei der Bestimmung ihrer Klassenposition

Petra Frerichs und Margareta Steinrücke

1   Einleitung

Wir leben in einer Gesellschaft, die nach wie vor von zwei zentralen Ungleichheitsverhältnissen strukturiert ist: dem sozialen und dem geschlechtlichen. Wenn auch auf der Basis gestiegenen Lebensstandards und in individualisierteren Formen als früher ist doch der Alltag von sozialen Ungleichheiten geprägt (von der Position in der betrieblichen Hierarchie bis zum Vorführen distinktiver Lebensstilattribute), und trotz aller Gleichstellungsprogrammatik und -bemühungen der letzten Jahre finden sich Frauen nach wie vor häufiger auf den unteren Ebenen der jeweiligen Hierarchien und sind nach wie vor in der Regel für Hausarbeit und Kinder zuständig.

Die Ursachen und Funktionsmechanismen dieser Ungleichheitsverhältnisse scheinen also von einer solchen Grundsätzlichkeit und Zählebigkeit zu sein, daß sie intentionalen Bemühungen zu ihrer Aufhebung recht ausdauernd widerstehen. Möglicherweise krank(t)en solche Bemühungen auch an einer zu oberflächlichen und undifferenzierten, pauschalen Kenntnis ihres Gegenstandes. Auf der Ebene der Wissenschaft wurden die beiden Ungleichheitsverhältnisse bislang in der Regel sehr arbeitsteilig (mit allen daraus folgenden Nachteilen) untersucht: die soziale Ungleichheit von Klassentheorie, Schichtungsforschung und Sozialstrukturanalyse, die geschlechtliche Ungleichheit von feministischer Theorie und Frauenforschung. Was zur Folge hatte, daß erstere weitgehend blind waren für Geschlechterasymmetrien in den Klassen und Schichten und letztere für die sozialen Unterschiede innerhalb der Geschlechter, verbunden mit einer weitgehenden Ignorierung der Forschungsergebnisse der jeweils anderen Wissenschaftsdisziplin.

Dieses wechselseitige Ignoranzverhältnis ist zum ersten Mal in England durchbrochen worden. Dort begannen Anfang der achtziger Jahre Schichtungsforscher und Feministinnen in der sogenannten "Gender and Class Debate" darüber zu diskutieren, ob und wie die traditionelle Schichtungsforschung geschlechtliche Ungleichheit systematisch zu berücksichtigen hätte (den besten Überblick über die Ergebnisse dieser Debatte gibt der von *Rosemary Crompton* und *Michael Mann* 1986 herausgegebene Sammelband "Gender and Stratification"). Im deutschsprachigen Raum ist diese Debatte erst mit einer erheblichen Verzögerung von *Cyba/Balog* (1989) und *Kreckel*

(1989) bekannt gemacht worden und beginnt jetzt langsam, auch hier geführt zu werden.[1]

In einer Hinsicht ist mit der englischen Debatte allerdings auch nur ein zwar sehr notwendiger, aber nicht hinreichender Erkenntnisstand erreicht: Es ist deutlich geworden, *daß* soziale Ungleichheit nicht ohne die geschlechtliche gedacht werden kann; *wie* aber beider je konkrete Verschränkung aussieht, darüber sagt diese Debatte noch kaum etwas. Das aber genauer zu erfahren, wäre gerade wichtig. Denn in seinem Alltagsleben ist jeder Mensch beides: Geschlechtswesen und Angehörige/r einer sozialen Klasse oder Schicht. Wir werden in *einer* Sozialisation zu Geschlechtswesen *und* Klassensubjekten gemacht; wir handeln in einer Person als beides; unser Erleben, auch das von Benachteiligung oder Privilegiertheit, trennt nicht fein säuberlich nach den beiden Dimensionen (s. *Meulenbelt* 1988). Deren Trennung ist eine wissenschaftlich-analytische, gegebenenfalls auch eine politische (wenn eine der beiden Dimensionen zur Grundlage von Bewußtmachung und Mobilisierung gemacht wird).

Diesen Zusammenhang je konkreter Verschränkung (und dann daraus destillierter Differenzierung) von sozialer und geschlechtlicher Ungleichheit ein wenig aufzuhellen, will ein Forschungsprojekt beitragen, von dem im Folgenden die Rege sein soll.[2] Ziel des Projekts ist es, diese Verschränkung des Klassen- und Geschlechterverhältnisses bei Angehörigen der Unter-, Mittel- und Oberklasse beiderlei Geschlechts empirisch zu erforschen. Eine Operationalisierung ungleicher materieller und immaterieller Lebenschancen soll über die Dimensionen Arbeit (Erwerbs- und Hausarbeit), Bildung, Geld, Zeit, Macht und Anerkennung erfolgen. Zentrale Gegenstände sind die soziobiographische Konstitution der Klassen- und Geschlechtshabitūs, männliche und weibliche Lebenszusammenhänge, Lebensstile und Interessen.

Dazu sollen hier weder rein theoretische Überlegungen, noch bereits empirische Ergebnisse vorgestellt werden, sondern einige offene Forschungsprobleme, die sich bei der Durchführung dieses empirischen Forschungsprojekts zum Verhältnis von "Klasse und Geschlecht" stellen. Es umfaßt einen *qualitativen* Teil, bestehend vor allem aus biographischen Interviews mit Männern und Frauen aus verschiedenen Klassen, und einen *quantitativen* Teil, fußend auf einer, speziell auf die Fragestellung nach dem Verhältnis von Klasse und Geschlecht zugeschnittenen, Auswertung von Daten des Sozio-ökonomischen Panel (SOEP). Einige Probleme bei der Realisierung des zweiten Teils sollen hier zur Diskussion gestellt werden.

Ziel dieses quantitativen Teils des Projekts ist es, auf der Grundlage aktueller und differenzierter Daten (die Längsschnittdaten des SOEP umfassen eine repräsentative Auswahl von Erwachsenen über 16 Jahren und Haushalten in Deutschland, dabei Männer wie Frauen, Deutsche wie AusländerInnen gleichermaßen berücksichtigend) genaueren Aufschluß zu geben über Gemeinsamkeiten und Differenzen in den Lebenschancen von Männern und Frauen als Geschlechtswesen einerseits, als Angehörigen sozialer Klassen andererseits.

2 Ausgangspunkt: Geschlechtsklassen- und Klassengeschlechtshypothese

Anschließend an das von *Mann* (1986, 56 f.) gezogene Resümee aus der *Gender and Class Debate*[3], daß das Geschlecht klassengeteilt und die Klassen geschlechtsgeteilt seien, gehen wir von zwei Generalhypothesen aus:

1) von der *Geschlechtsklassenhypothese,* derzufolge die Angehörigen des weiblichen Geschlechts sozialklassenübergreifend bestimmte Gemeinsamkeiten aufweisen (die sie zu einer *logischen Klasse* im Sinne eines oder mehrerer gemeinsamer Merkmale machen, nicht zu einer sozialen Klasse im Weberschen Sinne von ähnlichen Klassenlagen, zwischen denen Mobilität und Konnubium wahrscheinlich sind, noch im Marxschen Sinne von identischem Verhältnis zu den Produktionsmitteln). Diese Gemeinsamkeiten sind:
   - die historisch-gesellschaftlich spezifisch institutionalisierte *Gebärfähigkeit*;
   - die zugewiesene Zuständigkeit für Kinderaufzucht und *Hausarbeit*;
   - die dementsprechende doppelte Vergesellschaftung für Produktion und Reproduktion (*Becker-Schmidt* 1987 a), der *Zerreißungsprozeß* zwischen beider Logiken als Klasseneigenschaft immer noch der großen Mehrheit der Frauen (*Negt/Kluge* 1981, 320) (dem sie doch, anders als *Kreckel* (1992) meint, in qualitativ anderem Maße unterworfen sind als Männer);
   - die *inferiore Stellung* von Frauen in den jeweils unteren Rängen der Berufs-, Einkommens-, Betriebs-, Abteilungs-, Anerkennungs-, Machthierarchien, ihre Eigenschaft als "Unterschicht innerhalb jeder Klasse" (*Becker-Schmidt* 1987 b), oder, wie es in der englischen Debatte formuliert wurde: "women form a buffer zone at the bottom of each class" (*Abbott/Sapsford* 1987, 14; vgl. *Mann* 1986).

   Die geschlechtsklassenkonstitutiven Merkmale des männlichen Geschlechts sind dazu jeweils komplementär zu denken.

2) Diese Hypothese abstrahiert aber offenkundig von allen sozialen Unterschieden zwischen Frauen (wie zwischen Männern) und läuft Gefahr, unterschiedslos alle Männer allen Frauen als gegnerische Klasse gegenüberzustellen (was aufgrund der verbreiteten Nicht-Homosexualität von Männern und Frauen bzw. der verbreiteten persönlichen Beziehungen und Interessengemeinsamkeiten zwischen Angehörigen der beiden (Geschlechts-)Klassen (*Kreckel*s "unter einer Decke stecken", *Kreckel* 1992) offensichtlich irreal ist). Deshalb gehen wir zum anderen von der *Klassengeschlechtshypothese* aus: die relativ benachteiligte Stellung von Frauen sieht vermutlich in jeder Klasse und Klassenfraktion anders aus, und jede Klasse und Klassenfraktion hat ihre je spezifischen Vorstellungen und Realisierungen von Weiblichkeit und Männlichkeit. D.h.

es gibt nicht *das* weibliche und *das* männliche Geschlecht, sondern so viele Klassengeschlechter wie Klassen und Klassenfraktionen.
Was hier interessiert und was u.a. mit Hilfe der von den beiden Generalhypothesen angeleiteten Auswertung der SOEP-Daten herausgefunden werden soll, ist, *was die Menschen* - auf dieser Ebene nur objektiv, statistisch betrachtet - *mehr eint* (im Sinne von homogenen sozialen Lagen): ihre *Klassenzugehörigkeit*, wie traditionelle Klassentheoretiker meinen; *oder* ihre *Geschlechtszugehörigkeit*, wie Feministinnen meinen? Oder ob vielleicht beides völlig abstrakte Fragestellungen sind und nur je konkrete Verschränkungen von Benachteiligung und Bevorteilung aufgrund von Klassen-*und* Geschlechtszugehörigkeit relativ homogene soziale Lagen ergeben (also nicht mehr *alle* Frauen, sondern die Arbeiterinnen, die weiblichen Büroangestellten, die Lehrerinnen bzw. nicht mehr *die* Arbeiterklasse, sondern die weiblichen Un- und Angelernten, die männlichen Facharbeiter etc.)? Noch anders kann man sagen, daß die meisten *Menschen in sich selbst nicht einheitlich* sind, sondern mit einer Eigenschaft z.B. zu einer privilegierten Klasse gehören, mit einer anderen zu einer unterdrückten (wir als deutsche Akademikerinnen z.B. gehören als mit relativ hohem Einkommen und viel Bildung ausgestattet einer privilegierten Klasse an, als Frauen dem unterdrückten Geschlecht, als Deutsche der hierzulande dominierenden Nationalität) (s. *Meulenbelt* 1988, *Negt/Kluge* 1981).

3 Schwierigkeiten bei der Durchführung geschlechtlich differenzierender Sozialstrukturanalyse

Bei der konkreten Realisierung eines solchen an Klasse und Geschlecht als Ungleichheitskonstitutiva gleichermaßen interessierten Forschungsvorhabens mittels vorhandener Daten der Sozialstrukturanalyse stellen sich nun erhebliche, vor allem auch forschungspraktische Probleme. Während inzwischen die meisten statistischen Daten nach Geschlecht differenzieren (was noch nicht bedeutet, daß Frauen konsequent in die Befragungen einbezogen sind und ihre spezifische Lage angemessen berücksichtigt wird), gehen immer noch etliche Befragungen von der Analyseeinheit des Haushalts aus, deren Klassen- oder Schichtzugehörigkeit nach dem Beruf des in der Regel *männlichen Haushaltsvorstandes* bestimmt wird, von dem der Status der Frau abgeleitet wird (was die implizite Annahme der ubiquitären, stabilen, sozial homogenen Gattenfamilie (s. *Mann* 1986; *Kreckel* 1989, 312) zur Voraussetzung hat, von der heute nicht mehr so umstandslos bzw. zunehmend weniger ausgegangen werden kann - wie steigende Scheidungsraten (jede dritte Ehe geschieden), die enorm gestiegene Erwerbsbeteiligung verheirateter Frauen, die Zunahme von unverheiratet Zusammenlebenden, Wohngemeinschaften etc. indizieren).

Darüber hinaus haben fast alle uns bekannten Versuche der Bestimmung der Schichtungs- oder Klassenstruktur moderner Gesellschaften einen gemeinsamen Kardinalfehler, nämlich ihren *Erwerbsarbeitsbias*: Sie definieren die Positionen in einer solchen Struktur ausschließlich nach Kriterien, die auf irgendeine Weise mit Erwerbstätigkeit zusammenhängen, und sparen damit den gesamten Bereich der Reproduktionsarbeit und alle Nicht-Erwerbstätigen, d.h. alle Hausfrauen (in der BRD 1985 immerhin etwa 43 % aller Frauen im erwerbsfähigen Alter, s. *Walker* 1990, 20), aber auch Kinder, Schüler, Studenten, Arbeitslose, Rentner, Insassen, Nicht-Seßhafte etc. (und damit die Mehrheit der Bevölkerung: 1986 waren das in der BRD etwa 34 von 61 Mio, s. *Vester u.a.* 1990, 23) aus der Definition der Positionen im sozialen Raum aus. Bei *Marx* und in seinem Gefolge ist das entscheidende Kriterium das Verhältnis zu den Produktionsmitteln, bei *Weber* und in seinem Gefolge ist es die Marktchance qua Besitz und Leistungsqualifikation, in der Schichtungsforschung sind es Berufsprestige oder Einkommen, Bildung und Beruf, in der amtlichen Statistik ist es die Stellung im Beruf. Oder es sind diverse *Kombinationen solcher erwerbsarbeitszentrierter Kriterien* wie Verhältnis zu den Produktionsmitteln, Einkommen, Qualifikation, Organisationsressourcen, Hierarchieposition, manuelle versus nicht-manuelle Arbeit usw. Allen diesen Modellen sozialer Schichtung gemeinsam ist ihre Erwerbsarbeitszentriertheit und die entsprechende Nichtberücksichtigung der Reproduktionsarbeit, was allerdings in einer Gesellschaft, in der nur qua individueller Leistung erworbener und in Tauschwert ausdrückbarer Status zählt und Anerkennung verleiht, nur den *herrschenden Zustand* wiedergibt.

Bei der Konstruktion des SOEP ist nun versucht worden, diese Mängel weitgehend zu vermeiden. Es bietet daher in dieser Hinsicht relativ gute Daten: Männer und Frauen sind so gut wie gleichermaßen erfaßt (nur bei der sozialen Herkunft wird zwar nach dem Beruf des Vaters, nicht aber nach dem der Mutter gefragt), die Erfassung der letzten Berufstätigkeit bei den Nicht-Erwerbstätigen erweitert die Möglichkeiten von deren Klassifizierung, die geleistete Hausarbeit wird gründlich erfaßt, und bei der Haushaltsbefragung wird als Haushaltsvorstand nicht *per se* der Mann bzw. der/die Höchstverdienende angenommen, sondern der- oder diejenige, der/die über das meiste Wissen über die Haushaltssituation verfügt (es deutet allerdings einiges darauf hin, daß sich dieses in Westdeutschland doch wieder überwiegend die Männer zurechnen, während in Ostdeutschland hier der Frauenanteil größer ist).

4 Ein Modell des sozialen Raums

Auf dieser zwar noch nicht perfekten, doch für die Frage nach Klasse und Geschlecht sehr weitgehend brauchbaren Datenbasis soll nun versucht werden, mit einem Sozialstruktur-Modell, das uns am differenziertesten und realitätsnächsten erscheint, zu arbeiten. Es ist das *Bourdieu*'sche Modell des sozialen Raums, das allerdings für unsere Zwecke aus den o.g. Gründen bestimmter wesentlicher Modifikationen bedarf. Dies sind zum einen die systematische und durchgängige Geschlechterdifferenzierung des Raums der erwerbsarbeitsvermittelten sozialen Positionen, zum anderen der Versuch der Konstruktion eines integrierten sozialen Raums, der Erwerbs- und Hausarbeit, Produktions- und Reproduktionssphäre umfaßt.

Dazu soll hier aber zunächst noch einmal kurz das von *Bourdieu* konstruierte *Modell des sozialen Raums* dargestellt werden (*Bourdieu* 1982, 212).

Bourdieu konstruiert den sozialen Raum *dreidimensional*. Die erste Dimension bildet das Volumen aller verfügbaren Kapitalsorten (ökonomisches, kulturelles, soziales Kapital), die zweite Dimension die Struktur der Anteile von ökonomischem und kulturellem Kapital am Gesamtvolumen, die dritte Dimension die individuelle und kollektive Laufbahn (soziale Herkunft und objektive Zukunft der Berufsgruppe, der jemand angehört). Entscheidend ist dabei, daß *Bourdieu* mit der Einführung der zweiten Dimension "Kapitalstruktur" die traditionell auf eine vertikale Anordnung beschränkte Gliederung der sozialen Positionen um ein *horizontale Dimension* erweitert. Das ermöglicht zum einen die Differenzierung jeder Klasse in konkrete, in sich relativ homogene *Klassenfraktionen*, je nach Anteil von ökonomischem und kulturellem Kapital bei gegebenem Gesamtvolumen. So z.B. bei mittleren Kapitalvolumen, also im Kleinbürgertum, die Differenzierung in traditionelles Kleinbürgertum (Kleinhändler und Kleinhandwerker, die über relativ mehr ökonomisches (eigener Laden, eigene Werkstatt) als kulturelles Kapital verfügen) und exekutives, d.h. ausführendes Kleinbürgertum (z.B. Büroangestellte oder Krankenschwestern, die über mehr kulturelles, aber weniger ökonomisches Kapital verfügen).

Mit der dritten Dimension, die weder horizontal noch vertikal, sondern *zeitlich* ist, läßt sich zusätzlich eine genauere Bestimmung der Klassenfraktionen vornehmen, nämlich gemäß des Anteils an Auf- und Absteigern oder Positionshaltern an einer jeweiligen Klassenfraktion und gemäß des Zustandes von Auf- oder Abstieg der Klassenfraktion als ganzer. So rekrutiert sich beispielsweise das traditionelle Kleinbürgertum wesentlich aus den eigenen Reihen und ist als ganzes von Abstieg (= Schrumpfung) bedroht, während z.B. die Büroangestellten zum großen Teil aus sozialen Aufsteigern bestehen und sich als Gesamtgruppe im Aufstieg (= Wachstum) befinden.

Insgesamt ermöglicht dieses Modell gerade durch seine Differenzierungen wieder die Konstruktion von *sozialen Klassen* (statt nur die Addition unendlich vieler, nebeneinander stehenbleibender, im Zweifelsfalle auf Berufspositionen reduzierter Klassenlagen): Die Nähe im so konstruierten sozialen Raum begünstigt (statistisch betrachtet) die Chancen, sich zu treffen, einen ähnlichen Geschmack zu haben, Affinitäten zu entwickeln, sich zu heiraten etc.

Frauen im sozialen Raum 197

5 Geschlechtliche Strukturierung des Raums der Erwerbsarbeit

Ein erster Versuch einer Modifikation des dargestellten Modells wird darin bestehen, die systematisch unterschiedlichen Positionen von (erwerbstätigen) Frauen und Männern im Raum der Erwerbsarbeit darzustellen. Dieser Modifikationsversuch sähe so aus, daß zum einen durchgängig der jeweilige *Männer- und Frauenanteil* an den verschiedenen Berufsgruppen ausgewiesen würde. Zusätzlich soll, festgemacht am durchschnittlichen Einkommen und durchschnittlichen Bildungs- und Ausbildungsgrad der Männer und der Frauen in einer jeweiligen Berufsgruppe, versucht werden, die relational *unterschiedliche Stellung von Männern und Frauen in einer nur scheinbar homogenen sozialen Position* sichtbar zu machen. Wir vermuten, daß dabei ein Bild entsteht, in dem die Frauen in der Regel über weniger ökonomisches Kapital, des öfteren aber über gleichviel (bei den jüngeren z.T. schon mehr) kulturelles Kapital verfügen, was die *Position der Frauen* in der Regel etwas nach *links unten* verschieben würde:

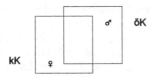

In Positionen aber, wo Frauen zwar über weniger ökonomisches Kapital, aber mehr kulturelles Kapital verfügen als Männer (denkbar z.B. bei *FacharbeiterInnen*), das Gesamtvolumen also gleich wäre, nur bei den Frauen von der Struktur her nach links verschoben, sähe das Bild so aus:

In bestimmten Bereichen des *öffentlichen Dienstes* (z.B. SozialarbeiterInnen) oder sehr klar tarifierten Angestelltenbereichen (z.B. Versicherungsangestellte) könnte die Position von Männern und Frauen eventuell so gut wie identisch sein (gleiches Einkommen, gleiche Bildung):

In der Regel wird die Position der Frauen aber vermutlich nach unten qua weniger Kapital insgesamt und mehr nach links zum kulturellen Pol hin verschoben sein.

Dabei gilt es generell, die Geschlechterdifferenz beim Zugang zu und bei der Verwertung von den einzelnen Kapitalsorten zu berücksichtigen. Dies macht sich nicht nur am ökonomischen Kapital, sondern auch bei der Konvertierung von kulturellem in ökonomisches Kapital sowie an der Ungleichverteilung von sozialem und symbolischem Kapital zwischen den Geschlechtern fest (letztere Kapitalsorten, die im Modell des sozialen Raumes nicht unmittelbar dargestellt sind, gleichwohl aber für die Plazierung eine Rolle spielen, stehen für soziale Beziehungen, Zugehörigkeiten sowie für Ansehen, Prestige, Macht). (S. auch *Metz-Göckel* 1992, 47 ff.)

6 Probleme bei der Konstruktion eines integrierten sozialen Raumes

In einem zweiten Schritt der Modifizierung des *Bourdieu*'schen Modells wird angestrebt, den sozialen Raum so umzukonstruieren, daß er die Produktions- *und* die Reproduktionssphäre umfaßt, damit auch derjenige Bereich gesellschaftlich notwendiger Arbeit einbezogen ist, in dem überwiegend Frauen tätig sind, der anderen Produktionsverhältnissen unterliegt und einer anderen Logik folgt, als sie für den Erwerbsbereich bestimmend ist. So sehr nun die Einbeziehung von Frauen in die Klassen- oder Sozialstrukturanalyse dazu verpflichtet, die sogenannte Privatsphäre zu berücksichtigen, um das widersprüchliche Spannungsverhältnis von bezahlter und unbezahlter Arbeit und die "doppelte Vergesellschaftung" (*Beer* 1991, 187 ff.) von Frauen analytisch sichtbar zu machen, mit so vielen Problemen ist dieses Vorhaben allerdings auch behaftet. Darauf rekurrieren auch *Abbott* und *Sapsford* in ihrer empirischen Studie, wenn sie von den Schwierigkeiten sprechen, *wie* alles das, was von der männlichen Normierung abweicht, zu berücksichtigen sei, wie etwa "ökonomisch inaktive" Personen, solche mit vorübergehender Beschäftigung, solche mit unterbrochenen Karrieren, solche, die intragenerationell abwärtsmobil sind und solche, die in einem Haushalt leben, dessen "head" sie nicht sind (1987, 33).

Insbesondere geht es darum, die Hausfrauen (die "puren" und die vorübergehenden, die Vollzeit- und die Teilzeithausfrauen) in die Sozialstrukturanalyse so einzubeziehen, daß sie *nicht* in Haushalten verschwinden und unter einen in der Regel männlichen Haushaltsvorstand subsumiert werden, der die Klassenposition des gesamten Haushalts bestimmt. Gleichwohl soll an der Analyseeinheit *"Haushalt"* (die ja nicht *per se* identisch ist mit "Familie" [4] auf Basis der Ehe, sondern alle möglichen Lebensformen einschließt), festgehalten werden, und zwar aus drei Gründen: 1) Im Haushalt werden die materiellen Lebenschancen im wesentlichen "verteilt"; 2) er ist der Ort der Generierung eines gemeinsamen Lebensstils und 3) stellt der Haushalt als Stätte der Reproduktion, Versorgung und Hausarbeit - in Gestalt der Gattenfamilie und aller analog konstruierten Verhältnisse - ineins eine eigene Quelle von sozialer Ungleichheit dar. Zugleich und innerhalb der Haushaltseinheit muß aber für jedes erwachsene *Individuum* die eigene Position im sozialen Raum bestimmbar sein; denn Haushaltskonstellationen sind weder stabil noch *per se* homogen; und auch die Individuen sind nicht immer die stabilsten. Anzustreben wäre demnach, die Klassenposition eines Haushalts nach den Anteilen *aller* seiner erwachsenen Mitglieder zu bestimmen, unangesehen ihrer aktuellen Erwerbsbeteiligung.

In der englischen *Gender and Class Debate*, in der sich eine Kontroverse über die Analyseeinheit des Haushalts oder des Individuums für die Klassifikation entsponnen hatte (*Goldthorpe* 1983, 1984; *Stanworth* 1984; *Britten/Heath* 1983, *Heath/Britten* 1984), haben *Britten* und *Heath* eine "joint classification" vorgeschlagen, wonach an der Familie bzw. dem Haushalt als Einheit festgehalten, aber die Klassenposition des Haushalts unter Berücksichtigung der Erwerbstätigkeit der Frau bestimmt werden soll.

Unser Vorschlag läuft demgegenüber auf eine modifizierte "joint classification" hinaus, mit der entscheidenden Variante, daß nicht nur die Berufsposition von Frauen berücksichtigt, sondern auch die Frauen als Hausfrauen in die verbundene Klassifikation einbezogen werden sollen. Denn an der Tatsache, daß alle Frauen Hausfrauen sind, ändert auch ihre Erwerbsbeteiligung prinzipiell erst einmal nichts; und desweiteren hat eine Frau, die aktuell nicht erwerbstätig ist, durchaus bestimmte "Merkmale" wie soziale Herkunft, Bildungstitel bzw. kulturelles Kapital, eventuell Besitz oder Vermögen, sie verfügt potentiell über Anteile des Haushaltseinkommens (ökonomisches Kapital), und sie hat in zurückliegender Zeit wahrscheinlich eine berufliche Stellung innegehabt; all diese Merkmale verweisen auf eine eigene Klassenposition - sie hat nur eben kein eigenes Einkommen.

Wenn es gelingen sollte, die geschlechtliche Arbeitsteilung und Benachteilung insgesamt, in den Feldern der Berufsarbeit *und* in der sogenannten Privatsphäre der Haushalte, in den Klassen(Fraktionen) zu verorten und durch Umkonstruktion in den sozialen Raum zu integrieren, dann stünde ein Analysekonzept bereit, das unserem Ansatz der Verschränkung von "Klassen und Geschlecht" gemäß wäre.

Das ist allerdings mit einigen Schwierigkeiten verbunden; sie kreisen um die Klassifikation von nicht-erwerbstätigen erwachsenen Personen, vor allem Hausfrauen. Bei der Einstufung von Hausfrauen nach ihrer *letzten bzw. höchsten beruflichen Stellung* und nach ihrem kulturellen Kapital (Schulabschluß, Ausbildung) ergeben sich wiederum zwei Probleme:

a. Was ist mit den Frauen, die *noch nie erwerbstätig* waren? Deren Zahl scheint sich relativ konstant bei etwa 10 % zu halten (s. *Pross* 1975), obwohl es starke Verschiebungen nach Altersgruppen gibt (nach SOEP-Berechnungen des WZB sind es bei den 20 - 60jährigen Frauen ca. 5,8 %, bei den über 60jährigen ca. 19 %, die noch nie erwerbstätig waren)[5]; darüberhinaus wäre es nicht uninteressant zu wissen, welcher sozialen Herkunft diese Frauen sind, welchen Bildungsstand sie haben usw.

b. Die Plazierung nach früherem Beruf unterstellt ein *fiktives Einkommen*, "als ob" eine Hausfrau ihre berufliche Stellung noch inne hätte, was in ihrer gegenwärtigen Lage natürlich nicht der Fall ist und auch zukünftig eher unwahrscheinlich ist - zahlreiche Studien belegen inzwischen den Statusverlust, entsprechende Einkommenseinbußen und Entwertung des kulturellen Kapitals für Frauen bei Wiedereintritt ins Erwerbsleben.

Neben der letzten beruflichen Stellung wäre der *Pro-Kopf-Anteil am Haushaltsnetto-Einkommen* bei der Einstufung von Hausfrauen heranzuziehen. Dabei handelt es sich zwar nur sehr bedingt um "ökonomisches Kapital" (der Anteil ist für eine Hausfrau nicht in dem Sinne "frei" verfügbar, sondern ist das Äquivalent für unbezahlte Hausarbeit in Form von Unterhalt); dennoch bietet diese Größe aus unserer Sicht die einzige Möglichkeit, Hausfrauen einzubeziehen (auch wenn ihr der Makel einer Hilfskonstruktion anhaftet und sie Abhängigkeitsverhältnisse verdeckt). Zur Plazierung im sozialen Raum käme auch immer das relativ unproblematisch zu bestimmende kulturelle Kapital der Hausfrauen hinzu.

7 Der soziale Raum nach Haushaltstypen und nach Individuen

Mit diesen Vorüberlegungen müßte es auf Basis der SOEP-Daten möglich sein, Haushalte im sozialen Raum zu plazieren und deren Klassenzugehörigkeit mit der modifizierten *joint classification* zu ermitteln. Die zu berücksichtigenden Faktoren wären

- die (aktuelle oder letzte/höchste) berufliche Stellung von Mann und Frau bzw. aller erwachsenen Haushaltsmitglieder,
- deren Einkommen getrennt, das Haushaltnettoeinkommen, das Pro-Kopf-Einkommen, Besitz und Vermögen (ökonomisches Kapital),
- deren Ausbildung und Bildungstitel (kulturelles Kapital),
- die Zahl der Kinder unter 16 Jahren,
- die Erwerbsarbeitszeiten und die Hausarbeitszeiten des Mannes, der Frau und weiterer erwachsener Haushaltsmitglieder.

Die Verknüpfung dieser Merkmale müßte logischerweise zu typisierbaren Haushaltskonstellationen führen (*Vester u.a.* 1992). Solche *Haushaltstypen* hätten dann "Doppelnamen": statt von Arbeiterhaushalten wäre dann von "Facharbeiter/Verkäuferin/1,9 Kinder"-Haushalt als Haushaltstyp x beispielsweise zu sprechen. Hierbei sollen alle möglichen Lebensformen und Familienstände berücksichtigt werden; anders als bei den Hausfrauen wird sich bei den Alleinlebenden das Pro-Kopf-Einkommen als zuverlässiger

Indikator für ökonomisches Kapital und Lebensstandard erweisen (s. *Stück* 1991).

Der graphischen Darstellbarkeit der Plazierung dieser so zu ermittelnden Haushaltstypen sind allerdings Grenzen gesetzt; viele der Angaben, die etwa auf geschlechtliche Ungleichheit verweisen, wie z.B. das Verhältnis von Erwerbs- und Hausarbeitszeiten, müssen in das Modell des integrierten sozialen Raumes als zusätzliche Eintragung kenntlich gemacht werden.

Sinn und Zweck dieser Modellierung ist es jedenfalls, den Anteil der einzelnen Personen an der Gesamtposition des Haushalts sichtbar zu machen. Reicht dieses Vorgehen aus, um die geschlechtliche Ungleichheit in den Klassen und die Klassenunterschiede zwischen den Haushalten zum Ausdruck zu bringen?

Zur Überprüfung dieser Frage soll in einem weiteren Durchgang der soziale Raum nach *Individuen* konstruiert werden, um ihn mit dem nach Haushalten zu vergleichen. Hierbei würde die Berufsposition - die aktuelle oder die letzte/höchste - zur "abhängigen Variable" gegenüber dem ökonomischen Kapital in Form des Pro-Kopf-Einkommens und dem kulturellen Kapital in Form von Bildungstiteln. Dieses Vorgehen führt wahrscheinlich zu einer *Vervielfältigung der Positionen* aufgrund unterschiedlicher Volumina und Zusammensetzungen der Kapitalsorten für ein und dieselbe Berufsgruppe. Damit könnten allerdings die Unterschiede zwischen den Geschlechtern bei der "Kapitalverwertung" verdeutlicht werden; wie oben bereits dargelegt, ist zu vermuten, daß Frauen in allen Klassen tendenziell über mehr kulturelles als ökonomisches Kapital verfügen, was indizierte, daß die Konvertierungschancen von kulturellem zu ökonomischem Kapital für sie geringer anzusetzen sind als für Männer in vergleichbaren Positionen.

8 Das Konnubium: Wie mobil sind Frauen und wie homogen die Haushalte?

Als ein weiteres aufschlußreiches Ergebnis aus der Positionierung von Individuen und Haushalten im sozialen Raum sind aktuelle Daten zum Konnubium zu erwarten. Die Frage, wer wen heiratet - oder etwas moderner als *Webers* Konnubium: wer mit wem zusammenlebt -, ist wichtig 1. als klassenbildender und -reproduzierender Faktor, 2. für Mobilitätsprozesse und mögliche geschlechtsspezifische Unterschiede und 3. für die Homogenitätsüberprüfung der Haushalte. Mit den Daten des SOEP sind relativ zuverlässige Aussagen über das Heiratsverhalten bzw. die soziale Affinität zusammenlebender Paare auf aktuellem Stand möglich.

Die Daten, auf die sich die einschlägige Studie von *Handl* (1988) bezieht, sind schließlich über 20 Jahre alt (Mikrozensus-Zusatzerhebung von 1971), und es gilt zu prüfen, ob *Handls* Homogenitätsergebnis von neueren Daten bestätigt, modifiziert oder widerlegt wird.

Von Interesse ist auch ein Vergleich der Ergebnisse zur Mobilität von Frauen. So bestätigen etwa die neueren Daten des Projekts "Lebensverläufe und gesellschaftlicher Wandel" diesbezügliche Ergebnisse von *Handl*, wonach Frauen leichter und eher über Heirat als über den eigenen Berufsweg aufstiegen, mit der Feststellung, daß soziale Aufwärtsmobilität von Frauen "aus eigener Kraft", also die intragenerationale Mobilität qua Bildung und Ausbildung, sehr begrenzt sei, und daß vielmehr die soziale Herkunft ihren gesamten Werdegang determiniere (*Mayer/Blossfeld* 1990). Dieses Ergebnis scheint der landläufigen Auffassung zu widersprechen, daß es generell eher die Frauen waren, die von der Bildungsexpansion der siebziger Jahre profitiert hätten bzw. diese darauf zu reduzieren, daß sich das Profitieren auf das Bildungssystem beschränkt, sich aber nicht weiter auf berufliche Mobilität auswirkt.

Aufschluß über diesen Zusammenhang bieten hier etwa die Betrachtungen von *Sigrid Metz-Göckel*. Mit Blick auf das Verhältnis von Bildung, Geschlecht und Klasse/Schicht weist sie nach, daß die Steigerungsraten bei den mittleren und höheren Schulabschlüssen weitaus mehr auf die Töchter der Mittelklassen als auf Arbeitertöchter zurückgehen. Mit sinkender Geburtenrate werden auch Töchter der oberen und mittleren Schichten "Träger und Garanten der Familientradition. Sie werden ebenfalls Bezugspersonen für die statuserhaltenden familialen Aspirationen." (1992, 49). Für Arbeitertöchter, die immer noch zu 54,5 % den Hauptschulabschluß erwerben (Arbeitersöhne sogar zu 61,1 %)und nur zu 29,4 % den Realschulabschluß (Arbeitersöhne 23 %)[6], erfolgt der soziale Aufstieg - so die interessante These von *Metz-Göckel* - über die Aufstockung der Berufsausbildung auf Basis der mittleren Reife (54).[7]

Zwischen den Berufspositionen der Väter und Töchter gibt es auch der Studie von *Abbott/Sapsford* zufolge eine starke Verbindung, mit der Einschränkung, daß Frauen mit Oberklassenherkunft das "Halten" dieser Klassenposition aufgrund der Segregation des Arbeitsmarktes erschwert ist. Den einzig nennenswerten Aufstieg stellt die Studie für Arbeitertöchter fest, die in Bürotätigkeiten einmünden. Im übrigen unterscheide sich die intragenerationale Mobilität von Frauen und Männern allermeist dadurch, daß Frauen entweder in der Klassenposition der Eingangsberufe verbleiben, die zugleich dann auch die höchste in ihrem Berufsleben ist, oder daß sie abwärtsmobile Karrieren zu verzeichnen haben.

Was nun die Heiratsmobilität von Frauen betrifft, die häufig über den Vergleich der Klassenposition der Väter und der Ehemänner erschlossen wird, kommen *Abbott/Sapsford* zu dem Ergebnis, daß diese eigentlich eine *Illusion* sei, da sie im Ausmaß nur der ganz normalen intergenerationalen beruflichen Mobilität von Männern über sozialen Wandel entspreche (1987, 55 ff.).

Ein gewisser Widerspruch zur Aufstieg-über-Heirat-These ergibt sich auch mit Blick auf die soziale Zusammensetzung der Haushalte; sowohl die Studie von *Erbslöh u.a.* als auch die von *Abbott/Sapsford* kommen auf einen *hohen Anteil homogener bzw. relativ homogener Paarkonstellationen*; wenn der Schnitt zwischen manuellen und nicht-manuellen Berufen angesetzt wird, was in der englischen Debatte einer der zentralen Streitpunkte für die Bestimmung von *cross class families* war, heiraten ca. 70 % der Frauen homogen, ca. 20 % aufwärts und ca. 10 % abwärts mobil (*Erbslöh u.a.* 1990, 156 ff.; *Abbott/Sapsford* 1987, 59). Den genannten Untersuchungen liegen allerdings unterschiedliche Klasseneinteilungskriterien und -schemata zugrunde, die einen Vergleich erschweren oder unmöglich machen. Das differenzierte Klassenlagen-Schema, das *Erbslöh* u.a. mit Bezug auf *Wright* entwickeln, büßt bei der Haushaltstypologie und Homogenitätsprüfung leider deswegen an Erklärungskraft ein, weil hier Ein-Personen-Haushalte und Haushalte mit einer erwerbstätigen Person und mehreren nicht-erwerbstätigen Personen - also die IndividualistInnen und die TraditionalistInnen - im Typus der homogenen Haushalte zusammengefaßt werden. Wir hoffen, in dieser Frage mit Berechnungen des SOEP weiterzukommen. Es stellt Daten zur Verfügung, mittels derer die Rückführung von Personen auf Haushalte möglich ist, und mithilfe der Angaben über die (aktuelle bzw. letzte) berufliche Stellung ist zu prüfen, wie die Schnitte zwischen "homogenen", "relativ homogenen" und "cross class-Haushalten" anzusetzen sein werden.

Es sollte deutlich geworden sein, daß die Einbeziehung von Frauen in die Sozialstruktur- oder Klassenanalyse einerseits unerläßlich ist, will diese nicht Gefahr laufen, weiterhin verzerrte Ergebnisse hervorzubringen, indem alles, was von männlich geprägter Normierung des Arbeitsverhältnisses, des Erwerbsverhaltens etc. abweicht, nicht erfaßt wird. Andererseits sollen die konkreten methodisch-theoretischen wie empirischen Probleme, die sich beim Versuch der Realisierung dieses Anspruchs stellten, den Blick dafür schärfen, daß die Berücksichtigung von Frauen bzw. des Geschlechterverhältnisses bereits am Analyseinstrumentarium ansetzen muß - und nicht erst an den hierüber gewonnenen Daten. Die Schwierigkeiten etwa bei der Klassifikation von Hausfrauen rühren ja gerade daher, daß Personen ohne Erwerbsstatus in der traditionellen Schichtungsforschung, aber auch im Modell des sozialen Raumes nicht vorgesehen sind und insofern nicht "zählen". Dieser Beitrag - im Kontext aller anderen Beiträge dieses Bandes - kann nur ein Anfang sein und Anstöße geben in Richtung auf eine "geschlechtssensible Soziologie" (*Kreckel* 1989) und feministische Sozialstrukturanalyse.

Anmerkungen

1. Wofür die Tagung "Soziale Ungleichheit und Geschlechterverhältnisse", aus der dieser Band hervorgegangen ist, als ein Anzeichen gesehen werden kann.
2. Es handelt sich um das am ISO, Köln, und an der Angestelltenkammer Bremen von *P. Frerichs, F. Pokora* und *M. Steinrücke* durchgeführte Forschungsprojekt "Klasse und Geschlecht".
3. Deren wesentliche Argumente hier nicht noch einmal wiederholt werden sollen, s. dazu *Frerichs/Steinrücke* 1992.
4. In der englischen Schichtungsforschung werden die Begriffe "Haushalt" und "Familie" synonym verwendet.
5. Arbeitsgruppe Sozialberichterstattung 1989, 30.
6. Nach Daten des Mikrozensus 1989, zit. nach *Metz-Göckel* 1992, 51.
7. Über den Zusammenhang von Bildung und Geschlecht s. den aufschlußreichen Sammelband hg. von *Rabe-Kleberg* (1990); über den von sozialer Herkunft, Geschlecht und Studienfachwahl s. *Schlüter* (1992 a, b); *Engler* (1991) und *Engler/Friebertshäuser* (1992).

Literaturverzeichnis

Abbott, Pamela; Roger Sapsford (1987): Women and Social Class, London/New York

Arbeitsgruppe Sozialberichterstattung (1989): Sozialstruktur der Bundesrepublik heute, in: WZB-Mitteilungen 43, 29 - 32

Becker-Schmidt, Regina (1987 a): Die doppelte Vergesellschaftung - die doppelte Unterdrückung: Besonderheiten der Frauenforschung in den Sozialwissenschaften, in: Unterkircher/Wagner (Hg.): Die andere Hälfte der Gesellschaft, Österreichischer Soziologietag 1985, 10 - 27

Becker-Schmidt, Regina (1987 b): Frauen und Deklassierung, in: Ursula Beer (Hg.), 187 - 235

Beer, Ursula (Hg.) (1987): Klasse Geschlecht, Bielefeld

Beer, Ursula (1990): Geschlecht, Struktur, Geschichte. Soziale Konstituierung des Geschlechterverhältnisses, Frankfurt a.M.

Bourdieu, Pierre (1982): Die feinen Unterschiede. Kritik der gesellschaftlichen Urteilskraft, Frankfurt a.M.

Bourdieu, Pierre (1985): Sozialer Raum und "Klassen", Leçon sur la leçon, Frankfurt a.M.

Britten, Nicky; Anthony Heath (1983): Women, Men and Social Classes, in: E. Gramanikows u.a. (Hg.): Gender, Class and Work, London

Crompton, Rosemary; Michael Mann (Hg.) (1986): Gender and Stratification, Oxford

Cyba, Eva; Andreas Balog (1989): Frauendiskriminierung und Klassenanalyse. Zur Weiterführung einer Diskussion, in: Österreichische Zeitschrift für Soziologie 14, 2, 4 - 17

Engler, Steffanie (1991): Studentische Fachkultur, Geschlecht und soziale Reproduktion. Eine empirische Untersuchung der Fächer Erziehungswissenschaften, Rechtswissenschaft, Elektrotechnik und Maschinenbau. Diss., Universität Siegen

Engler, Steffanie; Barbara Friebertshäuser (1992): Die Macht des Dominanten, in: Wetterer (Hg.), 101 - 120

Erbslöh, Barbara u.a. (1990): Ende der Klassengesellschaft? Regensburg

Frerichs, Petra; Margareta Steinrücke (1989): Symbolische Interessen von Frauen im Betrieb, in: Argument 174, 209 - 223

Frerichs, Petra; Martina Morschhäuser; Margareta Steinrücke (1989): Fraueninteressen im Betrieb. Arbeitssituation und Interessenvertretung von Arbeiterinnen und Angestellten im Zeichen neuer Technologien, (Schriftenreihe "Sozialverträgliche Technikgestaltung", 6) Opladen

Frerichs, Petra; Margareta Steinrücke (1992): Klasse und Geschlecht, Vortrag auf der Jahrestagung 1991 der Sektion Frauenforschung in der DGS, Hannover. Eigenverlag der Sektion, Hannover 1992

Goldthorpe, John H. (1983): Women and Class Analysis: In Defence of the Conventional View, in: Sociology 17, 4, 465 - 488

Goldthorpe, John H. (1984): Women and Class Analysis: A Reply to the Replies, in: Sociology 18, 4, 491 - 499

Handl, Johann (1988): Berufschancen und Heiratsmuster von Frauen. Empirische Untersuchungen zu Prozessen sozialer Mobilität, Frankfurt a.M./New York

Heath, Anthony; Nicky Britten (1984): Women's Jobs Do Make a Difference: A Reply to Goldthorpe, in: Sociology 18, 4, 475 - 489

Kreckel, Reinhard (1989): Klasse und Geschlecht. Die Geschlechterdifferenz der soziologischen Ungleichheitsforschung und ihre theoretischen Implikationen, in: Leviathan 17, 3, 305 - 321

Kreckel, Reinhard (1992): Politische Soziologie der sozialen Ungleichheit, Frankfurt a.M./New York

Mann, Michael (1986): A Crisis in Stratification Theory? Persons, Households/Families/-Lineages, Genders, Classes and Nations, in: Crompton/Mann, 40 - 56

Mayer, Karl Ulrich; Hans-Peter Blossfeld (1990): Die gesellschaftliche Konstruktion sozialer Ungleichheit im Lebensverlauf, in: Peter Berger; Stefan Hradil (Hg.): Lebenslagen, Lebensläufe, Lebensstile, Sonderband 7, Soziale Welt, Göttingen, 297 - 318

Metz-Göckel, Sigrid (1992): Bildung, Lebensverlauf und Selbstkonzepte von "Arbeitertöchtern". Ein Beitrag zur sozialen Mobilität und Individualisierung von Frauen aus bildungsfernen Schichten, in: Schlüter (Hg.), 36 - 65

Meulenbelt, Anja (1988): Scheidelinien. Über Sexismus, Rassismus und Klassismus, Reinbek

Negt, Oskar; Alexander Kluge (1981): Geschichte und Eigensinn, Frankfurt a.M.

Pross, Helge (1975): Die Wirklichkeit der Hausfrau, Reinbek

Rabe-Kleberg, Ursula (1990): Besser ausgebildet und doch nicht gleich! Frauen und Bildung in der Arbeitsgesellschaft, Bielefeld

Schlüter, Anne (Hg.) (1992): Arbeitertöchter und ihr sozialer Aufstieg. Zum Verhältnis von Klasse, Geschlecht und sozialer Mobilität, Weinheim

Schlüter, Anne (1992 a): Arbeitertöchter des Ruhrgebiets im Studium. Naturwissenschafts- und Technikkompetenzen und sozialer Aufstieg - oder: "Obwohl Papa Schlosser war, haben wir Kinder studiert!". Eine Exploration, in: Schlüter (Hg.) (1992), 82 - 123

Schlüter, Anne (1992 b): Über den Zusammenhang von sozialer Herkunft, Geschlechtszugehörigkeit und Technikstudium. Eine Annäherung, in: Wetterer (Hg.), 205 - 220

Stanworth, Michelle (1984): Women and Class Analysis: A Reply to John Goldthorpe, in: Sociology 18, 2, 159 - 170

Stück, Heiner (1991): Die "modernen Arbeitnehmer". Einkommens- und Haushaltssituation der Angestellten. Das Beispiel Bremen, Hamburg

Vester, Michael (1990): Zweiter Zwischenbericht "Der Wandel der Sozialstruktur und die Entstehung neuer gesellschaftlich-politischer Milieus in der BRD", Hannover

Vester, Michael u.a. (1992): Neue soziale Milieus und pluralistische Klassengesellschaft, Hannover, Man. Endbericht

Walker, Bettina (1990): Die Statusposition der Frau in der Sozialstrukturanalyse. Unveröff. Diplomarbeit, Hannover

Wetterer, Angelika (Hg.) (1992): Profession und Geschlecht. Über die Marginalität von Frauen in hochqualifizierten Berufen, Frankfurt a.M./New York

Verzeichnis der Autorinnen und Autoren

Brigitte Aulenbacher, Diplom-Soziologin, Dr. rer. soc., geboren 1959, wissenschaftliche Assistentin an der Universität Frankfurt/Main

Korrespondenzadresse: Johann Wolfgang Goethe-Universität, Fachbereich 03, Robert-Mayer-Str. 5, 6000 Frankfurt am Main 1
Veröffentlichungen u.a.: Arbeit - Technik - Geschlecht. Industriesoziologische Frauenforschung am Beispiel der Bekleidungsindustrie, Frankfurt a. M./New York 1991

Eva Cyba, Dr., Assistentin in der Abteilung für Soziologie am Institut für Höhere Studien, Wien

Korrespondenzadresse: Institut für Höhere Studien, Stumpergasse 56, A-1060 Wien
Veröffentlichungen u.a.: Frauendiskriminierung: Praxis und Theorie. Schwerpunktheft der Österr. Zeitschrift für Soziologie 2/1989 (als Herausgeberin); Frauen - Akteure im Wohlfahrtsstaat?, in: Österreichische Zeitschrift für Soziologie 1/1991; Soziale Evolution oder Desintegration? Theoretische Aspekte des Wertwandels (mit A. Balog), in: SWS-Rundschau 3/1992; Women's Attitudes Towards Leisure and Family, in: Loisir & Societe vol.15, 1,1992.

Angelika Diezinger, Dr. phil, Dipl. Soz., geboren 1951, wissenschaftliche Assistentin am Institut für Sozialwissenschaften der TU München

Korrespondenzadresse: Lehrstuhl für Soziologie der TU München, Lothstraße 17, 8000 München 2
Veröffentlichungen u. a.: Frauen: Arbeit und Individualisierung. Opladen 1991

Irene Dölling, Prof. Dr. sc. phil., geboren 1942, Professorin an der Humboldt-Universität Berlin

Korrespondenzadresse: Mittelstr. 7/8, O-1086 Berlin
Veröffentlichungen u. a.: Der Mensch und sein Weib. Frauen- und Männerbilder, historische Ursprünge und Perspektiven. Berlin 1991; (Hg): Unsere Haut. Tagebücher von Frauen aus dem Herbst 1990. Berlin 1992

Petra Frerichs, Dr. phil, geboren 1947, wissenschaftliche Mitarbeiterin am Institut zur Erforschung sozialer Chancen (ISO) in Köln.

Korrespondenzadresse: Institut zur Erforschung sozialer Chancen (ISO), Kuenstraße 1 b, 5000 Köln 60
Veröffentlichungen u. a.: (zus. m. M. Steinrücke) Symbolische Interessen von Frauen im Betrieb, in: Argument 174 (31 (1989) 2); Fraueninteressen im Betrieb. Arbeitssituation und Interessenvertretung von Arbeiterinnen und weiblichen Angestellten im Zeichen neuer Technologien, Opladen 1989; Klasse und Gesellschaft als Medien der Chancenzuweisung, in: Hansjürgen Daheim u. a. (Hg): Soziale Chancen. Forschungen im Wandel der Arbeitsgesellschaft, Frankfurt am Main/New York 1992

Johann Handl, Dr. rer. soc. oec., geboren 1947, Professor für Statistik und sozialwissenschaftliche Methodenlehre.

Korrespondenzadresse: Fakultät für Sozialwissenschaften der Universität Mannheim, Seminargebäude A5, 6800 Mannheim
Veröffentlichungen u. a.: Berufschancen und Heiratsmuster von Frauen. Campus, Frankfurt am Main 1988; Zum Wandel der Mobilitätschancen junger Frauen und Männer zwischen 1950 und 1971, in: Kölner Zeitschrift für Soziologie und Sozialpsychologie 43, 1991

Reinhard Kreckel, Dr. phil., geboren 1940, Professor für Soziologie an der Universität Halle-Wittenberg.

Korrespondenzadresse: Institut für Soziologie, Emil-Abderhalden-Straße 7, O-4020 Halle
Veröffentlichungen u. a.: Soziologisches Denken, 1975; Regionalistische Bewegungen in Westeuropa (mit F. v. Krosigk u. a.), 1986; Politische Soziologie der sozialen Ungleichheit, 1992

Andrea Lange, M. A., geboren 1961, wissenschaftliche Mitarbeiterin der agis an der Universität Hannover

Korrespondenzadresse: Universität Hannover, Arbeitsgruppe Interdisziplinäre Sozialstrukturforschung (agis), Odeonstraße 18, W-3000 Hannover 1
Veröffentlichungen u. a.: Biographisches Erzählen - Strukturen und Elemente sozialer Wirklichkeit. Exemplarische Analysen von Interviews, (Magisterarbeit), Hannover 1987

Ulrike Martiny, Diplom-Soziologin, geboren 1944, Hochschule für Wirtschaft und Politik Hamburg

Korrespondenzadresse: Maienweg 50, 2000 Hamburg 60
Veröffentlichungen u. a.: Brüche und Konflikte in Berufsbiographien, in: Beiträge zum Soziologentag in Berlin, ad hoc Gruppe Biographieforschung, Berlin 1979; Der Eigenanteil an der Biographie - Interpretationsmöglichkeiten lebenszeitlicher Arbeitsprozesse, in: Joachim Matthes u. a. (Hg.): Biographie in handlungswissenschaftlicher Perspektive, Nürnberg 1981; Befristung auf Dauer. Die Dauerkollision um Berufskontinuität in befristeter Forschungstätigkeit an Hochschulen, in: Das Hochschulwesen. Forum für Hochschulforschung, -praxis und -politik, Neuwied 1/1992, 12 - 18

Tilla Siegel, Dr. rer. pol., Privatdozentin für Soziologie, geboren 1944, wissenschaftliche Mitarbeiterin am Institut für Sozialforschung (IfS), Frankfurt am Main

Korrespondenzadresse: Institut für Sozialforschung, Senckenberganlage 26, 6000 Frankfurt am Main 1
Veröffentlichungen u.a.: (zus. m. C. Sachse u. a.) Angst, Belohnung, Zucht und Ordnung. Herrschaftsmechanismen im Nationalsozialismus, Opladen 1982; Politics and Economics in the Capitalist World Market, Armonk, N. Y. 1984; Fordism and Fascism, Armonk, N. Y. 1988; Leistung und Lohn in der nationalsozialistischen "Ordnung der Arbeit", Opladen 1989; (zus. m. Th. v. Freyberg) Industrielle Rationalisierung unter dem Nationalsozialismus, Frankfurt a. M./New York 1991; (zus. m. D. Reese u. a.) Rationale Beziehungen? Geschlechterverhältnisse im Rationalisierungsprozeß, Frankfurt a. M., erscheint Frühjahr 1993

Margareta Steinrücke, Dipl. Päd., geboren 1953, Referentin für Frauenforschung der Angestelltenkammer Bremen

Korrespondenzadresse: Angestelltenkammer Bremen, Bürgerstraße 1, 2800 Bremen 1
Veröffentlichungen u. a.: Generationen im Betrieb. Fallstudien zur generationenspezifischen Verarbeitung betrieblicher Konflikte, Frankfurt/New York 1986; (zus. m. P. Frerichs) Symbolische Interessen von Frauen im Betrieb, in: Argument 174 (174 (31 (1989) 2); Фraueninteressen im Betrieb. Arbeitssituation und Interessenvertretung von Arbeiterinnnen und weiblichen Angestellten im Zeichen neuer Technologien, Opladen 1989; Klasse und Gesellschaft als Medien der Chancenzuweisung, in: Hansjürgen Daheim u. a. (Hg): Soziale Chancen. Forschungen im Wandel der Arbeitsgesellschaft, Frankfurt am Main/New York 1992